Collection dirigée par

Alexandre Dumas

Le Comte de Monte-Cristo

Texte abrégé

s 2013
18-97158-7
51

Hélène Potelet,
agrégée de lettres classiques

Pierre Laporte,
agrégé de lettres modernes

L'air du temps

Le contexte historique

• **1804 :** sacre de Napoléon (Premier Empire).

• **1814 :** chute de Napoléon et arrivée de Louis XVIII au pouvoir (première Restauration).

• **20 mars-22 juin 1815 :** les Cent-Jours. Napoléon s'enfuit de l'île d'Elbe et chasse Louis XVIII. Après la défaite de Waterloo, il est déporté à Sainte-Hélène.

• **1815-1824 :** Louis XVIII reprend le pouvoir (seconde Restauration).

• **1824-1830 :** règne de Charles X.

• **1830 (28-29-30 juillet) :** Charles X est renversé par le peuple parisien lors des journées des Trois Glorieuses. Louis-Philippe lui succède et instaure une monarchie libérale : c'est la monarchie de Juillet (1830-1848).

Les arts

• Le mouvement romantique domine l'Europe artistique.

• De nombreux artistes sont touchés par la vogue de l'orientalisme (attrait pour l'Orient, considéré comme source d'exotisme). 1814 : *La Grande Odalisque*, Ingres. 1825 : *Odalisque*, Delacroix. 1829 : Hugo, chef de file des romantiques, écrit le recueil de poèmes *Les Orientales*, il y dépeint un Orient pittoresque et coloré.

• **1830 :** *La Liberté guidant le peuple*, Eugène Delacroix, peinture qui commémore les Trois Glorieuses. ▼

Sommaire

Alexandre Dumas (1802-1870)

L'enfance

Portrait d'Alexandre Dumas, lithographie d'Eugène Deveria (1808-1865), Paris, BNF.

Alexandre Dumas naît le **24 juillet 1802 à Villers-Cotterêts**, dans l'Aisne. Il est le petit-fils d'une esclave noire de Saint-Domingue et d'un propriétaire de la petite noblesse normande ; sa mère appartient à la petite bourgeoisie, son père, Thomas Alexandre Dumas, est officier des armées révolutionnaires. De son **métissage**, Alexandre hérite une chevelure dense et crépue ; plusieurs fois dans sa vie, il souffrira de remarques racistes sur ses origines.

Son père est le **personnage marquant** de ses premières années : héros d'une force herculéenne, il fait carrière durant la Révolution, devient général, participe aux campagnes napoléoniennes. Mais, fait prisonnier en Italie et empoisonné durant sa captivité, il meurt quelques années après son retour en France, le 26 février 1806, laissant sa femme et son jeune fils dans une situation financière précaire.

L'éducation et la formation d'Alexandre souffrent de ces difficultés ; de plus, c'est un **élève frondeur**, qui préfère à l'étude les promenades dans les vastes forêts de Villers-Cotterêts et la chasse.

Les débuts d'un jeune romantique

Alexandre est un jeune homme ambitieux, il **veut conquérir la gloire et la célébrité** par les Lettres et quitter la vie provinciale. La lecture de Shakespeare lui donne vite le goût du théâtre ; il **s'installe** alors **à Paris.**

Il mène une **vie de bohème** : séduisant, il multiplie les conquêtes amoureuses, notamment Laure Labay, sa voisine de palier, qui lui donne un petit Alexandre (dit **Alexandre Dumas fils**), futur auteur de *La Dame aux camélias*.

Le 10 février 1829, Dumas connaît enfin la gloire : il offre aux romantiques[1] leur premier grand succès sur scène, avec son drame *Henri III et sa cour*. Il multiplie les succès au théâtre, mène la grande vie, côtoie les grands écrivains romantiques, Alfred de Vigny, Victor Hugo, Charles Nodier, Gérard de Nerval, George Sand...

La célébrité : du théâtre au roman

Le grand tournant dans la carrière littéraire de Dumas, c'est **la découverte du roman**, historique[2] et d'aventures, à la manière de l'écrivain anglais Walter Scott[3]. En 1844, Dumas publie en **feuilletons dans la presse ses deux plus grands succès** : *Les Trois Mousquetaires* et *Le Comte de Monte-Cristo*. Suivent à un rythme effréné **plusieurs grands cycles romanesques** : le cycle des Mousquetaires (avec *Vingt Ans après* puis *Le Vicomte de Bragelonne*), le cycle Renaissance (*La Reine Margot*, *La Dame de Monsoreau*...), le cycle révolutionnaire (*Le Collier de la reine*...). Dumas tire de la plupart de ses romans des pièces de théâtre et les fait jouer au Théâtre-Historique, qu'il a lui-même fondé.

Il signe donc des centaines de volumes qu'il n'a souvent pas écrits seul ; il travaille en effet en collaboration avec d'autres auteurs. **Son collaborateur le plus précieux est Auguste Maquet**, avec qui il compose ses œuvres les plus célèbres. Mais ce succès éclatant lui vaut des jalousies, et il est plusieurs fois accusé, le plus souvent à tort, de ne pas avoir écrit lui-même ses romans ou ses pièces.

1. Le romantisme est un vaste mouvement culturel né en Allemagne et en Angleterre et qui se développe en France au début du XIXe siècle. L'art romantique réagit contre les règles classiques et met en avant, au nom de la liberté, l'expression des sentiments personnels, de la sensibilité et de l'imagination.

2. Le roman historique a pour toile de fond une période de l'Histoire, il mêle les personnages réels et les personnages fictifs.

3. Walter Scott (1771-1832) est un écrivain écossais, auteur de romans historiques dont le plus célèbre est *Ivanhoé* (1819).

La grande vie et les revers de fortune

Dumas acquiert une immense popularité, en France et à l'étranger. Mais bien que ses œuvres soient pour lui une source de revenus colossaux, Dumas est toujours à court d'argent. **Personnalité débordante et généreuse,** il dépense sans compter et va jusqu'à se faire bâtir à Port-Marly, en région parisienne, une luxueuse résidence appelée **château de Monte-Cristo**, inspirée du style oriental en vogue à l'époque.

Dans la dernière partie de sa vie, il connaît de **sérieuses difficultés d'argent**. Il continue d'enrichir son œuvre foisonnante par d'autres romans et pièces, mais aussi **des récits de voyage, des *Mémoires*, un *Grand Dictionnaire de cuisine*** resté inachevé et où il célèbre sa passion la plus chère : la gourmandise. Cependant il est passé de mode et le public se détourne de lui.

Il meurt ruiné le 5 décembre 1870.

Ses œuvres, notamment ses romans, sont restées extrêmement populaires, et la nation française a rendu hommage à ce grand romantique en **transférant ses cendres au Panthéon** le 30 novembre 2002, pour le bicentenaire de sa naissance.

Les sources du roman *Le Comte de Monte-Cristo*

En 1842, Dumas **navigue le long des côtes de l'île de Monte-Cristo** en Méditerranée (entre la Corse et la côte italienne), en compagnie du prince Napoléon, fils de Jérôme Bonaparte et neveu de Napoléon Ier. Il promet au prince d'écrire un roman intitulé *L'Île de Monte-Cristo*, en souvenir de ce voyage.

Deux ans plus tard, Dumas s'inspire, pour élaborer son roman, de **deux faits divers** : *Le Diamant et la vengeance* et *Un crime de famille.*

Le Diamant et la vengeance a fourni le **modèle d'Edmond Dantès**. Le jeune cordonnier François Picaud, sur le point de se marier avec une jeune fille fortunée, est victime, par jalousie, d'une **sombre machination** manigancée par le cafetier Mathieu Loupian, aidé de deux compères. Ceux-ci le dénoncent mensongèrement d'être un agent secret anglais. Picaud est arrêté et reste sept ans en prison ; il y rencontre un riche abbé italien qui lui lègue une fortune considérable. Au sortir de la prison, Picaud, sous un faux nom, mène discrètement son enquête auprès d'un dénommé Allut, au courant du complot ; il lui offre un diamant en récompense de ses révélations puis **se livre à une noire vengeance**, éliminant un à un ses dénonciateurs.

Un crime de famille est une sombre affaire **d'empoisonnement familial**, dont Dumas s'inspire pour créer le personnage de Mme de Villefort (voir texte 14 p. 254).

Le roman est publié **en feuilletons**, c'est-à-dire par épisodes à suivre, dans *Le Journal des débats*, entre août 1844 et janvier 1846 : c'est un **immense succès**, les lecteurs fébriles ne cessent de harceler l'auteur pour connaître la fin de l'histoire.

Dumas et Maquet rédigent également une adaptation théâtrale, montée au Théâtre-Historique en février 1848. *Le Comte de Monte-Cristo* devient l'**œuvre phare de Dumas** : il envisage longtemps de poursuivre les aventures de Dantès, mais ne le fera jamais.

Résumé du roman

Remarque : *les événements sont présentés dans leur ordre chronologique (qui ne correspond pas nécessairement à l'ordre de la narration).*

1815

28 février 1815. Le *Pharaon* rentre à Marseille. Morrel, l'armateur du navire, vient à la rencontre du jeune et brillant marin Edmond Dantès qui a pris les commandes du bateau suite à la mort de son capitaine ; il est jalousé par Danglars, le comptable. Dantès rend visite à son père âgé et sans ressources. Un voisin, Caderousse, un homme fourbe et intéressé par l'argent, est présent (voir texte 1 p. 12).

Puis Dantès va retrouver sa fiancée Mercédès qui l'attend, mais le pêcheur Fernand Mondego lui aussi amoureux de la jeune fille, assiste jaloux aux retrouvailles. Danglars, Fernand et Caderousse élaborent un complot contre Dantès pour le faire arrêter : ils le dénoncent comme bonapartiste (voir texte 2 p. 39).

9 mars 1815. Dantès est arrêté durant son repas de fiançailles et interrogé par le substitut du procureur du roi, Gérard de Villefort, qui se trouve malgré lui impliqué dans le complot, ayant tout intérêt pour des raisons politiques à arrêter Dantès (voir texte 3 p. 54). Il le transfère dans la prison du château d'If (voir texte 4 p. 74).

1816

Mercédès, sans nouvelles de Dantès, épouse Fernand.

1817

Naissance d'Albert, fils de Fernand et Mercédès.

À Auteuil, liaison entre Villefort et la future Mme Danglars. Naissance d'un fils illégitime (Benedetto) que recueille Bertuccio après avoir tenté d'assassiner Villefort.

1822

Dantès entre en contact avec l'abbé Faria qui l'instruit et lui révèle qui sont ses ennemis (voir texte 4 p. 74).

Fernand est au service d'Ali-Pacha, en Grèce. Il le livre aux Turcs et vend sa femme Vasiliki et sa fille Haydée comme esclaves.

1823

Fernand est fait colonel et comte de Morcerf durant la guerre d'Espagne, il reçoit la Légion d'honneur.

1829

Danglars, fournisseur des armées durant la guerre d'Espagne, s'est enrichi considérablement et a fondé une banque. Il est anobli par Charles X et devient le baron Danglars.

28 février. Dantès s'évade du château d'If, après quatorze années de captivité (voir texte 5 p. 107).

Recueilli par des contrebandiers, il découvre le trésor de l'abbé Faria dans l'île de Monte-Cristo (voir texte 5 p. 107).

Il retrouve Caderousse, devenu aubergiste au Pont du Gard, et apprend la mort de son père et les parcours de ses ennemis. Il lui donne un diamant en échange de ses révélations (voir texte 6 p. 123).

Caderousse assassine le joaillier auquel il a vendu le diamant ainsi que sa femme, la Carconte. Bertuccio, témoin involontaire de la scène, est injustement arrêté (voir texte 9 p. 189). Caderousse est lui aussi arrêté et condamné aux galères.

5 septembre. Dantès sauve la maison Morrel de la faillite (voir texte 7 p. 158).

1830 à 1838

Dantès, anobli par le pape, devient comte de Monte-Cristo. Il prépare sa vengeance sous les noms de l'abbé Busoni, lord Wilmore et Simbad le marin. Il rachète Haydée (voir texte 10 p. 201) et se lie avec le brigand italien Luigi Vampa.

1838

C'est l'année de la vengeance. Monte-Cristo fait la connaissance d'Albert de Morcerf en Italie et le libère des mains de Luigi Vampa qui l'a enlevé à sa demande.

21 mai. Monte-Cristo arrive à Paris, il est accueilli par les Morcerf (voir texte 8 p. 175).

2 juin. Monte-Cristo donne une soirée dans sa maison d'Auteuil, il raconte qu'un nouveau-né a été enterré vivant dans le jardin. Villefort et Mme Danglars sont très troublés (voir texte 11 p. 210).

31 août. Caderousse est assassiné par Benedetto dans la demeure de Monte-Cristo (voir texte 12 p. 219).

Septembre. Morcerf est déshonoré : Haydée révèle en public qu'il a trahit son père, le pacha de Janina. Lorsqu'il rentre chez lui, sa femme et son fils sont en train de quitter la maison avec toutes leurs affaires. Morcef se suicide (voir texte 13 p. 232).

Fin septembre. Poussée par Monte-Cristo, la seconde épouse de Villefort a empoisonné des membres de la famille de son mari pour faire hériter son fils Édouard. Elle s'en prend aussi à Valentine, fille de Villefort née de son premier mariage (voir texte 14 p. 254). Villefort, découvrant que sa femme est l'auteur de ses meurtres, la menace de la livrer à la justice si elle ne s'empoisonne pas elle-même.

Entre temps, Benedetto, entré dans le monde sous le nom d'Andrea Cavalcanti, prétendu prince italien et fiancé à la fille de Danglars, est arrêté : il est accusé d'avoir tué Caderousse. En prison, Monte-Cristo s'arrange pour lui faire savoir qu'il est le fils illégitime de Villefort. Le jour du procès, il déclare en plein tribunal être le fils du procureur Villefort, qui est chargé de l'affaire (voir texte 15 p. 273). Villefort rentre chez lui : sa femme s'est empoisonnée en même temps qu'elle a empoisonné son jeune fils, Édouard. Villefort sombre dans la folie (voir texte 16 p. 288).

Fin septembre-début octobre. Mercédès et Albert s'installent à Marseille dans la maison du père de Dantès, offerte par Monte-Cristo. Albert s'est engagé dans l'armée coloniale, il part pour l'Afrique.

Monte-Cristo fait une dernière visite à Mercédès. Puis il retourne au château d'If ; il y revoit son cachot (voir texte 17 p. 303).

Il reste à Monte-Cristo de se venger de Danglars. Ce dernier, ruiné sous l'action secrète du comte, s'enfuit en Italie ; il est arrêté et détenu par Luigi Vampa, puis relâché par Monte-Cristo qui décide de lui pardonner (voir texte 18 p. 319).

5 octobre. Monte-Cristo réunit sur l'île de Monte-Cristo Maximilien Morrel et Valentine de Villefort, qu'il a sauvée de l'empoisonnement. Il part vers de nouvelles aventures en compagnie de Haydée (voir texte 19 p. 330).

Le Comte de Monte-Cristo

Henri Meyer, frontispice, pour *Le Comte de Monte-Cristo*, XIXe siècle.

Texte 1 – Le retour de Dantès à Marseille

« Ah ! C'est vous, Dantès ! »

I. Marseille. – L'arrivée

Le 28 février 1815, la vigie[1] de Notre-Dame-de-la-Garde[2] signala le trois-mâts le *Pharaon*, venant de Smyrne, Trieste et Naples.

Comme d'habitude, un pilote côtier partit aussitôt du port, 5 rasa le château d'If[3], et alla aborder le navire entre le cap de Morgiou et l'île de Riou.

Aussitôt, comme d'habitude encore, la plate-forme du fort Saint-Jean[4] s'était couverte de curieux ; car c'est toujours une grande affaire à Marseille que l'arrivée d'un bâtiment[5], surtout 10 quand ce bâtiment, comme le *Pharaon*, a été construit, gréé[6], arrimé[7] sur les chantiers de la vieille Phocée[8], et appartient à un armateur[9] de la ville.

Cependant ce bâtiment s'avançait ; il avait heureusement franchi le détroit que quelque secousse volcanique a creusé 15 entre l'île de Calseraigne et l'île de Jarre ; il avait doublé Pomègues, et il s'avançait sous ses trois huniers[10], son grand foc[11] et sa brigantine[12], mais si lentement et d'une allure si triste, que les curieux, avec cet instinct qui pressent un malheur, se demandaient quel accident pouvait être arrivé à bord. Néanmoins 20 les experts en navigation reconnaissant que si un accident était

1. Guetteur chargé de surveiller le large.
2. Basilique qui domine la ville de Marseille.
3. Fortification construite sur un ilôt, au centre de la rade de Marseille.
4. Fort situé à l'entrée du port de Marseille.
5. Navire.
6. Garni de mâts et de voiles.
7. Dont la cargaison a été solidement fixée.
8. Ancien nom de Marseille (nom de la colonie grecque).
9. Personne qui s'occupe de l'exploitation commerciale d'un navire.
10. Voile carrée au-dessus de la grande voile.
11. Voile avant triangulaire d'un voilier.
12. Voile carrée arrière.

arrivé, ce ne pouvait être au bâtiment lui-même ; car il s'avançait dans toutes les conditions d'un navire parfaitement gouverné : son ancre était en mouillage[13], ses haubans[14] décrochés ; et près du pilote, qui s'apprêtait à diriger le *Pharaon* par
25 l'étroite entrée du port de Marseille, était un jeune homme au geste rapide et à l'œil actif, qui surveillait chaque mouvement du navire et répétait chaque ordre du pilote.

La vague inquiétude qui planait sur la foule avait particulièrement atteint un des spectateurs de l'esplanade de Saint-Jean,
30 de sorte qu'il ne put attendre l'entrée du bâtiment dans le port ; il sauta dans une petite barque et ordonna de ramer au-devant du *Pharaon*, qu'il atteignit en face de l'anse[15] de la Réserve.

En voyant venir cet homme, le jeune marin quitta son poste à côté du pilote, et vint, le chapeau à la main, s'appuyer à la
35 muraille du bâtiment.

C'était un jeune homme de dix-huit à vingt ans, grand, svelte, avec de beaux yeux noirs et des cheveux d'ébène ; il y avait dans toute sa personne cet air de calme et de résolution particulier aux hommes habitués depuis leur enfance à lutter avec
40 le danger.

« Ah ! c'est vous, Dantès ! cria l'homme à la barque ; qu'est-il donc arrivé, et pourquoi cet air de tristesse répandu sur tout votre bord ?

– Un grand malheur, monsieur Morrel ! répondit le jeune
45 homme, un grand malheur, pour moi surtout : à la hauteur de Civita-Vecchia[16], nous avons perdu ce brave capitaine Leclère.

– Et le chargement ? demanda vivement l'armateur.

13. L'ancre avait été mise à l'eau.
14. Câbles métalliques qui maintiennent le mat vertical.
15. Petite baie.
16. Ville italienne située sur la côte, non loin de Rome.

– Il est arrivé à bon port, monsieur Morrel, et je crois que
50 vous serez content sous ce rapport ; mais ce pauvre capitaine Leclère…

– Que lui est-il donc arrivé ? demanda l'armateur d'un air visiblement soulagé ; que lui est-il donc arrivé, à ce brave capitaine ?

55 – Il est mort.

– Tombé à la mer ?

– Non, monsieur ; mort d'une fièvre cérébrale, au milieu d'horribles souffrances. »

Puis, se retournant vers ses hommes :

60 « Holà hé ! dit-il, chacun à son poste pour le mouillage ! »

L'équipage obéit. Au même instant, les huit ou dix matelots qui le composaient s'élancèrent les uns sur les écoutes[17], les autres sur les bras[18], les autres aux drisses[19], les autres aux hallebas[20] des focs, enfin les autres aux cargues[21] des voiles.

65 Le jeune marin jeta un coup d'œil nonchalant sur ce commencement de manœuvre, et, voyant que ses ordres allaient s'exécuter, il revint à son interlocuteur.

« Et comment ce malheur est-il donc arrivé ? » continua l'armateur, reprenant la conversation où le jeune marin l'avait
70 quittée.

« Mon Dieu, monsieur, de la façon la plus imprévue : après une longue conversation avec le commandant du port, le capitaine Leclère quitta Naples fort agité ; au bout de vingt-quatre heures, la fièvre le prit ; trois jours après il était mort.

17. Cordages servant à régler l'angle de la voile.
18. Cordages qui permettent de régler l'écartement d'une voile d'avant.
19. Cordages servant à hisser une voile.
20. Cordages permettant de retenir une bôme vers le bas.
21. Petits cordages qui servent à plier, retrousser les voiles contre leurs vergues (barres de bois qui soutiennent une voile).

75 « Nous lui avons fait les funérailles ordinaires, et il repose, décemment enveloppé dans un hamac, avec un boulet de trente-six aux pieds et un à la tête, à la hauteur de l'île del Giglio. Nous rapportons à sa veuve sa croix d'honneur et son épée. C'était bien la peine, continua le jeune homme avec un sourire
80 mélancolique, de faire dix ans de guerre aux Anglais pour en arriver à mourir, comme tout le monde, dans son lit.

– Dame ! que voulez-vous, monsieur Edmond », reprit l'armateur qui paraissait se consoler de plus en plus, « nous sommes tous mortels, et il faut bien que les anciens fassent place aux
85 nouveaux, sans cela il n'y aurait pas d'avancement ; et du moment que vous m'assurez que la cargaison…

– Est en bon état, monsieur Morrel, je vous en réponds. Voici un voyage que je vous donne le conseil de ne point escompter[22] pour 25 000 francs de bénéfices. »

90 Puis, comme on venait de dépasser la tour ronde :

« Range[23] à carguer[24] les voiles de hune[25], le foc et la brigantine ! cria le jeune marin ; faites penau[26] ! »

L'ordre s'exécuta avec presque autant de promptitude[27] que sur un bâtiment de guerre.

95 « Amène[28] et cargue partout ! »

Au dernier commandement, toutes les voiles s'abaissèrent, et le navire s'avança d'une façon presque insensible, ne marchant plus que par l'impulsion donnée.

« Et maintenant, si vous voulez monter, monsieur Morrel,
100 dit Dantès voyant l'impatience de l'armateur, voici votre comptable, M. Danglars, qui sort de sa cabine, et qui vous donnera tous les renseignements que vous pouvez désirer. Quant à moi,

22. Faire une opération financière.
23. Ordre à tous de…
24. Replier les voiles.
25. Plate-forme autour d'un mât.
26. Jetez l'ancre.
27. Rapidité.
28. Abaisse (les voiles).

il faut que je veille au mouillage[29] et que je mette le navire en deuil. »

L'armateur ne se le fit pas dire deux fois. Il saisit un câble que lui jeta Dantès, et, avec une dextérité[30] qui eût fait honneur à un homme de mer, il gravit les échelons cloués sur le flanc rebondi du bâtiment, tandis que celui-ci, retournant à son poste de second, cédait la conversation à celui qu'il avait annoncé sous le nom de Danglars, et qui, sortant de sa cabine, s'avançait effectivement au-devant de l'armateur.

Le nouveau venu était un homme de vingt-cinq à vingt-six ans, d'une figure assez sombre, obséquieux[31] envers ses supérieurs, insolent envers ses subordonnés : aussi, outre son titre d'agent comptable, qui est toujours un motif de répulsion pour les matelots, était-il généralement aussi mal vu de l'équipage qu'Edmond Dantès au contraire en était aimé.

« Eh bien ! monsieur Morrel, dit Danglars, vous savez le malheur, n'est-ce pas ?

– Oui, oui, pauvre capitaine Leclère ! c'était un brave et honnête homme !

– Et un excellent marin surtout, vieilli entre le ciel et l'eau, comme il convient à un homme chargé des intérêts d'une maison aussi importante que la maison Morrel et fils, répondit Danglars.

– Mais, dit l'armateur, suivant des yeux Dantès qui cherchait son mouillage, mais il me semble qu'il n'y a pas besoin d'être si vieux marin que vous le dites, Danglars, pour connaître son métier, et voici notre ami Edmond qui fait le sien, ce me semble, en homme qui n'a besoin de demander des conseils à personne.

29. Manœuvre pour jeter l'ancre.
30. Adresse.
31. D'une politesse exagérée.

– Oui », dit Danglars en jetant sur Dantès un regard oblique où brilla un éclair de haine, « oui, c'est jeune, et cela ne doute de rien. À peine le capitaine a-t-il été mort qu'il a pris le comman-
135 dement sans consulter personne, et qu'il nous a fait perdre un jour et demi à l'île d'Elbe au lieu de revenir directement à Marseille.

– Quant à prendre le commandement du navire, dit l'armateur, c'était son devoir comme second ; quant à perdre un jour
140 et demi à l'île d'Elbe[32], il a eu tort ; à moins que le navire n'ait eu quelque avarie[33] à réparer.

– Le navire se portait comme je me porte, et comme je désire que vous vous portiez, monsieur Morrel ; et cette journée et demie a été perdue par pur caprice, pour le plaisir d'aller à
145 terre, voilà tout.

– Dantès, dit l'armateur se retournant vers le jeune homme, venez donc ici.

– Pardon, monsieur, dit Dantès, je suis à vous dans un instant. »

150 Puis s'adressant à l'équipage :

« Mouille[34] ! » dit-il.

Aussitôt l'ancre tomba, et la chaîne fila avec bruit. Dantès resta à son poste, malgré la présence du pilote, jusqu'à ce que cette dernière manœuvre fût terminée ; puis alors :

155 « Abaissez la flamme[35] à mi-mât, mettez le pavillon[36] en berne[37], croisez les vergues[38] !

– Vous voyez, dit Danglars, il se croit déjà capitaine, sur ma parole.

32. Île où Napoléon a été exilé.
33. Dégât matériel.
34. Jette l'ancre.
35. Petit drapeau long.
36. Drapeau.
37. Abaissé, en signe de deuil.
38. Barres de bois placées horizontalement sur un mât et destinées à soutenir la voile.

– Et il l'est de fait, dit l'armateur.

160 – Oui, sauf votre signature et celle de votre associé, monsieur Morrel.

– Dame ! pourquoi ne le laisserions-nous pas à ce poste ? dit l'armateur. Il est jeune, je le sais bien, mais il me paraît tout à la chose, et fort expérimenté dans son état. »

165 Un nuage passa sur le front de Danglars.

« Pardon, monsieur Morrel, dit Dantès en s'approchant ; maintenant que le navire est mouillé[39], me voilà tout à vous : vous m'avez appelé, je crois ? »

Danglars fit un pas en arrière.

170 « Je voulais vous demander pourquoi vous vous étiez arrêté à l'île d'Elbe ?

– Je l'ignore, Monsieur ; c'était pour accomplir un dernier ordre du capitaine Leclère, qui, en mourant, m'avait remis un paquet pour le grand maréchal Bertrand.

175 – L'avez-vous donc vu, Edmond ?

– Qui ?

– Le grand maréchal ?

– Oui. »

Morrel regarda autour de lui, et tira Dantès à part.

180 « Et comment va l'empereur ? demanda-t-il vivement.

– Bien, autant que j'ai pu en juger par mes yeux.

– Vous avez donc vu l'empereur aussi ?

– Il est entré chez le maréchal pendant que j'y étais.

– Et vous lui avez parlé ?

185 – C'est-à-dire que c'est lui qui m'a parlé, monsieur », dit Dantès en souriant.

– « Et que vous a-t-il dit ?

39. À l'ancre.

– Il m'a fait des questions sur le bâtiment, sur l'époque de son départ pour Marseille, sur la route qu'il avait suivie et sur 190 la cargaison qu'il portait. Je crois que s'il eût été vide, et que j'en eusse été le maître, son intention eût été de l'acheter ; mais je lui ai dit que je n'étais que simple second, et que le bâtiment appartenait à la maison Morrel et fils. "Ah ! ah ! a-t-il dit, je la connais. Les Morrel sont armateurs de père en fils, et il y 195 avait un Morrel qui servait dans le même régiment que moi lorsque j'étais en garnison à Valence."

– C'est pardieu vrai ! s'écria l'armateur tout joyeux ; c'était Policar Morrel, mon oncle, qui est devenu capitaine. Dantès, vous direz à mon oncle que l'empereur s'est souvenu de lui, et 200 vous le verrez pleurer, le vieux grognard[40]. Allons, allons, continua l'armateur en frappant amicalement sur l'épaule du jeune homme, vous avez bien fait, Dantès, de suivre les instructions du capitaine Leclère et de vous arrêter à l'île d'Elbe, quoique, si l'on savait que vous avez remis un paquet au maré-205 chal et causé avec l'empereur, cela pourrait vous compromettre.

– En quoi voulez-vous, monsieur, que cela me compromette ? dit Dantès : je ne sais pas même ce que je portais, et l'empereur ne m'a fait que les questions qu'il eût faites au premier venu. 210 Mais, pardon, reprit Dantès, voici la santé et la douane qui nous arrivent ; vous permettez, n'est-ce pas ?

– Faites, faites, mon cher Dantès. »

Le jeune homme s'éloigna, et, comme il s'éloignait, Danglars se rapprocha.

215 « Eh bien ! demanda-t-il, il paraît qu'il vous a donné de bonnes raisons de son mouillage à Porto-Ferrajo ?

– D'excellentes, mon cher monsieur Danglars.

40. Soldat de la vieille garde de Napoléon.

– Ah ! tant mieux, répondit celui-ci, car c'est toujours pénible de voir un camarade qui ne fait pas son devoir.

– Dantès a fait le sien, répondit l'armateur, et il n'y a rien à dire. C'était le capitaine Leclère qui lui avait ordonné cette relâche[41].

– À propos du capitaine Leclère, ne vous a-t-il pas remis une lettre de lui ?

– Qui ?

– Dantès.

À moi, non ! En avait-il donc une ?

– Je croyais qu'outre le paquet, le capitaine Leclère lui avait confié une lettre.

– De quel paquet voulez-vous parler, Danglars ?

– Mais de celui que Dantès a déposé en passant à Porto-Ferrajo ?

– Comment savez-vous qu'il avait un paquet à déposer à Porto-Ferrajo ? »

Danglars rougit.

« Je passais devant la porte du capitaine qui était entr'ouverte, et je lui ai vu remettre ce paquet et cette lettre à Dantès.

– Il ne m'en a point parlé, dit l'armateur ; mais s'il a cette lettre, il me la remettra. »

Danglars réfléchit un instant.

« Alors, monsieur Morrel, je vous prie, dit-il, ne parlez point de cela à Dantès ; je me serai trompé. »

En ce moment, le jeune homme revenait ; Danglars s'éloigna.

« Eh bien, mon cher Dantès, êtes-vous libre ? demanda l'armateur.

– Oui, Monsieur.

41. En terme de marine, action de séjourner sur un point quelconque d'une côte.

– La chose n'a pas été longue.

– Non, j'ai donné aux douaniers la liste de nos marchandises ; 250 et quant à la consigne, elle avait envoyé avec le pilote côtier un homme à qui j'ai remis nos papiers.

– Alors, vous n'avez plus rien à faire ici ? »

Dantès jeta un regard rapide autour de lui.

« Non, tout est en ordre, dit-il.

255 – Vous pouvez donc alors venir dîner avec nous ?

– Excusez-moi, monsieur Morrel, excusez-moi, je vous prie, mais je dois ma première visite à mon père. Je n'en suis pas moins reconnaissant de l'honneur que vous me faites.

– C'est juste, Dantès, c'est juste. Je sais que vous êtes bon 260 fils.

– Et… demanda Dantès avec une certaine hésitation, et il se porte bien, que vous sachiez, mon père ?

– Mais je crois que oui, mon cher Edmond, quoique je ne l'aie pas aperçu.

265 – Oui, il se tient enfermé dans sa petite chambre.

– Cela prouve au moins qu'il n'a manqué de rien pendant votre absence. »

Dantès sourit.

« Mon père est fier, monsieur, et, eût-il manqué de tout, je 270 doute qu'il eût demandé quelque chose à qui que ce soit au monde, excepté à Dieu.

– Eh bien, après cette première visite, nous comptons sur vous.

– Excusez-moi encore, monsieur Morrel ; mais, après cette 275 première visite, j'en ai une seconde qui ne me tient pas moins au cœur.

– Ah ! c'est vrai, Dantès ; j'oubliais qu'il y a aux Catalans quelqu'un qui doit vous attendre avec non moins d'impatience que votre père : c'est la belle Mercédès. »

280 Dantès sourit.

« Ah ! ah ! dit l'armateur, cela ne m'étonne plus, qu'elle soit venue trois fois me demander des nouvelles du *Pharaon*. Peste ! Edmond, vous n'êtes point à plaindre, et vous avez là une jolie maîtresse !

285 – Ce n'est point ma maîtresse, monsieur, dit gravement le jeune marin : c'est ma fiancée.

– C'est quelquefois tout un, dit l'armateur en riant.

– Pas pour nous, monsieur, répondit Dantès.

– Allons, allons, mon cher Edmond, continua l'armateur, 290 que je ne vous retienne pas ; vous avez assez bien fait mes affaires pour que je vous donne tout loisir de faire les vôtres. Avez-vous besoin d'argent ?

– Non, Monsieur ; j'ai tous mes appointements[42] du voyage, c'est-à-dire près de trois mois de solde.

295 – Vous êtes un garçon rangé, Edmond.

– Ajoutez que j'ai un père pauvre, monsieur Morrel.

– Oui, oui, je sais que vous êtes un bon fils. Allez donc voir votre père : j'ai un fils aussi, et j'en voudrais fort à celui qui, après un voyage de trois mois, le retiendrait loin de moi.

300 – Alors, vous permettez ? dit le jeune homme en saluant.

– Oui, si vous n'avez rien de plus à me dire.

– Non.

– Le capitaine Leclère ne vous a pas, en mourant, donné une lettre pour moi ?

305 – Il lui eût été impossible d'écrire, Monsieur ; mais cela me rappelle que j'aurai un congé de quinze jours à vous demander.

– Pour vous marier ?

– D'abord ; puis pour aller à Paris.

42. Salaire.

310 – Bon, bon ! vous prendrez le temps que vous voudrez, Dantès ; le temps de décharger le bâtiment nous prendra bien six semaines, et nous ne nous remettrons guère en mer avant trois mois... Seulement, dans trois mois, il faudra que vous soyez là. Le *Pharaon*, continua l'armateur en frappant sur l'épaule du jeune
315 marin, ne pourrait pas repartir sans son capitaine.

– Sans son capitaine ! s'écria Dantès les yeux brillants de joie ; faites bien attention à ce que vous dites là, monsieur, car vous venez de répondre aux plus secrètes espérances de mon cœur. Votre intention serait-elle de me nommer capitaine du
320 *Pharaon* ?

– Si j'étais seul, je vous tendrais la main, mon cher Dantès, et je vous dirais : C'est fait ; mais j'ai un associé, et vous savez le proverbe italien : "*Che a compagne a padrone.*"[43] Mais la moitié de la besogne est faite au moins, puisque sur deux voix
325 vous en avez déjà une. Rapportez-vous-en à moi pour avoir l'autre, et je ferai de mon mieux.

– Oh ! monsieur Morrel, s'écria le jeune marin, saisissant, les larmes aux yeux, les mains de l'armateur ; monsieur Morrel, je vous remercie, au nom de mon père et de Mercédès.
330 – C'est bien, c'est bien, Edmond, il y a un Dieu au ciel pour les braves gens, que diable ! Allez voir votre père, allez voir Mercédès, et revenez me trouver après.

– Mais vous ne voulez pas que je vous ramène à terre ?

– Non, merci ; je reste à régler mes comptes avec Danglars.
335 Avez-vous été content de lui pendant le voyage ?

– C'est selon le sens que vous attachez à cette question, monsieur. Si c'est comme bon camarade, non, car je crois qu'il ne m'aime pas depuis le jour où j'ai eu la bêtise, à la suite d'une petite querelle que nous avions eue ensemble, de lui proposer de nous

43. « Qui a un associé a un patron. »

arrêter dix minutes à l'île de Monte-Cristo[44] pour vider cette querelle ; proposition que j'avais eu tort de lui faire, et qu'il avait eu, lui, raison de refuser. Si c'est comme comptable que vous me faites cette question, je crois qu'il n'y a rien à dire et que vous serez content de la façon dont sa besogne est faite.

– Mais, demanda l'armateur, voyons, Dantès, si vous étiez capitaine du *Pharaon*, garderiez-vous Danglars avec plaisir ?

– Capitaine ou second, monsieur Morrel, répondit Dantès, j'aurai toujours les plus grands égards pour ceux qui posséderont la confiance de mes armateurs.

– Allons, allons, Dantès, je vois qu'en tout point vous êtes un brave garçon. Que je ne vous retienne plus : allez, car je vois que vous êtes sur des charbons.

– J'ai donc mon congé ? demanda Dantès.

– Allez, vous dis-je.

– Vous permettez que je prenne votre canot ?

– Prenez.

– Au revoir, monsieur Morrel, et mille fois merci.

– Au revoir, mon cher Edmond, bonne chance ! »

Le jeune marin sauta dans le canot, alla s'asseoir à la poupe, et donna l'ordre d'aborder à la Canebière[45]. Deux matelots se penchèrent aussitôt sur leurs rames, et l'embarcation glissa aussi rapidement qu'il est possible de le faire, au milieu des mille barques qui obstruent l'espèce de rue étroite qui conduit, entre deux rangées de navires, de l'entrée du port au quai d'Orléans.

L'armateur le suivit des yeux en souriant, jusqu'au bord, le vit sauter sur les dalles du quai, et se perdre aussitôt au milieu

44. Petite île montagneuse de la Méditerranée au large de la Toscane (Italie), non loin de l'île d'Elbe.

45. Rue célèbre qui relie le Vieux-Port au centre de Marseille.

de la foule bariolée qui, de cinq heures du matin à neuf heures du soir, encombre cette fameuse rue de la Canebière, dont les
370 Phocéens modernes sont si fiers, qu'ils disent avec le plus grand sérieux du monde et avec cet accent qui donne tant de caractère à ce qu'ils disent : « Si Paris avait la Canebière, Paris serait un petit Marseille. »

En se retournant, l'armateur vit derrière lui Danglars, qui,
375 en apparence, semblait attendre ses ordres, mais qui, en réalité, suivait comme lui le jeune marin du regard.

Seulement, il y avait une grande différence dans l'expression de ce double regard qui suivait le même homme.

II. Le père et le fils

Laissons Danglars, aux prises avec le génie de la haine, essayer
380 de souffler contre son camarade quelque maligne supposition à l'oreille de l'armateur, et suivons Dantès, qui, après avoir parcouru la Canebière dans toute sa longueur, prend la rue de Noailles, entre dans une petite maison située du côté gauche des allées de Meillan, monte vivement les quatre étages d'un
385 escalier obscur, et, se retenant à la rampe d'une main, comprimant de l'autre les battements de son cœur, s'arrête devant une porte entrebâillée, qui laisse voir jusqu'au fond d'une petite chambre.

Cette chambre était celle qu'habitait le père de Dantès.

390 La nouvelle de l'arrivée du *Pharaon* n'était pas encore parvenue au vieillard, qui s'occupait, monté sur une chaise, à palissader d'une main tremblante quelques capucines mêlées de clématites, qui montaient en grimpant le long du treillage de sa fenêtre.

Tout à coup il se sentit prendre à bras-le-corps, et une voix
395 bien connue s'écria derrière lui :

« Mon père, mon bon père ! »

Le vieillard jeta un cri et se retourna ; puis, voyant son fils, il se laissa aller dans ses bras, tout tremblant et tout pâle.

« Qu'as-tu donc, père ? s'écria le jeune homme inquiet ; 400 serais-tu malade ?

– Non, non, mon cher Edmond, mon fils, mon enfant, non ; mais je ne t'attendais pas, et la joie, le saisissement de te revoir ainsi à l'improviste... ah ! mon Dieu ! il me semble que je vais mourir !

– Eh bien ! remets-toi donc, père ! c'est moi, c'est bien moi ! 405 On dit toujours que la joie ne fait pas de mal, et voilà pourquoi je suis entré ici sans préparation. Voyons, souris-moi, au lieu de me regarder comme tu le fais, avec des yeux égarés. Je reviens et nous allons être heureux.

– Ah ! tant mieux, garçon ! reprit le vieillard ; mais comment 410 allons-nous être heureux ? tu ne me quittes donc plus ? Voyons, conte-moi ton bonheur !

– Que le Seigneur me pardonne, dit le jeune homme, de me réjouir d'un bonheur fait avec le deuil d'une famille ! mais Dieu sait que je n'eusse pas désiré ce bonheur ; il arrive, et je n'ai pas 415 la force de m'en affliger : le brave capitaine Leclère est mort, mon père, et il est probable que, par la protection de M. Morrel, je vais avoir sa place. Comprenez-vous, mon père ? capitaine à vingt ans ! avec cent louis d'appointements et une part dans les bénéfices ! n'est-ce pas plus que ne pouvait vraiment l'espérer 420 un pauvre matelot comme moi.

– Oui, mon fils, oui, en effet, dit le vieillard, c'est heureux.

– Aussi je veux que du premier argent que je toucherai vous ayez une petite maison, avec un jardin pour planter vos clématites, vos capucines et vos chèvrefeuilles... Mais qu'as-tu donc, 425 père, on dirait que tu te trouves mal ?

– Patience, patience ! ce ne sera rien. »

Et, les forces manquant au vieillard, il se renversa en arrière.

« Voyons, voyons ! dit le jeune homme, un verre de vin, mon père ; cela vous ranimera ; où mettez-vous votre vin ?

430 – Non, merci, ne cherche pas ; je n'en ai pas besoin, dit le vieillard essayant de retenir son fils.

– Si fait, si fait, père, indiquez-moi l'endroit. »

Et il ouvrit deux ou trois armoires.

« Inutile… dit le vieillard, il n'y a plus de vin.

435 – Comment, il n'y a plus de vin ! » dit en pâlissant à son tour Dantès, regardant alternativement les joues creuses et blêmes du vieillard et les armoires vides, « comment, il n'y a plus de vin ! auriez-vous manqué d'argent, mon père ?

– Je n'ai manqué de rien puisque te voilà, dit le vieillard.

440 – Cependant », balbutia Dantès en essuyant la sueur qui coulait de son front, « cependant je vous avais laissé deux cents francs, il y a trois mois, en partant.

– Oui, oui, Edmond, c'est vrai ; mais tu avais oublié en partant une petite dette chez le voisin Caderousse ; il me l'a rappelée, en me

445 disant que si je ne payais pas pour toi il irait se faire payer chez M. Morrel. Alors, tu comprends, de peur que cela te fît du tort…

– Eh bien ?

– Eh bien ! j'ai payé, moi.

– Mais, s'écria Dantès, c'était cent quarante francs que je

450 devais à Caderousse !

– Oui, balbutia le vieillard.

– Et vous les avez donnés sur les deux cents francs que je vous avais laissés ? »

Le vieillard fit un signe de tête.

455 « De sorte que vous avez vécu trois mois avec soixante francs ! murmura le jeune homme.

– Tu sais combien il me faut peu de chose, dit le vieillard.

– Oh ! mon Dieu, mon Dieu, pardonnez-moi ! », s'écria Edmond en se jetant à genoux devant le bonhomme.

– « Que fais-tu donc ?

– Oh ! vous m'avez déchiré le cœur.

– Bah ! te voila, dit le vieillard en souriant ; maintenant tout est oublié, car tout est bien.

– Oui, me voilà, dit le jeune homme, me voilà avec un bel avenir et un peu d'argent. Tenez, père, dit-il, prenez, prenez, et envoyez chercher tout de suite quelque chose. »

Et il vida sur la table ses poches, qui contenaient une douzaine de pièces d'or, cinq ou six écus de cinq francs et de la menue monnaie.

Le visage du vieux Dantès s'épanouit.

« À qui cela ? dit-il.

– Mais, à moi !... à toi !... à nous !... Prends, achète des provisions, sois heureux, demain il y en aura d'autres.

– Doucement, doucement, dit le vieillard en souriant ; avec ta permission, j'userai modérément de ta bourse : on croirait, si l'on me voyait acheter trop de choses à la fois, que j'ai été obligé d'attendre ton retour pour les acheter.

– Fais comme tu voudras ; mais, avant toutes choses, prends une servante, père ; je ne veux plus que tu restes seul. J'ai du café de contrebande et d'excellent tabac dans un petit coffre de la cale, tu l'auras dès demain. Mais chut ! voici quelqu'un.

– C'est Caderousse qui aura appris ton arrivée, et qui vient sans doute te faire son compliment de bon retour.

– Bon, encore des lèvres qui disent une chose tandis que le cœur en pense une autre, murmura Edmond ; mais, n'importe, c'est un voisin qui nous a rendu service autrefois, qu'il soit bienvenu. »

En effet, au moment où Edmond achevait la phrase à voix basse, on vit apparaître, encadrée par la porte du palier, la tête noire et barbue de Caderousse. C'était un homme de vingt-cinq à vingt-six ans ; il tenait à sa main un morceau de drap, qu'en sa qualité de tailleur il s'apprêtait à changer en un revers d'habit.

« Eh ! te voilà donc revenu, Edmond ? » dit-il avec un accent
495 marseillais des plus prononcés et avec un large sourire qui découvrait ses dents blanches comme de l'ivoire.

« Comme vous voyez, voisin Caderousse, et prêt à vous être agréable en quelque chose que ce soit », répondit Dantès en dissimulant mal sa froideur sous cette offre de service.

500 « Merci, merci ; heureusement, je n'ai besoin de rien, et ce sont même quelquefois les autres qui ont besoin de moi. (Dantès fît un mouvement). Je ne te dis pas cela pour toi, garçon ; je t'ai prêté de l'argent, tu me l'as rendu ; cela se fait entre bons voisins, et nous sommes quittes.

505 – On n'est jamais quitte envers ceux qui nous ont obligés, dit Dantès ; car lorsque l'on ne leur doit plus l'argent, on leur doit la reconnaissance.

– À quoi bon parler de cela ! Ce qui est passé est passé. Parlons de ton heureux retour, garçon. J'étais donc allé comme cela sur
510 le port pour rassortir du drap marron, lorsque je rencontrai l'ami Danglars.

"Toi, à Marseille ?

– Eh oui, tout de même, me répondit-il.

– Je te croyais à Smyrne.

515 – J'y pourrais être, car j'en reviens.

– Et Edmond, où est-il donc, le petit ?

– Mais chez son père, sans doute", répondit Danglars ; et alors je suis venu, continua Caderousse, pour avoir le plaisir de serrer la main à un ami !

520 – Ce bon Caderousse, dit le vieillard, il nous aime tant.

– Certainement que je vous aime, et que je vous estime encore, attendu que les honnêtes gens sont rares ! Mais il paraît que tu deviens riche, garçon ? » continua le tailleur en jetant un

regard oblique sur la poignée d'or et d'argent que Dantès avait
525 déposée sur la table.

Le jeune homme remarqua l'éclair de convoitise[46] qui illumina les yeux noirs de son voisin.

« Eh ! mon Dieu ! dit-il négligemment, cet argent n'est point à moi ; je manifestais au père la crainte qu'il n'eût manqué de
530 quelque chose en mon absence, et pour me rassurer, il a vidé sa bourse sur la table. Allons, père, continua Dantès, remettez cet argent dans votre tirelire ; à moins que le voisin Caderousse n'en ait besoin à son tour, auquel cas il est bien à son service.

– Non pas, garçon, dit Caderousse, je n'ai besoin de rien, et,
535 Dieu merci, l'état nourrit son homme. Garde ton argent, garde : on n'en a jamais de trop ; ce qui n'empêche pas que je ne te sois obligé de ton offre comme si j'en profitais.

– C'était de bon cœur, dit Dantès.

– Je n'en doute pas. Eh bien ! te voilà donc au mieux avec
540 M. Morrel, câlin que tu es ?

– M. Morrel a toujours eu beaucoup de bonté pour moi, répondit Dantès.

– En ce cas, tu as tort de refuser son dîner.

– Comment refuser son dîner ? reprit le vieux Dantès ; il
545 t'avait donc invité à dîner ?

– Oui, mon père », reprit Edmond en souriant de l'étonnement que causait à son père l'excès de l'honneur dont il était l'objet.

« Et pourquoi donc as-tu refusé, fils ? demanda le vieillard.

– Pour revenir plus tôt près de vous, mon père, répondit le
550 jeune homme ; j'avais hâte de vous voir.

– Cela l'aura contrarié, ce bon M. Morrel, reprit Caderousse ; et quand on vise à être capitaine, c'est un tort que de contrarier son armateur.

46. Envie.

– Je lui ai expliqué la cause de mon refus, reprit Dantès, et il
555 l'a comprise, je l'espère.

– Ah ! c'est que, pour être capitaine, il faut un peu flatter ses patrons.

– J'espère être capitaine sans cela, répondit Dantès.

– Tant mieux, tant mieux ! cela fera plaisir à tous les anciens
560 amis, et je sais quelqu'un là-bas, derrière la citadelle de Saint-Nicolas, qui n'en sera pas fâché.

– Mercédès ? dit le vieillard.

– Oui, mon père, reprit Dantès, et, avec votre permission, maintenant que je vous ai vu, maintenant que je sais que vous
565 vous portez bien et que vous avez tout ce qu'il vous faut, je vous demanderai la permission d'aller faire visite aux Catalans.

– Va, mon enfant, dit le vieux Dantès, et que Dieu te bénisse dans ta femme comme il m'a béni dans mon fils !

– Sa femme ! dit Caderousse ; comme vous y allez, père Dantès !
570 elle ne l'est pas encore, ce me semble !

– Non ; mais, selon toute probabilité, répondit Edmond, elle ne tardera pas à le devenir.

– N'importe, n'importe, dit Caderousse, tu as bien fait de te dépêcher, garçon.

575 – Pourquoi cela ?

– Parce que la Mercédès est une belle fille, et que les belles filles ne manquent pas d'amoureux ; celle-là surtout, ils la suivent par douzaine.

– Vraiment », dit Edmond avec un sourire sous lequel perçait
580 une légère nuance d'inquiétude.

« Oh ! oui, reprit Caderousse, et de beaux partis, même ; mais, tu comprends, tu vas être capitaine, on n'aura garde de te refuser, toi !

– Ce qui veut dire, reprit Dantès avec un sourire qui dissi-
585 mulait mal son inquiétude, que si je n'étais pas capitaine…

– Eh ! eh ! fit Caderousse.

– Allons, allons, dit le jeune homme, j'ai meilleure opinion que vous des femmes en général et de Mercédès en particulier, et, j'en suis convaincu, que je sois capitaine ou non, elle me
590 restera fidèle.

– Tant mieux, tant mieux ! dit Caderousse, c'est toujours, quand on va se marier, une bonne chose que d'avoir la foi ; mais, n'importe ; crois-moi, garçon, ne perds pas de temps à aller lui annoncer ton arrivée et à lui faire part de tes espé-
595 rances.

– J'y vais », dit Edmond.

Il embrassa son père, salua Caderousse d'un signe et sortit.

Caderousse resta un instant encore ; puis, prenant congé du vieux Dantès, il descendit à son tour et alla rejoindre Danglars,
600 qui l'attendait au coin de la rue Senac.

« Eh bien ! dit Danglars, l'as-tu vu ?

– Je le quitte, dit Caderousse.

– Et t'a-t-il parlé de son espérance d'être capitaine ?

– Il en parle comme s'il l'était déjà.

605 – Patience ! dit Danglars, il se presse un peu trop, ce me semble.

– Dame ! il paraît que la chose lui est promise par M. Morrel.

– De sorte qu'il est bien joyeux ?

610 – C'est-à-dire qu'il en est insolent ; il m'a déjà fait ses offres de services comme si c'était un grand personnage ; il m'a offert de me prêter de l'argent comme s'il était un banquier.

– Et vous avez refusé ?

– Parfaitement ; quoique j'eusse bien pu accepter, attendu
615 que c'est moi qui lui ai mis à la main les premières pièces blanches qu'il a maniées. Mais maintenant M. Dantès n'aura plus besoin de personne, il va être capitaine.

– Bah ! dit Danglars, il ne l'est pas encore.

– Ma foi, ce serait bien fait qu'il ne le fût pas, dit Caderousse, 620 ou sans cela il n'y aura plus moyen de lui parler.

– Que si nous le voulons bien, dit Danglars, il restera ce qu'il est, et peut-être même deviendra moins qu'il n'est.

– Que dis-tu ?

– Rien, je me parle à moi-même. Et il est toujours amoureux 625 de la belle Catalane ?

– Amoureux fou. Il y est allé ; mais ou je me trompe fort, ou il aura du désagrément de ce côté-là.

– Explique-toi.

– À quoi bon ?

630 – C'est plus important que tu ne crois. Tu n'aimes pas Dantès, hein ?

– Je n'aime pas les arrogants[47].

– Eh bien, alors ! dis-moi ce que tu sais relativement à la Catalane.

635 – Je ne sais rien de bien positif ; seulement j'ai vu des choses qui me font croire, comme je te l'ai dit, que le futur capitaine aura du désagrément aux environs du chemin des Vieilles-Infirmeries.

– Qu'as-tu vu ? allons, dis.

640 – Eh bien, j'ai vu que toutes les fois que Mercédès vient en ville, elle y vient accompagnée d'un grand gaillard de Catalan à l'œil noir, à la peau rouge, très-brun très-ardent, et qu'elle appelle *mon* cousin.

– Ah, vraiment ! et crois-tu que ce cousin lui fasse la cour ?

645 – Je le suppose : que diable peut faire un grand garçon de vingt et un ans à une belle fille de dix-sept ?

– Et tu dis que Dantès est allé aux Catalans ?

47. Prétentieux.

– Il est parti devant moi.

– Si nous allions du même côté, nous nous arrêterions à la
650 Réserve, et, tout en buvant un verre de vin de La Malgue, nous attendrions des nouvelles.

– Et qui nous en donnera ?

– Nous serons sur la route, et nous verrons sur le visage de Dantès ce qui se sera passé.

655 – Allons, dit Caderousse ; mais c'est toi qui payes ?

– Certainement », répondit Danglars.

Et tous deux s'acheminèrent d'un pas rapide vers l'endroit indiqué. Arrivés là, ils se firent apporter une bouteille et deux verres.

660 Le père Pamphile venait de voir passer Dantès il n'y avait pas dix minutes.

Certains que Dantès était aux Catalans, ils s'assirent sous le feuillage naissant des platanes et des sycomores, dans les branches desquels une bande joyeuse d'oiseaux chantaient un des
665 premiers beaux jours de printemps.

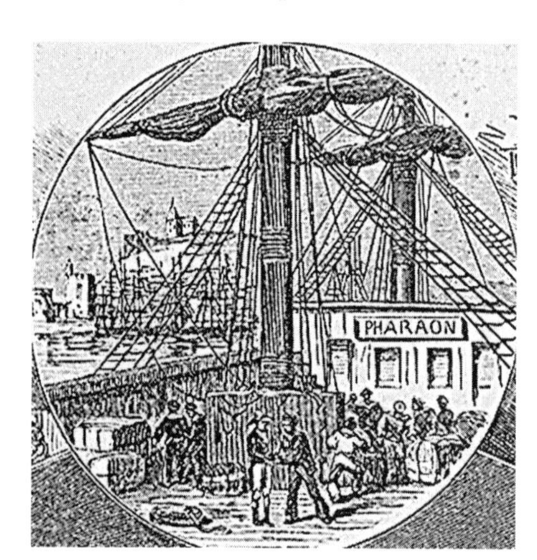

Henri Meyer, frontispice, pour *Le Comte de Monte-Cristo*, détail, *Le Pharaon*, XIXe siècle.

Questions

Ai-je bien lu ?

1 Reliez les personnages à leur identité ou leur fonction.

Edmond Dantès	•	• armateur
Leclère	•	• second du navire
Morrel	•	• capitaine du navire décédé au cours du voyage
Danglars	•	• fiancée deDantès
Mercédès	•	• père de Dantès
Caderousse	•	• tailleur, voisin du père de Dantès
le vieillard	•	• comptable du navire

2 **a.** Quel est le nom du navire signalé par la vigie de Notre-Dame de la Garde ?

b. À qui appartient-il ?

c. D'où vient-il ? Dans quelle ville arrive-t-il ?

d. Qu'est-il advenu du capitaine de ce navire ?

e. Quel est le rôle tenu par Edmond Dantès sur ce navire ?

3 Pourquoi Dantès s'est-il arrêté à l'île d'Elbe ?

4 Quel premier personnage est jaloux de Dantès ?

5 À qui Dantès rend-il d'abord visite ? Qui doit-il voir ensuite ?

Repérer et analyser

Le narrateur

Le narrateur est celui qui raconte l'histoire. Il peut être personnage de l'histoire (récit à la 1re personne) ou être extérieur à l'histoire (récit à la 3e personne).
Le narrateur peut toujours intervenir dans le récit par des explications ou des commentaires

6 À quelle personne le narrateur mène-t-il le récit ? Est-il ou non un personnage de l'histoire ? Le narrateur mène-t-il le récit au présent ou au passé ? Justifiez votre réponse.

7 **a.** Relevez une intervention du narrateur aux lignes 379-388 (au début de chapitre II) et identifiez la personne à laquelle sont conjugués les deux verbes à l'impératif.

b. Quel lien le narrateur établit-il avec son lecteur ?

c. Quel est selon vous l'intérêt de cette intervention ?

Le point de vue

Le narrateur adopte le plus souvent le point de vue omniscient, c'est-à-dire qu'il témoigne d'une connaissance complète des événements, des pensées et sentiments des personnages.

8 Montrez en citant quelques exemples que le narrateur adopte un point de vue omniscient.

L'incipit

– Signifiant en latin « il commence », le terme *incipit* désigne les premiers mots ou les toutes premières pages d'un roman.
– Un roman peut commencer de diverses façons : par la description d'un lieu, d'un personnage, par un dialogue, directement par une action... (incipit *in medias res* = au milieu de l'action).

9 **a.** Quel est l'événement sur lequel s'ouvre le roman ?
b. Quel est selon vous l'intérêt de ce choix d'entrée ?

Le cadre spatio-temporel

Le contexte historique

Après l'invasion d'une partie de la France par les armées de Prusse, d'Autriche, de Russie et de Suède, Napoléon Ier a abdiqué le 4 avril 1814 et s'est exilé sur l'île d'Elbe ; Louis XVIII, frère de Louis XVI, est devenu roi de France (Restauration), mais son pouvoir est encore fragile et les partisans de l'empereur déchu restent nombreux et actifs.

10 Montrez que l'action s'inscrit dans un cadre réaliste et historique :
– à quelle date précise les faits se déroulent-ils ? Où Napoléon se trouve-t-il ?
– relevez des noms propres de lieu. Dans quelle ville l'action débute-t-elle ?

Le personnage de Dantès

Son portrait

Dans un récit, le narrateur peut caractériser un personnage :
– de façon directe, en fournissant au lecteur des informations sur son physique et son caractère ;
– de façon indirecte, à travers ses paroles ou son comportement.

11 **a.** Relevez les termes par lesquels le narrateur caractérise Dantès physiquement et moralement (l. 25-27 et l. 36-40).

b. En quoi son comportement et ses paroles complètent-elles le portrait ? Observez notamment :
– la façon dont il parle du capitaine Leclère et dont il veille à la bonne exécution des manœuvres ;
– ses rapports avec l'équipage et avec son père.

Le début du parcours

12 Quels sont les éléments (d'ordre professionnel et sentimental) qui annoncent bonheur et réussite pour Dantès ?
13 Caractérisez Danglars. En quoi pourrait-il constituer un obstacle à la réussite de Dantès ?
14 Quelle image le narrateur donne-il de Caderousse ? Vous semble-t-il plutôt du côté de Danglars ou de Dantès ?
15 Quelle inquiétude paraît planer au sujet de Mercédès ? Citez le texte.

Les signes annonciateurs

16 Montrez que le début du roman s'inscrit sous le signe de la mer et sous le signe de la mort.
17 Relevez dans la première phrase deux allusions à l'Orient.
18 À quel moment est-il question de l'île de Monte-Cristo qui a donné son titre au roman ?

Étudier la langue

Grammaire : les valeurs des temps

Dans un récit au passé, l'indicatif passé simple sert à exprimer les **actions de premier plan** et assure la progression du récit.
L'imparfait est utilisé pour les **actions de second plan** (description, répétitions d'actions, actions à durée indéterminée).
Le plus-que-parfait marque une **antériorité** dans le passé (c'est-à-dire qu'une action passée s'est produite avant une autre action passée).
L'indicatif présent peut être utilisé pour exprimer une **vérité générale**.

19 **a.** Relevez les verbes (l. 33-40) et identifiez leur temps.
b. Justifiez l'emploi des temps utilisés.
c. Relevez deux verbes à l'indicatif plus-que-parfait (l. 13-19). Justifiez l'emploi de ce temps.

20 Relevez trois verbes au présent de vérité générale dans les lignes 7 à 19.

Vocabulaire : autour du mot *parti*

21 « Et de beaux partis, même » (l. 581). Donnez le sens des expressions suivantes en vous aidant du dictionnaire.
a. épouser un beau parti. b. prendre le parti d'en rire. c. tirer parti de la situation. d. juger sans parti pris. e. en prendre son parti. f. se ranger du parti de quelqu'un. g. appartenir à un parti politique.

Vocabulaire : le suffixe *-age*

Le suffixe *-age* indique une action, un ensemble, un état.

22 Indiquez le sens du suffixe *-age* dans les mots suivants.
a. mouillage. b. équipage. c. veuvage. d. pillage. e. carrelage. f. bavardage. g. accostage. h. pelage. i. feuillage. j. esclavage.

Vocabulaire : les noms et adverbes en *–ment*

23 Distinguez les noms des adverbes.
a. bâtiment (l. 10). b. vivement (l. 48). c visiblement (l. 53). d. commencement (l. 65). e. avancement (l. 85). f. commandement (l. 96). g. effectivement (l. 111). h. généralement (l. 116). i. régiment (l. 195). j. amicalement (l. 201). k. seulement (l. 377). l. battements (l. 386).

Écrire

Rédiger une suite

24 « Nous verrons sur le visage de Dantès ce qui se sera passé. » (l. 653-654).
Dantès est allé voir Mercédès ; Caderousse et Danglars sont impatients de savoir comment se sont passées les retrouvailles. Vous imaginerez le retour de Dantès.

Consignes d'écriture :

– votre récit sera mené à la 1re personne ;
– vous décrirez l'arrivée de Dantès et son visage au moment où les deux hommes l'aperçoivent ;
– vous rédigerez un dialogue : Dantès s'assied et explique à Caderousse et Danglars l'accueil qu'il a reçu auprès de Mercédès.

Texte 2 – Dantès retrouve sa fiancée Mercédès

« On est toujours pressé d'être heureux, monsieur Danglars »

III. Les Catalans

À cent pas de l'endroit où les deux amis, les regards à l'horizon et l'oreille au guet, sablaient le vin pétillant de La Malgue[1], s'élevait, derrière une butte nue et rongée par le soleil et le mistral, le village des Catalans[2]

[...]

5 Il faut que nos lecteurs nous suivent à travers l'unique rue de ce petit village, et entrent avec nous dans une de ces maisons auxquelles le soleil a donné, au dehors, cette belle couleur feuille morte particulière aux monuments du pays, et, au dedans, une couche de badigeon, cette teinte blanche qui forme le seul 10 ornement des posadas[3] espagnoles.

Une belle jeune fille aux cheveux noirs comme le jais[4], aux yeux veloutés comme ceux de la gazelle, se tenait debout adossée à une cloison, et froissait entre ses doigts effilés et d'un dessin antique une bruyère innocente dont elle arrachait les fleurs, et dont les 15 débris jonchaient déjà le sol ; en outre, ses bras nus jusqu'au coude, ses bras brunis, mais qui semblaient modelés sur ceux de la Vénus d'Arles[5], frémissaient d'une sorte d'impatience fébrile, et elle frappait la terre de son pied souple et cambré, de sorte que l'on entre-

1. Vin de Camargue.
2. Les Catalans sont un quartier du bord de mer, à Marseille.
3. Auberges.
4. Charbon.
5. Célèbre statue de Vénus découverte à Arles, en Provence.

voyait la forme pure, fière et hardie de sa jambe, emprisonnée dans un bas de coton rouge à coins gris et bleus.

À trois pas d'elle, assis sur une chaise qu'il balançait d'un mouvement saccadé, appuyant son coude à un vieux meuble vermoulu, un grand garçon de vingt à vingt-deux ans la regardait d'un air où se combattaient l'inquiétude et le dépit ; ses yeux interrogeaient, mais le regard ferme et fixe de la jeune fille dominait son interlocuteur.

« Voyons, Mercédès, disait le jeune homme, voici Pâque qui va revenir, c'est le moment de faire une noce, répondez-moi !

– Je vous ai répondu cent fois, Fernand, et il faut en vérité que vous soyez bien ennemi de vous-même pour m'interroger encore !

– Eh bien ! répétez-le encore, je vous en supplie, répétez-le encore pour que j'arrive à le croire. Dites-moi pour la centième fois que vous refusez mon amour, qu'approuvait votre mère ; faites-moi bien comprendre que vous jouez de mon bonheur, que ma vie et ma mort ne sont rien pour vous. Ah ! mon Dieu, mon Dieu ! avoir rêvé dix ans d'être votre époux, Mercédès, et perdre cet espoir qui était le seul but de sa vie !

– Ce n'est pas moi du moins qui vous ai jamais encouragé dans cet espoir, Fernand, répondit Mercédès ; vous n'avez pas une seule coquetterie à me reprocher à votre égard. Je vous ai toujours dit : Je vous aime comme un frère, mais n'exigez jamais de moi autre chose que cette amitié fraternelle, car mon cœur est à un autre. Vous ai-je toujours dit cela, Fernand ? [...] J'aime Edmond Dantès, dit froidement la jeune fille, et nul autre qu'Edmond ne sera mon époux.

– Et vous l'aimerez toujours ?

– Tant que je vivrai. »

Fernand baissa la tête comme un homme découragé, poussa un soupir qui ressemblait à un gémissement ; puis tout à coup relevant le front, les dents serrées et les narines entr'ouvertes :

« Mais s'il est mort ?

– S'il est mort, je mourrai.

55 – Mais s'il vous oublie ?

– Mercédès ! cria une voix joyeuse au dehors de la maison, Mercédès !

– Ah ! » s'écria la jeune fille en rugissant de joie et en bondissant d'amour, « tu vois bien qu'il ne m'a pas oubliée, puisque 60 le voilà ! »

Et elle s'élança vers la porte, qu'elle ouvrit en s'écriant :

« À moi, Edmond ! me voici. »

Fernand, pâle et frémissant, recula en arrière, comme fait un voyageur à la vue d'un serpent, et, rencontrant sa chaise, il y 65 retomba assis.

Edmond et Mercédès étaient dans les bras l'un de l'autre. Le soleil ardent de Marseille, qui pénétrait à travers l'ouverture de la porte les inondait d'un flot de lumière. D'abord ils ne virent rien de ce qui les entourait. Un immense bonheur les 70 isolait du monde, et ils ne parlaient que par ces mots entrecoupés qui sont les élans d'une joie si vive qu'ils semblent l'expression de la douleur.

Tout à coup Edmond aperçut la figure sombre de Fernand, qui se dessinait dans l'ombre, pâle et menaçante ; par un mouve-75 ment dont il ne se rendit pas compte lui-même, le jeune Catalan tenait la main sur le couteau passé à sa ceinture.

« Ah ! pardon, dit Dantès en fronçant le sourcil à son tour, je n'avais pas remarqué que nous étions trois. »

Puis, se tournant vers Mercédès :

80 « Qui est monsieur ? demanda-t-il.

– Monsieur sera votre meilleur ami, Dantès, car c'est mon ami à moi, c'est mon cousin, c'est mon frère ; c'est Fernand ;

c'est-à-dire l'homme qu'après vous, Edmond, j'aime le plus au monde ; ne le reconnaissez-vous pas ?

85 – Ah ! si fait », dit Edmond.

Et, sans abandonner Mercédès, dont il tenait la main serrée dans une des siennes, il tendit avec un mouvement de cordialité son autre main au Catalan.

Mais Fernand, loin de répondre à ce geste amical, resta muet 90 et immobile comme une statue.

Alors Edmond promena son regard investigateur de Mercédès, émue et tremblante, à Fernand, sombre et menaçant.

Ce seul regard lui apprit tout.

La colère monta à son front.

95 « Je ne savais pas venir avec tant de hâte chez vous, Mercédès, pour y trouver un ennemi.

– Un ennemi ! » s'écria Mercédès avec un regard de courroux[6] à l'adresse de son cousin ; « un ennemi chez moi, dis-tu, Edmond ! Si je croyais cela, je te prendrais sous le bras et je m'en irais à 100 Marseille, quittant la maison pour n'y plus jamais rentrer. »

L'œil de Fernand lança un éclair.

« Et s'il t'arrivait malheur, mon Edmond », continua-t-elle avec ce même flegme implacable[7] qui prouvait à Fernand que la jeune fille avait lu jusqu'au plus profond de sa sinistre pensée, 105 « s'il t'arrivait malheur, je monterais sur le cap de Morgiu[8] et je me jetterais sur les rochers la tête la première. »

Fernand devint affreusement pâle.

« Mais tu t'es trompé, Edmond, poursuivit-elle, tu n'as point d'ennemi ici ; il n'y a que Fernand, mon frère, qui va te serrer 110 la main comme à un ami dévoué. »

6. Colère.
7. Calme imperturbable.
8. Rocher surmontant une des nombreuses calanques de Marseille.

Et à ces mots la jeune fille fixa son visage impérieux sur le Catalan, qui, comme s'il eût été fasciné par ce regard, s'approcha lentement d'Edmond et lui tendit la main.

Sa haine, pareille à une vague impuissante, quoique furieuse, venait se briser contre l'ascendant[9] que cette femme exerçait sur lui. Mais à peine eut-il touché la main d'Edmond, qu'il sentit qu'il avait fait tout ce qu'il pouvait faire, et qu'il s'élança hors de la maison.

« Oh ! » s'écriait-il en courant comme un insensé et en noyant ses mains dans ses cheveux, « oh ! qui me délivrera donc de cet homme ? Malheur à moi ! malheur à moi !

– Eh, le Catalan ! eh, Fernand ! où cours-tu ? » dit une voix.

Le jeune homme s'arrêta tout court, regarda autour de lui, et aperçut Caderousse attablé avec Danglars sous un berceau de feuillage.

[...]

« Bonjour, dit-il, vous m'avez appelé, n'est-ce pas ? »

Et il tomba plutôt qu'il ne s'assit sur un des sièges qui entouraient la table.

« Je t'ai appelé parce que tu courais comme un fou, et que j'ai eu peur que tu n'allasses te jeter à la mer, dit en riant Caderousse. Que diable, quand on a des amis, c'est non seulement pour leur offrir un verre de vin, mais encore pour les empêcher de boire trois ou quatre pintes d'eau. »

Fernand poussa un gémissement qui ressemblait à un sanglot, et laissa tomber sa tête sur ses deux poignets posés en croix sur la table.

« Eh bien ! veux-tu que je te dise, Fernand », reprit Caderousse, entamant l'entretien avec cette brutalité grossière des gens du

9. Influence dominante.

peuple auxquels la curiosité fait oublier toute diplomatie ; « eh bien ! tu as l'air d'un amant déconfit[10] ! »

Et il accompagna cette plaisanterie d'un gros rire.

« Bah ! répondit Danglars, un garçon taillé comme celui-là n'est pas fait pour être malheureux en amour, tu te moques, Caderousse.

– Non pas, reprit celui-ci ; écoute plutôt comme il soupire. Allons, allons, Fernand, dit Caderousse, lève le nez et répondsnous : ce n'est pas aimable de ne pas répondre aux amis qui nous demandent des nouvelles de notre santé.

– Ma santé va bien, dit Fernand crispant ses poings, mais sans lever la tête.

– Ah ! vois-tu, Danglars, dit Caderousse en faisant signe de l'œil à son ami, voici la chose : Fernand, que tu vois, et qui est un bon et brave Catalan, un des meilleurs pêcheurs de Marseille, est amoureux d'une belle fille qu'on appelle Mercédès ; mais malheureusement il paraît que la belle fille de son côté est amoureuse du second du *Pharaon* ; et, comme le *Pharaon* est entré aujourd'hui même dans le port, tu comprends ?

– Non, je ne comprends pas, dit Danglars.

– Le pauvre Fernand aura reçu son congé, continua Caderousse.

– Eh bien ! après ? » dit Fernand relevant la tête et regardant Caderousse en homme qui cherche quelqu'un sur qui faire tomber sa colère ; « Mercédès ne dépend de personne n'est-ce pas ? et elle est bien libre d'aimer qui elle veut

– Ah ! si tu le prends ainsi, dit Caderousse, c'est autre chose ! Moi je te croyais un Catalan ; et l'on m'avait dit que les Catalans n'étaient pas hommes à se laisser supplanter par un rival ; on avait même ajouté que Fernand surtout était terrible dans sa vengeance. »

10. Dépité.

170 Fernand sourit avec pitié.

« Un amoureux n'est jamais terrible, dit-il.

– Le pauvre garçon ! » reprit Danglars feignant[11] de plaindre le jeune homme du plus profond de son cœur. « Que veux-tu ? Il ne s'attendait pas à voir revenir ainsi Dantès tout à coup ; il 175 le croyait peut-être mort, infidèle, qui sait ! Ces choses-là sont d'autant plus sensibles qu'elles nous arrivent tout à coup.

– Ah ! ma foi, dans tous les cas », dit Caderousse qui buvait tout en parlant et sur lequel le vin fumeux de La Malgue commençait à faire son effet, « dans tous les cas, Fernand n'est pas le 180 seul que l'heureuse arrivée de Dantès contrarie ; n'est-ce pas, Danglars ?

– Non, tu dis vrai, et j'oserais presque dire que cela lui portera malheur.

– Mais n'importe », reprit Caderousse en versant un verre 185 de vin à Fernand et en remplissant pour la huitième ou dixième fois son propre verre, tandis que Danglars avait à peine effleuré le sien ; « n'importe, en attendant il épouse Mercédès, la belle Mercédès ; il revient pour cela, du moins. »

Pendant ce temps, Danglars enveloppait d'un regard perçant 190 le jeune homme, sur le cœur duquel les paroles de Caderousse tombaient comme du plomb fondu.

« Et à quand la noce ? demanda-t-il.

– Oh ! elle n'est pas encore faite ! murmura Fernand.

– Non, mais elle se fera, dit Caderousse, aussi vrai que Dantès 195 sera le capitaine du Pharaon, n'est-ce pas, Danglars ? »

Danglars tressaillit à cette atteinte inattendue, et se retourna vers Caderousse, dont à son tour il étudia le visage pour voir si le coup était prémédité ; mais il ne lut rien que l'envie sur ce visage déjà presque hébété par l'ivresse.

11. Faisant semblant.

200 « Eh bien ! dit-il en remplissant les verres, buvons donc au capitaine Edmond Dantès, mari de la belle Catalane ! »

Caderousse porta son verre à sa bouche d'une main alourdie et l'avala d'un trait. Fernand prit le sien et le brisa contre terre.

205 « Eh ! eh ! eh ! dit Caderousse, qu'aperçois-je donc là-bas, au haut de la butte, dans la direction des Catalans ? Regarde donc, Fernand, tu as meilleure vue que moi ; je crois que je commence à voir trouble, et, tu le sais, le vin est un traître : on dirait de deux amants qui marchent côte à côte et la main dans 210 la main. Dieu me pardonne ! ils ne se doutent pas que nous les voyons, et les voilà qui s'embrassent ! »

Danglars ne perdait pas une des angoisses de Fernand, dont le visage se décomposait à vue d'œil.

« Les connaissez-vous, monsieur Fernand ? dit-il.

215 – Oui, répondit celui-ci d'une voix sourde, c'est M. Edmond et Mlle Mercédès.

– Ah ! voyez-vous ! dit Caderousse, et moi qui ne les reconnaissais pas ! Ohé, Dantès ! ohé, la belle fille ! venez par ici un peu, et dites-nous à quand la noce, car voici M. Fernand qui 220 est si entêté qu'il ne veut pas nous le dire.

– Veux-tu te taire ! » dit Danglars, affectant de retenir Caderousse, qui, avec la ténacité des ivrognes, se penchait hors du berceau[12] ; « tâche de te tenir debout et laisse les amoureux s'aimer tranquillement. Tiens, regarde M. Fernand, et prends 225 exemple : il est raisonnable, lui. »

Peut-être Fernand, poussé à bout, aiguillonné par Danglars comme le taureau par les banderilleros[13], allait-il enfin s'élancer, car il s'était déjà levé et semblait se ramasser sur lui-même pour

12. Berceau de feuillage, tonnelle.
13. Toreros chargés de planter les banderilles (piques) sur le dos du taureau pendant la corrida.

bondir sur son rival ; mais Mercédès, riante et droite, leva sa
230 belle tête et fit rayonner son clair regard ; alors Fernand se rappela la menace qu'elle avait faite, de mourir si Edmond mourait, et il retomba tout découragé sur son siège.

Danglars regarda successivement ces deux hommes à l'un abruti par l'ivresse, l'autre dominé par l'amour.

235 « Je ne tirerai rien de ces niais-là, murmura-t-il, et j'ai grand-peur d'être ici entre un ivrogne et un poltron : voici un envieux qui se grise avec du vin, tandis qu'il devrait s'enivrer de fiel ; voici un grand imbécile à qui on vient de prendre sa maîtresse sous son nez, et qui se contente de pleurer et de se plaindre
240 comme un enfant. Et cependant, cela vous a des yeux flamboyants comme ces Espagnols, ces Siciliens et ces Calabrais, qui se vengent si bien ; cela vous a des poings à écraser une tête de bœuf aussi sûrement que le ferait la masse d'un boucher. Décidément, le destin d'Edmond l'emporte ; il épousera la belle
245 fille, il sera capitaine et se moquera de nous ; à moins que, un sourire livide se dessina sur les lèvres de Danglars, à moins que je ne m'en mêle, ajouta-t-il.

– Holà ! continuait de crier Caderousse à moitié levé et les poings sur la table, holà ! Edmond ! tu ne vois donc pas les
250 amis, ou est-ce que tu es déjà trop fier pour leur parler ?

– Non, mon cher Caderousse, répondit Dantès, je ne suis pas fier, mais je suis heureux, et le bonheur aveugle, je crois, encore plus que la fierté.

– À la bonne heure ! voilà une explication, dit Caderousse.
255 Eh ! bonjour, madame Dantès. »

Mercédès salua gravement.

« Ce n'est pas encore mon nom, dit-elle, et dans mon pays cela porte malheur, assure-t-on, d'appeler les filles du nom de leur fiancé avant que ce fiancé ne soit leur mari ; appelez-moi
260 donc Mercédès, je vous prie.

– Il faut lui pardonner, à ce bon voisin Caderousse, dit Dantès, il se trompe de si peu de chose !

– Ainsi, la noce va avoir lieu incessamment, monsieur Dantès ? dit Danglars en saluant les deux jeunes gens.

265 – Le plus tôt possible, monsieur Danglars ; aujourd'hui tous les accords chez le papa Dantès, et demain ou après-demain, au plus tard, le dîner des fiançailles, ici, à la Réserve. Les amis y seront, je l'espère ; c'est vous dire que vous êtes invité, monsieur Danglars ; c'est te dire que tu en es, Caderousse.

270 – Et Fernand, dit Caderousse en riant d'un rire pâteux, Fernand en est-il aussi ?

– Le frère de ma femme est mon frère, dit Edmond, et nous le verrions avec un profond regret, Mercédès et moi, s'écarter de nous dans un pareil moment. »

275 Fernand ouvrit la bouche pour répondre ; mais la voix expira dans sa gorge, et il ne put articuler un seul mot.

« Aujourd'hui les accords, demain ou après-demain les fiançailles... diable ! vous êtes bien pressé, capitaine.

– Danglars, reprit Edmond en souriant, je vous dirai comme 280 Mercédès disait tout à l'heure à Caderousse : ne me donnez pas le titre qui ne me convient pas encore, cela me porterait malheur.

– Pardon, répondit Danglars ; je disais donc simplement que vous paraissiez bien pressé ; que diable ! nous avons le temps : 285 le *Pharaon* ne se remettra guère en mer avant trois mois.

– On est toujours pressé d'être heureux, monsieur Danglars, car lorsqu'on a souffert longtemps on a grand-peine à croire au bonheur. Mais ce n'est pas l'égoïsme seul qui me fait agir : il faut que j'aille à Paris.

290 – Ah, vraiment ! à Paris ; et c'est la première fois que vous y allez, Dantès ?

– Oui.

Vignette romantique : Dantès, Mercédès et Fernand, XIXᵉ siècle.

– Vous y avez affaire ?

– Pas pour mon compte : une dernière commission de notre
295 pauvre capitaine Leclère à remplir ; vous comprenez, Danglars, c'est sacré. D'ailleurs, soyez tranquille, je ne prendrai le temps que d'aller et revenir.

– Oui, oui, je comprends », dit tout haut Danglars.

Puis tout bas :

300 « À Paris, pour remettre à son adresse sans doute la lettre que le grand maréchal lui a donnée. Pardieu ! cette lettre me fait pousser une idée, une excellente idée ! Ah ! Dantès, mon ami, tu n'es pas encore couché au registre du *Pharaon* sous le numéro 1. »

305 Puis se retournant vers Edmond, qui s'éloignait déjà :

« Bon voyage ! lui cria-t-il.

– Merci », répondit Edmond en retournant la tête et en accompagnant ce mouvement d'un geste amical.

Puis les deux amants continuèrent leur route, calmes et joyeux
310 comme deux élus qui montent au ciel.

Questions

Ai-je bien lu ?

1 Qui est Fernand (métier, lien familial avec Mercédès) ? De qui est-il amoureux ? Est-il aimé en retour ?

2 Qui est Mercédès ? De qui est-elle amoureuse ?

3 **a.** Où Danglars et Caderousse se trouvent-ils ?

b. Pourquoi Fernand les rejoint-il ?

Repérer et analyser

Le narrateur

4 Relevez au début de l'extrait une phrase par laquelle le narrateur implique le lecteur dans le récit. À quelle personne s'exprime-t-il ? Le procédé vous semble-t-il efficace ?

Le portrait de Mercédès

Un personnage peut être caractérisé de manière positive (valorisante), c'est un portrait mélioratif. Il peut au contraire recevoir des caractérisations dévalorisantes, c'est un portrait péjoratif.

5 **a.** Relisez les lignes 11-20. Quels sont les éléments du portrait que le narrateur choisit de décrire ? Relevez les termes et les comparaisons qui les caractérisent.

b. Quelle image le narrateur donne-t-il de Mercédès ?

La scène romanesque

Le narrateur peut ralentir le rythme de l'action et s'attarder sur une scène en présentant des personnages en train de dialoguer ; le lecteur a alors l'impression de vivre l'histoire en temps réel.

L'enchaînement des scènes

6 **a.** Quelles sont les scènes qui s'enchaînent dans cet extrait ? Précisez les personnages présents et le lieu dans lequel chacune se déroule.

b. Comment le narrateur assure-t-il le passage d'une scène à l'autre ?

La scène de retrouvailles

7 **a.** Quels personnages se retrouvent ? Relevez les paroles et les gestes qui témoignent de leur bonheur.
b. Quel personnage assiste à cette scène ?
8 Qui est dans l'ombre ? Qui est dans la lumière ? Quelle peut être la signification symbolique du contraste ombre/lumière ?
9 À quel moment la scène d'amour s'interrompt-elle ?

La scène de confrontation

10 **a.** Quels gestes et attitudes de Fernand traduisent ses sentiments et intentions envers Dantès ? Citez le texte.
b. Comment Dantès réagit-il ?
11 **a.** Quel rôle Mercédès joue-t-elle dans cette scène ?
b. Que promet-elle de faire s'il arrive malheur à Dantès ? Pour quelle raison prend-elle cet engagement devant Fernand ?
c. Par quelles paroles de Mercédès laisse-t-elle quelque espoir à Fernand ?

Le parcours d'Edmond Dantès

12 **a.** Quelles raisons Dantès a-t-il d'être heureux ?
b. Quelles menaces pèsent sur lui ? Montrez que pour des raisons différentes, Danglars et Fernand ont tous deux intérêt à l'éliminer.
13 **a.** Caderousse en veut-il particulièrement à Dantès ?
b. Dans quel état se trouve-t-il ?
14 « Il faut que j'aille à Paris » (l. 289). : que doit faire Dantès à Paris ?

Le personnage de Danglars

15 La personnalité de Danglars se confirme-t-elle par rapport à l'extrait précédent ? Justifiez votre réponse.
16 Quel jugement porte-t-il sur Caderousse et sur Fernand (l. 235) ?

Les hypothèses de lecture

17 **a.** Quelles sont les paroles de Fernand lorsqu'il quitte le couple Mercédès-Dantès ?
b. Pourquoi Mercédès ne veut-elle pas qu'on l'appelle « madame Dantès » (l. 255) ? Que peut craindre le lecteur ?
c. Quelle est la réaction de Danglars lorsque Dantès dit qu'il ira à Paris ?
d. Selon vous, que peut craindre le lecteur pour l'avenir de Dantès ?

Étudier la langue

Grammaire : les expansions du nom

On appelle expansions du nom l'ensemble des éléments qui complètent un nom. Elles permettent de donner une certaine image d'un lieu, d'un personnage.

18 **a.** Relevez les expansions des mots en gras :
– « Une belle jeune **fille** aux **cheveux** noirs comme le jais, aux **yeux** veloutés » (l. 11-12) ;
– « Tout à coup Edmond aperçut la **figure** sombre de Fernand, qui se dessinait dans l'ombre, pâle et menaçante » (l. 73-74).
b. Donnez leur classe et leur fonction :
– adjectifs qualificatifs ou participe adjectif épithète (5) ;
– adjectifs qualificatifs apposés, c'est-à-dire séparés du nom par une virgule (2) ;
– groupe nominal complément du nom (2) ;
– proposition subordonnée relative complément du nom (1).

Vocabulaire : autour du mot « congé »

19 « Le pauvre Fernand aura reçu son congé » (l.160).
a. Que signifie les expressions « recevoir son congé » et « donner son congé à quelqu'un » ?
b. Utilisez le mot « congé » dans une phrase où il aura un autre sens.

Écrire

Rédiger un portrait

La comparaison met en relation deux éléments qui présentent un point commun. L'élément que l'on compare s'appelle le comparé, l'élément auquel on compare, le comparant. La comparaison est introduite par un outil de comparaison (*comme*, *tel*, *ressembler à*...). Exemple : La mer (comparé) est comme (outil) un miroir (comparant). Point commun : la brillance.

20 Sur le modèle du portrait de Mercédès (l. 11-20), décrivez une autre jeune fille ou un jeune homme. Utilisez des expansions du nom et au moins une comparaison.

Texte 3 – Dantès victime d'un complot

« Au nom de la loi, je vous arrête ! »

IV. Complot

Danglars suivit Edmond et Mercédès des yeux jusqu'à ce que les deux amants eussent disparu à l'un des angles du fort Saint-Nicolas ; puis, se retournant alors, il aperçut Fernand, qui était retombé pâle et frémissant sur sa chaise, tandis que Caderousse
5 balbutiait les paroles d'une chanson à boire.

« Ah çà ! mon cher monsieur, dit Danglars à Fernand, voilà un mariage qui ne me paraît pas faire le bonheur de tout le monde ?

– Il me désespère, dit Fernand.

10 – Vous aimiez donc Mercédès ?

– Je l'adorais !

– Depuis longtemps ?

– Depuis que nous nous connaissons, je l'ai toujours aimée.

– Et vous êtes là à vous arracher les cheveux, au lieu de cher-
15 cher remède à la chose ! Que diable, je ne croyais pas que ce fût ainsi qu'agissaient les gens de votre nation.

– Que voulez-vous que je fasse ? demanda Fernand.

– Et que sais-je, moi ? Est-ce que cela me regarde ? Ce n'est pas moi, ce me semble, qui suis amoureux de mademoiselle
20 Mercédès, mais vous. Cherchez, dit l'Évangile, et vous trouverez.

– J'avais trouvé déjà.

– Quoi ?

– Je voulais poignarder l'*homme*, mais la femme m'a dit que
25 s'il arrivait malheur à son fiancé, elle se tuerait.

– Bah ! on dit ces choses-là, mais on ne les fait point.

– Vous ne connaissez point Mercédès, monsieur : du moment où elle a menacé, elle exécuterait.

– Imbécile ! murmura Danglars : qu'elle se tue ou non, que 30 m'importe, pourvu que Dantès ne soit point capitaine.

– Et avant que Mercédès ne meure, reprit Fernand avec l'accent d'une immuable résolution, je mourrais, moi-même.

– En voilà de l'amour ! dit Caderousse d'une voix de plus en plus avinée[1] ; en voilà, ou je ne m'y connais plus !

35 – Voyons, dit Danglars, vous me paraissez un gentil garçon, et je voudrais, le diable m'emporte ! vous tirer de peine ; [...] il suffit que Dantès n'épouse pas celle que vous aimez ; et le mariage peut très bien manquer, ce me semble, sans que Dantès meure.

40 – La mort seule les séparera, dit Fernand.

– Vous raisonnez comme un coquillage, mon ami, dit Caderousse, et voilà Danglars, qui est un finot, un malin, un grec, qui va vous prouver que vous avez tort. Prouve, Danglars. J'ai répondu de toi. Dis-lui qu'il n'est pas besoin que Dantès 45 meure ; d'ailleurs ce serait fâcheux qu'il mourût, Dantès. C'est un bon garçon, je l'aime, moi, Dantès. À ta santé, Dantès. »

Fernand se leva avec impatience.

« Laissez-le dire, reprit Danglars en retenant le jeune homme, et d'ailleurs, tout ivre qu'il est, il ne fait point si grande erreur. 50 L'absence disjoint tout aussi bien que la mort ; et supposez qu'il y ait entre Edmond et Mercédès les murailles d'une prison, ils seront séparés ni plus ni moins que s'il y avait là pierre d'une tombe.

– Oui, mais on sort de prison », dit Caderousse, qui avec les 55 restes de son intelligence se cramponnait à la conversation,

1. Une voix d'ivrogne.

« et quand on est sorti de prison et qu'on s'appelle Edmond Dantès, on se venge.

– Qu'importe ! murmura Fernand.

– D'ailleurs, reprit Caderousse, pourquoi mettrait-on Dantès en prison ? il n'a ni volé, ni tué, ni assassiné.

– Tais-toi, dit Danglars.

– Je ne veux pas me taire, moi, dit Caderousse. Je veux qu'on me dise pourquoi on mettrait Dantès en prison. Moi, j'aime Dantès. À ta santé, Dantès ! »

Et il avala un nouveau verre de vin.

Danglars suivit dans les yeux atones[2] du tailleur les progrès de l'ivresse, et se tournant vers Fernand :

« Eh bien ! comprenez-vous, dit-il, qu'il n'y a pas besoin de le tuer ?

– Non, certes, si, comme vous le disiez tout à l'heure on avait le moyen de faire arrêter Dantès. Mais ce moyen, l'avez-vous ?

– En cherchant bien, dit Danglars, on pourrait le trouver. Mais, continua-t-il, de quoi diable vais-je me mêler là ; est-ce que cela me regarde ?

– Je ne sais pas si cela vous regarde, dit Fernand en lui saisissant le bras ; mais ce que je sais, c'est que vous avez quelque motif de haine particulière contre Dantès : celui qui hait lui-même ne se trompe pas aux sentiments des autres.

– Moi, des motifs de haine contre Dantès ? Aucun, sur ma parole. Je vous ai vu malheureux et votre malheur m'a intéressé, voilà tout ; mais du moment où vous croyez que j'agis pour mon propre compte, adieu, mon cher ami, tirez-vous d'affaire comme vous pourrez. »

Et Danglars fit semblant de se lever à son tour.

2. Sans expression.

« Non pas, dit Fernand en le retenant, restez ! Peu m'importe, au bout du compte, que vous en vouliez à Dantès, ou que vous ne lui en vouliez pas : je lui en veux, moi ; je l'avoue hautement. Trouvez le moyen, et je l'exécute, pourvu qu'il n'y ait pas mort 90 d'homme, car Mercédès a dit qu'elle se tuerait si l'on tuait Dantès. »

Caderousse, qui avait laissé tomber sa tête sur la table, releva le front, et regardant Fernand et Danglars avec des yeux lourds et hébétés :

95 « Tuer Dantès ! dit-il, qui parle ici de tuer Dantès ? Je ne veux pas qu'on le tue, moi : c'est mon ami ; il a offert ce matin de partager son argent avec moi, comme j'ai partagé le mien avec lui : je ne veux pas qu'on tue Dantès.

– Et qui te parle de le tuer, imbécile ! reprit Danglars ; il s'agit 100 d'une simple plaisanterie ; bois à sa santé, ajouta-t-il en remplissant le verre de Caderousse, et laisse-nous tranquilles.

– Oui, oui, à la santé de Dantès ! dit Caderousse en vidant son verre, à sa santé !… à sa santé… là !

– Mais le moyen… le moyen ? dit Fernand.

105 – Vous ne l'avez donc pas trouvé encore, vous ?

– Non, vous vous en êtes chargé.

– C'est vrai, reprit Danglars, les Français ont cette supériorité sur les Espagnols, que les Espagnols ruminent et que les Français inventent.

110 – Inventez donc alors, dit Fernand avec impatience.

– Garçon, dit Danglars, une plume, de l'encre et du papier !

– Une plume, de l'encre et du papier ! murmura Fernand.

– Oui, je suis agent comptable : la plume, l'encre et le papier sont mes instruments ; et sans mes instruments je ne sais rien faire.

115 – Une plume, de l'encre et du papier ! cria à son tour Fernand.

– Il y a ce que vous désirez là sur cette table », dit le garçon en montrant les objets demandés.

« Donnez-les-nous alors. »

Le garçon prit le papier, l'encre et la plume, et les déposa sur la table du berceau[3].

« Quand on pense, dit Caderousse en laissant tomber sa main sur le papier, qu'il y a là de quoi tuer un homme plus sûrement que si on l'attendait au coin d'un bois pour l'assassiner ! J'ai toujours eu plus peur d'une plume, d'une bouteille d'encre et d'une feuille de papier que d'une épée ou d'un pistolet.

– Le drôle n'est pas encore si ivre qu'il en a l'air, dit Danglars ; versez-lui donc à boire, Fernand. »

Fernand remplit le verre de Caderousse, et celui-ci, en véritable buveur qu'il était, leva la main de dessus le papier et la porta à son verre.

Le Catalan suivit le mouvement jusqu'à ce que Caderousse, presque vaincu par cette nouvelle attaque, reposât ou plutôt laissât retomber son verre sur la table.

« Eh bien ? » reprit le Catalan en voyant que le reste de la raison de Caderousse commençait à disparaître sous ce dernier verre de vin.

« Eh bien ! je disais donc, par exemple, reprit Danglars, que si, après un voyage comme celui que vient de faire Dantès, et dans lequel il a touché à Naples et à l'île d'Elbe, quelqu'un le dénonçait au procureur du roi comme agent bonapartiste…

– Je le dénoncerai, moi ! dit vivement le jeune homme.

– Oui ; mais alors on vous fait signer votre déclaration, on vous confronte avec celui que vous avez dénoncé : je vous fournis de quoi soutenir votre accusation, je le sais bien ; mais Dantès ne peut rester éternellement en prison, un jour ou l'autre il en sort, et, ce jour où il en sort, malheur à celui qui l'y a fait entrer !

3. Berceau de feuillage.

– Oh ! je ne demande qu'une chose, dit Fernand, c'est qu'il vienne me chercher une querelle !

150 – Oui, et Mercédès ! Mercédès, qui vous prend en haine si vous avez seulement le malheur d'écorcher l'épiderme à son bien-aimé Edmond !

– C'est juste, dit Fernand.

– Non, non, reprit Danglars, si on se décidait à une pareille 155 chose, voyez-vous, il vaudrait bien mieux prendre tout bonnement, comme je le fais, cette plume, la tremper dans l'encre, et écrire de la main gauche, pour que l'écriture ne fût pas reconnue, une petite dénonciation ainsi conçue. »

Et Danglars, joignant l'exemple au précepte[4], écrivit de la 160 main gauche et d'une écriture renversée, qui n'avait aucune analogie avec son écriture habituelle, les lignes suivantes, qu'il passa à Fernand, et que Fernand lut à demi-voix :

Monsieur le procureur du roi est prévenu, par un ami du trône[5] *et de la religion, que le nommé Edmond Dantès, second* 165 *du navire le* Pharaon, *arrivé ce matin de Smyrne, après avoir touché à Naples et à Porto-Ferrajo, a été chargé, par Murat*[6], *d'une lettre pour l'usurpateur*[7], *et, par l'usurpateur, d'une lettre pour le comité bonapartiste de Paris.*

On aura la preuve de son crime en l'arrêtant, car on trouvera 170 *cette lettre ou sur lui, ou chez son père, ou dans sa cabine à bord du* Pharaon.

« À la bonne heure, continua Danglars ; ainsi votre vengeance aurait le sens commun, car d'aucune façon alors elle ne pourrait retomber sur vous, et la chose irait toute seule ; il n'y aurait 175 plus qu'à plier cette lettre, comme je le fais, et à écrire dessus : "À Monsieur le Procureur royal." Tout serait dit. »

4. Règle énoncée.
5. Amis de la royauté.
6. Fidèle officier de Napoléon.
7. Désigne Napoléon (coupable de s'être approprié le pouvoir illégitimement).

Et Danglars écrivit l'adresse en se jouant.

« Oui, tout serait dit », s'écria Caderousse, qui par un dernier effort d'intelligence avait suivi la lecture, et qui comprenait
180 d'instinct tout ce qu'une pareille dénonciation pourrait entraîner de malheur ; « oui, tout serait dit : seulement, ce serait une infamie[8]. »

Et il allongea le bras pour prendre la lettre.

« Aussi, dit Danglars en la poussant hors de la portée de sa
185 main, aussi, ce que je dis et ce que je fais, c'est en plaisantant ; et, le premier, je serais bien fâché qu'il arrivât quelque chose à Dantès, ce bon Dantès ! Aussi tiens… »

Il prit la lettre, la froissa dans ses mains et la jeta dans un coin de la tonnelle[9].

190 « À la bonne heure, dit Caderousse, Dantès est mon ami, et je ne veux pas qu'on lui fasse de mal.

– Eh ! qui diable y songe, à lui faire du mal ! ce n'est ni moi ni Fernand ! » dit Danglars en se levant et en regardant le jeune homme qui était demeuré assis, mais dont l'œil oblique couvait
195 le papier dénonciateur jeté dans un coin.

« En ce cas, reprit Caderousse, qu'on nous donne du vin : je veux boire à la santé d'Edmond et de la belle Mercédès.

– Tu n'as déjà que trop bu, ivrogne, dit Danglars, et si tu continues tu seras obligé de coucher ici, attendu que tu ne
200 pourras plus te tenir sur tes jambes.

– Moi », dit Caderousse en se levant avec la fatuité[10] de l'homme ivre ; « moi, ne pas pouvoir me tenir sur mes jambes ! Je parie que je monte au clocher des Accoules, et sans balancer encore !

– Eh bien ! soit, dit Danglars, je parie, mais pour demain :
205 aujourd'hui il est temps de rentrer ; donne-moi donc le bras et rentrons.

8. Action honteuse.
9. Voûte de feuillage.
10. Sotte prétention.

– Rentrons, dit Caderousse, mais je n'ai pas besoin de ton bras pour cela. Viens-tu, Fernand ? rentres-tu avec nous à Marseille ?

– Non, dit Fernand, je retourne aux Catalans, moi.

210 – Tu as tort, viens avec nous à Marseille, viens.

– Je n'ai point besoin à Marseille, et je n'y veux point aller.

– Comment as-tu dit cela ? Tu ne veux pas, mon bonhomme ! eh bien, à ton aise ! liberté pour tout le monde ! Viens, Danglars, et laissons monsieur rentrer aux Catalans, puisqu'il le veut. »

215 Danglars profita de ce moment de bonne volonté de Caderousse pour l'entraîner du côté de Marseille ; seulement, pour ouvrir un chemin plus court et plus facile à Fernand, au lieu de revenir par le quai de la Rive-Neuve, il revint par la porte Saint-Victor. Caderousse le suivait, tout chancelant, accroché à son bras.

220 Lorsqu'il eut fait une vingtaine de pas, Danglars se retourna et vit Fernand se précipiter sur le papier, qu'il mit dans sa poche ; puis aussitôt, s'élançant hors de la tonnelle, le jeune homme tourna du côté du Pillon.

« Eh bien, que fait-il donc ? dit Caderousse, il nous a menti : 225 il a dit qu'il allait aux Catalans, et il va à la ville ! Holà ! Fernand ! tu te trompes, mon garçon !

– C'est toi qui vois trouble, dit Danglars, il suit tout droit le chemin des Vieilles-Infirmeries.

– En vérité ! dit Caderousse, eh bien ! j'aurais juré qu'il tour-230 nait à droite : décidément le vin est un traître.

– Allons, allons, murmura Danglars, je crois que maintenant la chose est bien lancée, et qu'il n'y a plus qu'à la laisser marcher toute seule. »

V. Le repas de fiançailles

Le lendemain a lieu le déjeuner de fiançailles.

[...]

Dès que les fiancés et ceux qui les accompagnaient furent en vue de la Réserve, M. Morrel descendit et s'avança à son tour au-devant d'eux, suivi des matelots et des soldats avec lesquels il était resté, et auxquels il avait renouvelé la promesse déjà faite à Dantès qu'il succéderait au capitaine Leclère. En le voyant venir, Edmond quitta le bras de sa fiancée et le passa sous celui de M. Morrel. L'armateur et la jeune fille donnèrent alors l'exemple en montant les premiers l'escalier de bois qui conduisait à la chambre où le dîner était servi, et qui cria pendant cinq minutes sous les pas pesants des convives.

« Mon père, dit Mercédès en s'arrêtant au milieu de la table, vous à ma droite, je vous prie ; quant à ma gauche, j'y mettrai celui qui m'a servi de frère », fit-elle avec une douceur qui pénétra au plus profond du coeur de Fernand comme un coup de poignard.

Ses lèvres blêmirent, et sous la teinte bistrée[11] de son mâle visage on put voir encore une fois le sang se retirer peu à peu pour affluer au cœur.

Pendant ce temps, Dantès avait exécuté la même manœuvre ; à sa droite il avait mis M. Morrel, à sa gauche Danglars ; puis de la main il avait fait signe à chacun de se placer à sa fantaisie.

Déjà couraient autour de la table les saucissons d'Arles à la chair brune et au fumet accentué, les langoustes à la cuirasse éblouissante, les praires à la coquille rosée, les oursins, qui semblent des châtaignes entourées de leur enveloppe piquante, les clovisses, qui ont la prétention de remplacer avec supériorité,

11. Brune.

260 pour les gourmets du Midi, les huîtres du Nord ; enfin tous ces hors-d'œuvre délicats que la vague roule sur sa rive sablonneuse, et que les pécheurs reconnaissants désignent sous le nom générique[12] de fruits de mer.

« Un beau silence ! » dit le vieillard en savourant un verre de 265 vin jaune comme la topaze[13], que le père Pamphile en personne venait d'apporter devant Mercédès. « Dirait-on qu'il y a ici trente personnes qui ne demandent qu'à rire.

– Eh ! un mari n'est pas toujours gai, dit Caderousse.

– Le fait est, dit Dantès, que je suis trop heureux en ce moment 270 pour être gai. Si c'est comme cela que vous l'entendez, voisin, vous avez raison ! La joie fait quelquefois un effet étrange, elle oppresse comme la douleur. »

Danglars observa Fernand, dont la nature impressionnable absorbait et renvoyait chaque émotion.

275 « Allons donc, dit-il, est-ce que vous craindriez quelque chose ? il me semble, au contraire, que tout va selon vos désirs !

– Et c'est justement cela qui m'épouvante, dit Dantès, il me semble que l'homme n'est pas fait pour être si facilement heureux ! Le bonheur est comme ces palais des îles enchantées 280 dont les dragons gardent les portes. Il faut combattre pour le conquérir, et moi, en vérité, je ne sais en quoi j'ai mérité le bonheur d'être le mari de Mercédès.

– Le mari, le mari, dit Caderousse en riant, pas encore, mon capitaine ; essaie un peu de faire le mari, et tu verras comme 285 tu seras reçu ! »

Mercédès rougit.

Fernand se tourmentait sur sa chaise, tressaillait au moindre bruit, et de temps en temps essuyait de larges plaques de sueur qui perlaient sur son front, comme les premières gouttes d'une 290 pluie d'orage.

12. Mot qui désigne toute une catégorie. 13. Pierre jaune doré.

« Ma foi, dit Dantès, voisin Caderousse, ce n'est point la peine de me démentir pour si peu. Mercédès n'est point encore ma femme, c'est vrai... (Il tira sa montre). Mais, dans une heure et demie elle le sera ! »

295 Chacun poussa un cri de surprise, à l'exception du père Dantès, dont le large rire montra les dents encore belles. Mercédès sourit et ne rougit plus. Fernand saisit convulsivement le manche de son couteau.

« Dans une heure ! dit Danglars pâlissant lui-même ; et 300 comment cela ?

– Oui, mes amis, répondit Dantès, grâce au crédit de M. Morrel, l'homme après mon père auquel je dois le plus au monde, toutes les difficultés sont aplanies. Nous avons acheté les bans[14], et à deux heures et demie le maire de Marseille nous attend à l'hôtel 305 de ville. Or, comme une heure et un quart viennent de sonner, je ne crois pas me tromper de beaucoup en disant que dans une heure trente minutes Mercédès s'appellera Mme Dantès. »

Fernand ferma les yeux : un nuage de feu brûla ses paupières ; il s'appuya à la table pour ne pas défaillir, et, malgré tous ses 310 efforts, ne put retenir un gémissement sourd qui se perdit dans le bruit des rires et des félicitations de l'assemblée.

[...]

« Ainsi, ce que nous prenions pour un repas de fiançailles, dit Danglars, est tout bonnement un repas de noces.

– Non pas, dit Dantès ; vous n'y perdrez rien, soyez tranquilles. 315 Demain matin, je pars pour Paris. Quatre jours pour aller, quatre jours pour revenir, un jour pour faire en conscience la commission dont je suis chargé, et le 9 mars je suis de retour ; au 10 mars donc le véritable repas de noces. »

[...]

14. Acheter la dispense de publication des bans (annonce de mariage publiée à la mairie).

La pâleur de Fernand était presque passée sur les joues de
320 Danglars ; quant à Fernand lui-même, il ne vivait plus et semblait un damné dans le lac de feu. Un des premiers, il s'était levé et se promenait de long en large dans la salle, essayant d'isoler son oreille du bruit des chansons et du choc des verres.

Caderousse s'approcha de lui au moment où Danglars, qu'il
325 semblait fuir, venait de le rejoindre dans un angle de la salle.

« En vérité », dit Caderousse, à qui les bonnes façons de Dantès et surtout le bon vin du père Pamphile avaient enlevé tous les restes de la haine dont le bonheur inattendu de Dantès avait jeté les germes dans son âme, « en vérité, Dantès est un
330 gentil garçon ; et quand je le vois assis près de sa fiancée, je me dis que ç'eût été dommage de lui faire la mauvaise plaisanterie que vous complotiez hier.

– Aussi, dit Danglars, tu as vu que la chose n'a pas eu de suite ; ce pauvre M. Fernand était si bouleversé qu'il m'avait
335 fait de la peine d'abord ; mais du moment qu'il en a pris son parti, au point de s'être fait le premier garçon de noces de son rival, il n'y a plus rien à dire. »

Caderousse regarda Fernand, il était livide.

« Le sacrifice est d'autant plus grand, continua Danglars,
340 qu'en vérité la fille est belle. Peste ! L'heureux coquin que mon futur capitaine ; je voudrais m'appeler Dantès douze heures seulement.

– Partons-nous ? demanda la douce voix de Mercédès ; voici deux heures qui sonnent, et l'on nous attend à deux heures et
345 quart.

– Oui, oui, partons ! dit Dantès en se levant vivement.

– Partons ! » répétèrent en chœur tous les convives.

Au même instant, Danglars, qui ne perdait pas de vue Fernand assis sur le rebord de la fenêtre, le vit ouvrir des yeux hagards,
350 se lever comme par un mouvement convulsif, et retomber assis

sur l'appui de cette croisée ; presque au même instant un bruit sourd retentit dans l'escalier ; le retentissement d'un pas pesant, une rumeur confuse de voix mêlées à un cliquetis d'armes couvrirent les exclamations des convives, si bruyantes qu'elles fussent, et attirèrent l'attention générale, qui se manifesta à l'instant même par un silence inquiet. Le bruit s'approcha : trois coups retentirent dans le panneau de la porte ; chacun regarda son voisin d'un air étonné.

« Au nom de la loi ! » cria une voix vibrante, à laquelle aucune voix ne répondit.

Aussitôt la porte s'ouvrit, et un commissaire, ceint de son écharpe, entra dans la salle, suivi de quatre soldats armés, conduits par un caporal.

L'inquiétude fit place à la terreur.

« Qu'y a-t-il ? » demanda l'armateur en s'avançant au devant du commissaire qu'il connaissait ; « bien certainement, monsieur, il y a méprise.

– S'il y a méprise, monsieur Morrel, répondit le commissaire, croyez que la méprise sera promptement réparée ; en attendant, je suis porteur d'un mandat d'arrêt ; et quoique ce soit avec regret que je remplisse ma mission, il ne faut pas moins que je la remplisse : lequel de vous, messieurs, est Edmond Dantès ? »

Tous les regards se tournèrent vers le jeune homme qui, fort ému, mais conservant sa dignité, fit un pas en avant et dit :

« C'est moi, monsieur, que me voulez-vous ?

– Edmond Dantès, reprit le commissaire, au nom de la loi, je vous arrête !

– Vous m'arrêtez ! dit Edmond avec une légère pâleur, mais pourquoi m'arrêtez-vous ?

– Je l'ignore, monsieur, mais votre premier interrogatoire vous l'apprendra. »

M. Morrel comprit qu'il n'y avait rien à faire contre l'inflexibilité de la situation : un commissaire ceint de son écharpe n'est plus un homme, c'est la statue de la loi, froide, sourde, muette.

Le vieillard, au contraire, se précipita vers l'officier ; il y a des choses que le cœur d'un père ou d'une mère ne comprendra jamais.

Il pria et supplia : larmes et prières ne pouvaient rien ; cependant son désespoir était si grand, que le commissaire en fut touché.

« Monsieur, dit-il, tranquillisez-vous ; peut-être votre fils a-t-il négligé quelque formalité de douane ou de santé, et, selon toute probabilité, lorsqu'on aura reçu de lui les renseignements qu'on désire en tirer, il sera remis en liberté.

– Ah çà ! qu'est-ce que cela signifie ? » demanda en fronçant le sourcil Caderousse à Danglars, qui jouait la surprise.

« Le sais-je, moi ? dit Danglars ; je suis comme toi : je vois ce qui se passe, je n'y comprends rien, et je reste confondu. »

Caderousse chercha des yeux Fernand : il avait disparu.

Toute la scène de la veille se représenta alors à son esprit avec une effrayante lucidité, on eût dit que la catastrophe venait de tirer le voile que l'ivresse de la veille avait jeté entre lui et sa mémoire.

« Oh ! Oh ! dit-il d'une voix rauque, serait-ce la suite de la plaisanterie dont vous parliez hier, Danglars ? En ce cas, malheur à celui qui l'aurait faite, car elle est bien triste.

– Pas du tout ! s'écria Danglars, tu sais bien, au contraire, que j'ai déchiré le papier.

– Tu ne l'as pas déchiré, dit Caderousse ; tu l'as jeté dans un coin, voilà tout.

– Tais-toi, tu n'as rien vu, tu étais ivre.

– Où est Fernand ? demanda Caderousse.

415 – Le sais-je, moi ! répondit Danglars, à ses affaires probablement : mais, au lieu de nous occuper de cela, allons donc porter du secours à ces pauvres affligés[15]. »

En effet, pendant cette conversation, Dantès avait, en souriant, serré la main à tous ses amis, et s'était constitué prisonnier en 420 disant :

« Soyez tranquilles, l'erreur va s'expliquer, et probablement que je n'irai même pas jusqu'à la prison.

– Oh ! bien certainement, j'en répondrais », dit Danglars qui en ce moment s'approchait, comme nous l'avons dit, du groupe 425 principal.

Dantès descendit l'escalier, précédé du commissaire de police et entouré par les soldats. Une voiture, dont la portière était tout ouverte, attendait à la porte, il y monta, deux soldats et le commissaire montèrent après lui ; la portière se referma, et 430 la voiture reprit le chemin de Marseille.

« Adieu, Dantès ! adieu, Edmond ! » s'écria Mercédès en s'élançant sur la balustrade.

Le prisonnier entendit ce dernier cri, sorti comme un sanglot du cœur déchiré de sa fiancée ; il passa la tête par la portière, 435 cria : « Au revoir, Mercédès ! » et disparut à l'un des angles du fort Saint-Nicolas.

[...]

15. Qui sont dans la peine.

Le Comte de Monte-Cristo de Claude Autant-Lara (1961), avec Louis Jourdan.

Questions

Ai-je bien lu ?

La désignation des personnages

1 Quels personnages sont désignés par les termes suivants : l'homme (l. 24), la femme (l. 24), le tailleur (l. 66), le Catalan (l. 131), les fiancés (l. 234) l'armateur (l. 240), le vieillard (l. 264) ?

Les événements

2 **a.** Quelles sont les deux grandes scènes qui constituent les chapitres IV et V ?
b. Dans quels lieux se déroulent-elles ? Quels sont les principaux personnages présents ?
c. Combien de temps sépare ces deux scènes ?

3 Quelle idée Danglars a-t-il pour se débarrasser de Dantès ? Avec qui se trouve-t-il à ce moment-là ? Met-il son idée à exécution ?

4 Dans quelles circonstances Dantès est-il arrêté ?

Repérer et analyser

Danglars, Fernand, Caderousse

Danglars

5 Comment Danglars se sert-il de Fernand pour se débarrasser de Dantès ? Étudiez la progression du dialogue entre les deux personnages (l. 6-176, « Ah çà ! mon cher monsieur, dit Danglars à Fernand... Tout serait dit »).

6 **a.** « Ce que je sais, c'est que vous avez quelque motif de haine particulière contre Dantès » (l. 76-77) : rappelez pourquoi Danglars en veut à Dantès.
b. « Moi, des motifs de haine contre Dantès ? Aucun » (l. 80) : pourquoi Dantès se défend-il de haïr Dantès ?

7 **a.** Quel stratagème Danglars utilise-t-il pour que son écriture ne soit pas reconnue lorsqu'il écrit la lettre de dénonciation ?
b. Quelle accusation est portée contre Dantès dans cette lettre ?
c. À qui Danglars fait-il lire la lettre ?
d. Que fait-il de cette lettre ?

8 Montrez que Danglars manipule Caderousse : pourquoi le fait-il boire et pourquoi le rassure-t-il sur ses intentions envers Dantès ?

Fernand

9 Que fait Fernand lorsque Danglars et Caderousse sont partis ?
10 Relevez les expressions qui montrent que Fernand hait Dantès (ch. IV) et celles qui traduisent son trouble lors du repas de fiançailles (ch. V).

Caderousse

11 **a.** Dans quel état physique Caderousse se trouve-t-il lorsqu'il est avec Danglars et Fernand à la Réserve (ch. IV) ?
b. Est-il acharné contre Dantès comme les autres personnages ?
12 Montrez qu'il est clairvoyant sur les intentions de Fernand.

Le parcours de Dantès

13 **a.** Quel événement Dantès célèbre-t-il à la Réserve ?
b. La cérémonie du mariage a-t-elle eu lieu ?
14 **a.** À quoi Dantès compare-t-il le bonheur ?
b. Quelles craintes exprime-t-il quant au bonheur à venir (l. 276-282, « Et c'est justement cela qui m'épouvante... d'être le mari de Mercédès ») ?
15 Que doit faire Dantès à Paris ?
16 **a.** Comment Dantès réagit-il lorsqu'il est arrêté ?
b. Où est-il conduit ?

Une scène romanesque : la scène de l'arrestation

Le coup de théâtre

Un coup de théâtre est un changement subit dans une situation.

17 À quel moment précis l'arrestation a-t-elle lieu ? Quelle indication temporelle l'introduit ?

Le point de vue

Dans un récit, le point de vue est l'angle selon lequel les événements sont racontés. Ils peuvent l'être par le narrateur omniscient (qui n'adopte aucun point de vue particulier) ou à travers le regard ou la perception d'un ou plusieurs personnages).

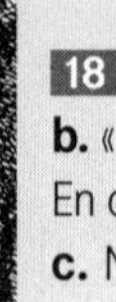

18 **a.** Relevez le lexique du bruit.
b. « Le bruit s'approcha » (l. 356) : selon quel point de vue le bruit est-il perçu ? En quoi y a-t-il effet de dramatisation (volonté de susciter une forte émotion) ?
c. Notez les réactions des convives.

Le suspense

C'est le moment où l'action s'arrête un instant et tient le lecteur (ou spectateur) dans l'attente angoissée de ce qui va se passer

19 **a.** Comment le narrateur entretient-il le suspense à partir de la ligne 351 (« presque au même instant »). Appuyez-vous sur les sujets des verbes « retentit » (l. 352), « couvrirent » (l. 354), « s'approcha » (l. 356), « retentirent » (l. 357), « cria » (l. 359), « s'ouvrit » (l. 361).
b. À partir de quelle ligne le lecteur apprend-il l'origine du bruit ? Citez un verbe et son sujet.

Les réactions du lecteur

20 **a.** Dantès est-il particulièrement inquiet lorsqu'il est arrêté ? Et vous, l'êtes-vous en tant que lecteur ? Justifiez votre réponse.
b. « Adieu Dantès ! Adieu Edmond ! » (l. 431) ; « Au revoir Mercédès » (l. 435). Quelle différence Mercédès et Dantès font-ils entre les deux formules ? Quel effet produisent-elles sur vous ?

Étudier la langue

Grammaire : les expansions du nom

Les expansions complètent un nom pour en enrichir le sens.
Les expansions peuvent appartenir à différentes classes grammaticales : adjectif (ou participe adjectif), groupe nominal prépositionnel (introduit par une préposition), proposition subordonnée relative.
Elles ont pour fonction : épithète (pour les adjectifs) ; complément du nom (pour les groupes nominaux et les propositions subordonnées relatives).

21 « Les **saucissons** d'Arles à la chair *brune* et au fumet *accentué*, les **langoustes** à la cuirasse *éblouissante*, les **praires** à la coquille *rosée*, les **oursins**, qui semblent des châtaignes entourées de leur enveloppe *piquante*. »

a. Dans un tableau, relevez les expansions des noms en gras. Indiquez leur classe grammaticale et leur fonction.

Nom	Expansion	Classe	Fonction
saucissons	....	....	....

b. De quels noms les adjectifs en italique sont-ils les expansions ?

Vocabulaire : les termes génériques

Un terme générique est un mot qui désigne un ensemble de personnes ou de choses. Exemple : oiseau, terme générique pour mouette, corneille, mésange, rossignol, hirondelle, loriot...

22 **a.** Relevez dans le texte les termes qui appartiennent à la catégorie des fruits de mer (l. 255-263).
b. Trouvez le terme générique des ensembles suivants :
- séisme, inondations, raz de marée, avalanche ;
- pétrole, charbon, gaz naturel, bois ;
- peinture, musique, sculpture, cinéma ;
- bracelet, collier, broche, boucles d'oreilles ;
- peur, amour, pitié, colère.

Vocabulaire : le lexique du bruit

23 Quelle peut être l'origine de chacun des bruits suivants : froissement, clapotis, vrombissement, crissement, crépitement, claquement, tintement ?
Aidez-vous de la liste suivante : cloche, vagues, papier, avion, feu, porte, pneus.

Écrire

Rédiger une description

L'énumération consiste à énoncer une longue série de termes pour créer un effet d'abondance dans une description.

24 Sur le modèle de l'énumération des lignes 255-263 (« Déjà couraient autour de la table... fruits de mer »), décrivez un buffet de fête.

Texte 4 – Dantès est emprisonné au château d'If

« Il entendit un bruit sourd »

IV. Complot

Dantès est donc arrêté avant son mariage. Il est conduit devant l'officier de justice chargé de l'enquête, Gérard de Villefort, substitut du procureur du roi à Marseille. Il montre à Dantès la lettre de dénonciation qu'il a en sa possession (écrite par Danglars et ramassée par Fernand, voir texte 3 p. 54). Dantès explique qu'il n'a fait qu'obéir aux ordres de son capitaine mourant qui lui a demandé d'endosser le rôle de messager et de portera à Paris une lettre remise à l'île d'Elbe et dont il ne connaît pas le contenu. Villefort, convaincu de l'innocence de Dantès, il est sur le point de le libérer.

VII. L'interrogatoire

[...]

« Oui, oui, murmura Villefort, tout cela me paraît être la vérité, et, si vous êtes coupable, c'est imprudence ; encore cette imprudence était-elle légitimée par les ordres de votre capitaine. Rendez-nous cette lettre qu'on vous a remise à l'île d'Elbe, 5 donnez-moi votre parole de vous représenter à la première réquisition[1], et allez rejoindre vos amis.

– Ainsi je suis libre, monsieur ! s'écria Dantès au comble de la joie.

– Oui, seulement donnez-moi cette lettre.

10 – Elle doit être devant vous, monsieur ; car on me l'a prise avec mes autres papiers, et j'en reconnais quelques-uns dans cette liasse.

1. Convocation de justice.

– Attendez, dit le substitut à Dantès, qui prenait ses gants et son chapeau, attendez ; à qui est-elle adressée ?

15 – *À M. Noirtier, rue Coq-Héron, à Paris.* »

La foudre tombée sur Villefort ne l'eût point frappé d'un coup plus rapide et plus imprévu ; il retomba sur son fauteuil, d'où il s'était levé à demi pour atteindre la liasse de papiers saisis sur Dantès, et, la feuilletant précipitamment, il en tira la 20 lettre fatale, sur laquelle il jeta un regard empreint d'une indicible terreur.

« M. Noirtier, rue Coq-Héron, n° 13, murmura-t-il en pâlissant de plus en plus.

– Oui, monsieur, répondit Dantès étonné, le connaissez-25 vous ?

– Non, répondit vivement Villefort : un fidèle serviteur du roi ne connaît pas les conspirateurs.

– Il s'agit donc d'une conspiration ? » demanda Dantès, qui commençait, après s'être cru libre, à reprendre une terreur plus 30 grande que la première. « En tout cas, monsieur, je vous l'ai dit, j'ignorais complètement le contenu de la dépêche[2] dont j'étais porteur.

– Oui, reprit Villefort d'une voix sourde ; mais vous savez le nom de celui à qui elle était adressée !

35 – Pour la lui remettre à lui-même, monsieur, il fallait bien que je susse[3].

– Et vous n'avez montré cette lettre à personne ? » dit Villefort tout en lisant et en pâlissant, à mesure qu'il lisait.

« À personne, monsieur, sur l'honneur !

40 – Tout le monde ignore que vous étiez porteur d'une lettre venant de l'île d'Elbe et adressée à M. Noirtier ?

– Tout le monde, monsieur, excepté celui qui me l'a remise.

2. Lettre.

3. Imparfait du subjonctif du verbe *savoir*.

– C'est trop, c'est encore trop ! » murmura Villefort.

Le front de Villefort s'obscurcissait de plus en plus à mesure qu'il avançait vers la fin ; ses lèvres blanches, ses mains tremblantes, ses yeux ardents faisaient passer dans l'esprit de Dantès les plus douloureuses appréhensions.

Après cette lecture, Villefort laissa tomber sa tête dans ses mains, et demeura un instant accablé.

« Ô mon dieu ! qu'y a-t-il donc, monsieur ? » demanda timidement Dantès.

Villefort ne répondit pas ; mais au bout de quelques instants, il releva sa tête pâle et décomposée, et relut une seconde fois la lettre.

« Et vous dites que vous ne savez pas ce que contenait cette lettre ? reprit Villefort.

– Sur l'honneur, je le répète, monsieur, dit Dantès, je l'ignore. Mais qu'avez-vous vous-même, mon Dieu ! vous allez vous trouver mal ; voulez-vous que je sonne, voulez-vous que j'appelle ?

– Non, monsieur, dit Villefort en se levant vivement, ne bougez pas, ne dites pas un mot : c'est à moi de donner des ordres ici, et non pas à vous.

– Monsieur, dit Dantès blessé, c'était pour venir à votre aide, voilà tout.

– Je n'ai besoin de rien ; un éblouissement passager, voilà tout : occupez-vous de vous et non de moi, répondez. »

Dantès attendit l'interrogatoire qu'annonçait cette demande, mais inutilement : Villefort retomba sur son fauteuil, passa une main glacée sur son front ruisselant de sueur, et pour la troisième fois se mit à relire la lettre.

« Oh ! s'il sait ce que contient cette lettre, murmura-t-il, et qu'il apprenne jamais que Noirtier est le père de Villefort, je suis perdu, perdu à jamais ! »

Et de temps en temps il regardait Edmond, comme si son regard eût pu briser cette barrière invisible qui enferme dans le cœur les secrets que garde la bouche.

« Oh ! n'en doutons plus ! s'écria-t-il tout à coup.

– Mais, au nom du ciel, monsieur ! s'écria le malheureux jeune homme, si vous doutez de moi, si vous me soupçonnez, interrogez-moi, et je suis prêt à vous répondre. »

Villefort fit sur lui-même un effort violent, et d'un ton qu'il voulait rendre assuré :

« Monsieur, dit-il, les charges les plus graves résultent pour vous de votre interrogatoire, je ne suis donc pas le maître, comme je l'avais espéré d'abord, de vous rendre à l'instant même la liberté ; je dois, avant de prendre une pareille mesure, consulter le juge d'instruction. En attendant, vous avez vu de quelle façon j'en ai agi envers vous.

– Oh ! oui, monsieur, s'écria Dantès, et je vous remercie, car vous avez été pour moi bien plutôt qu'un ami qu'un juge.

– Eh bien ! monsieur, je vais vous retenir quelque temps encore prisonnier, le moins longtemps que je pourrai ; la principale charge qui existe contre vous, c'est cette lettre, et vous voyez… »

Villefort s'approcha de la cheminée, la jeta dans le feu, et demeura jusqu'à ce qu'elle fût réduite en cendres.

« Et vous voyez, continua-t-il, je l'anéantis.

– Oh ! s'écria Dantès, monsieur, vous êtes plus que la justice, vous êtes la bonté !

– Mais, écoutez-moi, poursuivit Villefort, après un pareil acte, vous comprenez que vous pouvez avoir confiance en moi, n'est-ce pas ?

– Ô monsieur ! ordonnez et je suivrai vos ordres.

– Non, dit Villefort en s'approchant du jeune homme, non, ce ne sont pas des ordres que je veux vous donner ; vous le comprenez, ce sont des conseils.

– Dites, et je m'y conformerai comme à des ordres.

– Je vais vous garder jusqu'au soir ici, au palais de justice ; peut-être qu'un autre que moi viendra vous interroger : dites
110 tout ce que vous m'avez dit, mais pas un mot de cette lettre.

– Je vous le promets, monsieur. »

C'était Villefort qui semblait supplier, c'était le prévenu[4] qui rassurait le juge.

« Vous comprenez », dit-il en jetant un regard sur les cendres,
115 qui conservaient encore la forme du papier, et qui voltigeaient au-dessus des flammes : « maintenant, cette lettre est anéantie, vous et moi savons seuls qu'elle a existé : on ne vous la représentera point : niez-la donc si l'on vous en parle, niez-la hardiment et vous êtes sauvé.

120 – Je nierai, monsieur, soyez tranquille, dit Dantès.

– Bien, bien ! » dit Villefort en portant la main au cordon d'une sonnette.

Puis s'arrêtant au moment de sonner :

« C'était la seule lettre que vous eussiez ? dit-il.

125 – La seule.

– Faites-en serment. »

Dantès étendit la main.

« Je le jure », dit-il.

Villefort sonna.

130 Le commissaire de police entra.

Villefort s'approcha de l'officier public et lui dit quelques mots à l'oreille ; le commissaire répondit par un simple signe de tête.

« Suivez monsieur », dit Villefort à Dantès.

135 Dantès s'inclina, jeta un dernier regard de reconnaissance à Villefort et sortit.

4. Personne poursuivie pour une infraction et qui n'a pas été jugée.

À peine la porte fut-elle refermée derrière lui que les forces manquèrent à Villefort, et qu'il tomba presque évanoui sur un fauteuil.

140 Puis au bout d'un instant :

« Ô mon Dieu ! murmura-t-il, à quoi tiennent la vie et la fortune !... Si le procureur du roi eût été à Marseille, si le juge d'instruction eût été appelé au lieu de moi, j'étais perdu ; et ce papier, ce papier maudit me précipitait dans l'abîme. Ah ! mon 145 père, mon père, serez-vous donc toujours un obstacle à mon bonheur en ce monde, et dois-je lutter éternellement avec votre passé[5] ! »

Puis tout à coup, une lueur inattendue parut passer par son esprit et illumina son visage ; un sourire se dessina sur sa bouche encore crispée, ses yeux hagards devinrent fixes et parurent 150 s'arrêter sur une pensée.

« C'est cela, dit-il ; oui, cette lettre qui devait me perdre fera ma fortune peut-être. Allons Villefort, à l'œuvre ! »

[...]

XV. Le numéro 34 et le numéro 27

Par peur pour sa propre carrière, Villefort fait emprisonner à vie Dantès au château d'If, forteresse située sur un îlot rocheux au large de Marseille, sans lui révéler le motif de cette peine et sans informer les proches de Dantès de son triste sort. Après six années de détention secrète, désespéré, Dantès décide de se laisser mourir de faim...

[...]

Le lendemain il ne voyait plus, il entendait à peine. Le geôlier croyait à une maladie grave ; Edmond espérait dans une mort 155 prochaine.

5. Noirtier de Villefort a été révolutionnaire puis partisan de Napoléon Bonaparte. Il complote pour renverser Louis XVIII et permettre le retour d'exil de Napoléon.

La journée s'écoula ainsi : Edmond sentait un vague engourdissement, qui ne manquait pas d'un certain bien-être, le gagner. Les tiraillements nerveux de son estomac s'étaient assoupis ; les ardeurs de sa soif s'étaient calmées, lorsqu'il fermait les
160 yeux, il voyait une foule de lueurs brillantes pareilles à ces feux follets qui courent la nuit sur les terrains fangeux[6] : c'était le crépuscule de ce pays inconnu qu'on appelle la mort. Tout à coup le soir, vers neuf heures, il entendit un bruit sourd à la paroi du mur contre lequel il était couché.

165 Tant d'animaux immondes étaient venus faire leur bruit dans cette prison que, peu à peu, Edmond avait habitué son sommeil à ne pas se troubler de si peu de chose ; mais cette fois, soit que ses sens fussent exaltés par l'abstinence[7], soit que réellement le bruit fût plus fort que de coutume, soit que dans ce moment
170 suprême tout acquît de l'importance, Edmond souleva sa tête pour mieux entendre.

C'était un grattement égal qui semblait accuser, soit une griffe énorme, soit une dent puissante, soit enfin la pression d'un instrument quelconque sur des pierres.

175 Bien qu'affaibli, le cerveau du jeune homme fut frappé par cette idée banale constamment présente à l'esprit des prisonniers : la liberté. Ce bruit arrivait si juste au moment où tout bruit allait cesser pour lui, qu'il lui semblait que Dieu se montrait enfin pitoyable à ses souffrances et lui envoyait ce bruit pour
180 l'avertir de s'arrêter au bord de la tombe où chancelait déjà son pied. Qui pouvait savoir si un de ses amis, un de ces êtres bien-aimés auxquels il avait songé si souvent qu'il y avait usé sa pensée, ne s'occupait pas de lui en ce moment et ne cherchait pas à rapprocher la distance qui les séparait ?

185 Mais non, sans doute Edmond se trompait, et c'était un de ces rêves qui flottent à la porte de la mort.

6. Boueux.

7. Jeûne.

Cependant, Edmond écoutait toujours ce bruit. Ce bruit dura trois heures à peu près, puis Edmond entendit une sorte de croulement, après quoi le bruit cessa.

190 Quelques heures après, il reprit plus fort et plus rapproché. Déjà Edmond s'intéressait à ce travail qui lui faisait société ; tout à coup le geôlier entra.

Depuis huit jours à peu près qu'il avait résolu de mourir, depuis quatre jours qu'il avait commencé de mettre ce projet 195 à exécution, Edmond n'avait point adressé la parole à cet homme, ne lui répondant pas quand il lui avait parlé pour lui demander de quelle maladie il croyait être atteint, et se retournant du côté du mur quand il en était regardé trop attentivement. Mais aujourd'hui, le geôlier[8] pouvait entendre ce bruissement sourd, 200 s'en alarmer, y mettre fin, et déranger ainsi peut-être ce je ne sais quoi d'espérance, dont l'idée seule charmait les derniers moments de Dantès.

Le geôlier apportait à déjeuner.

Dantès se souleva sur son lit, et, enflant sa voix, se mit à 205 parler sur tous les sujets possibles, sur la mauvaise qualité des vivres qu'il apportait, sur le froid dont on souffrait dans ce cachot, murmurant et grondant pour avoir le droit de crier plus fort, et lassant la patience du geôlier, qui justement ce jour-là avait sollicité pour le prisonnier malade un bouillon et 210 du pain frais, et qui lui apportait ce bouillon et ce pain.

Heureusement, il crut que Dantès avait le délire ; il posa les vivres sur la mauvaise table boiteuse sur laquelle il avait l'habitude de les poser, et se retira.

Libre alors, Edmond se remit à écouter avec joie.

215 Le bruit devenait si distinct que, maintenant, le jeune homme l'entendait sans efforts.

8. Gardien de prison.

« Plus de doute, se dit-il à lui-même, puisque ce bruit continue, malgré le jour, c'est quelque malheureux prisonnier comme moi qui travaille à sa délivrance. Oh ! si j'étais près de lui, 220 comme je l'aiderais ! »

[...]

Alors il se dit :

« Il faut tenter l'épreuve, mais sans compromettre personne. Si le travailleur est un ouvrier ordinaire, je n'ai qu'à frapper contre mon mur, aussitôt il cessera sa besogne pour tâcher de 225 deviner quel est celui qui frappe et dans quel but il frappe. Mais comme son travail sera non seulement licite[9], mais encore commandé, il reprendra bientôt son travail. Si au contraire c'est un prisonnier, le bruit que je ferai l'effrayera ; il craindra d'être découvert ; il cessera son travail et ne le reprendra que 230 ce soir, quand il croira tout le monde couché et endormi. »

Aussitôt Edmond se leva de nouveau. Cette fois, ses jambes ne vacillaient plus et ses yeux étaient sans éblouissements. Il alla vers un angle de sa prison, détacha une pierre minée par l'humidité, et revint frapper le mur à l'endroit même où le 235 retentissement était le plus sensible.

Il frappa trois coups.

Dès le premier, le bruit avait cessé comme par enchantement.

Edmond écouta de toute son âme. Une heure s'écoula, deux heures s'écoulèrent, aucun bruit nouveau ne se fit entendre ; 240 Edmond avait fait naître de l'autre côté de la muraille un silence absolu.

Plein d'espoir, Edmond mangea quelques bouchées de son pain, avala quelques gorgées d'eau, et, grâce à la constitution puissante dont la nature l'avait doué, se retrouva à peu près 245 comme auparavant.

9. Permis.

La journée s'écoula, le silence durait toujours.

La nuit vint sans que le bruit eût recommencé.

« C'est un prisonnier », se dit Edmond avec une indicible[10] joie.

Dès lors sa tête s'embrasa, la vie lui revint violente à force d'être active.

La nuit se passa sans que le moindre bruit se fît entendre.

Edmond ne ferma pas les yeux de cette nuit.

Le jour revint ; le geôlier rentra apportant les provisions. Edmond avait déjà dévoré les anciennes ; il dévora les nouvelles, écoutant sans cesse ce bruit qui ne revenait pas, tremblant qu'il eût cessé pour toujours, faisant dix ou douze lieues dans son cachot, ébranlant pendant des heures entières les barreaux de fer de son soupirail, rendant l'élasticité et la vigueur à ses membres par un exercice désappris depuis longtemps, se disposant enfin à reprendre corps à corps sa destinée à venir, comme fait, en étendant ses bras et en frottant son corps d'huile, le lutteur qui va entrer dans l'arène. Puis, dans les intervalles de cette activité fiévreuse, il écoutait si le bruit ne revenait pas, s'impatientant de la prudence de ce prisonnier qui ne devinait point qu'il avait été distrait dans son œuvre de liberté par un autre prisonnier, qui avait au moins aussi grande hâte d'être libre que lui.

Trois jours s'écoulèrent, soixante-douze mortelles heures comptées minute par minute !

Enfin un soir, comme le geôlier venait de faire sa dernière visite, comme pour la centième fois Dantès collait son oreille à la muraille, il lui sembla qu'un ébranlement imperceptible répondait sourdement dans sa tête, mise en rapport avec les pierres silencieuses.

10. Que l'on ne peut exprimer.

Dantès se recula pour bien rasseoir son cerveau ébranlé, fit quelques tours dans la chambre, et replaça son oreille au même endroit.

Il n'y avait plus de doute, il se faisait quelque chose de l'autre côté ; le prisonnier avait reconnu le danger de sa manœuvre et en avait adopté quelque autre, et, sans doute pour continuer son œuvre avec plus de sécurité, il avait substitué le levier au ciseau.

Enhardi par cette découverte, Edmond résolut de venir en aide à l'infatigable travailleur. Il commença par déplacer son lit derrière lequel il lui semblait que l'œuvre de délivrance s'accomplissait, et chercha des yeux un objet avec lequel il pût entamer la muraille, faire tomber le ciment humide, desceller une pierre enfin.

Rien ne se présenta à sa vue. Il n'avait ni couteau ni instrument tranchant ; du fer à ses barreaux seulement, et il s'était assuré si souvent que ses barreaux étaient bien scellés, que ce n'était plus même la peine d'essayer à les ébranler.

Pour tout ameublement, un lit, une chaise, une table, un seau, une cruche.

À ce lit il y avait bien des tenons[11] de fer, mais ces tenons étaient scellés au bois par des vis. Il eût fallu un tournevis pour tirer ces vis et arracher ces tenons.

À la table et à la chaise, rien ; au seau il y avait eu autrefois une anse, mais cette anse avait été enlevée.

Il n'y avait plus pour Dantès qu'une ressource, c'était de briser sa cruche et, avec un des morceaux de grès taillés en angle, de se mettre à la besogne.

Il laissa tomber la cruche sur un pavé, et la cruche vola en éclats.

11. Pièces de fixation.

Dantès choisit deux ou trois éclats aigus, les cacha dans sa paillasse, et laissa les autres épars sur la terre. La rupture de sa cruche était un accident trop naturel pour que l'on s'en inquiétât.

310 Edmond avait toute la nuit pour travailler ; mais dans l'obscurité, la besogne allait mal, car il lui fallait travailler à tâtons, et il sentit bientôt qu'il émoussait l'instrument informe contre un grès plus dur. Il repoussa donc son lit et attendit le jour. Avec l'espoir, la patience lui était revenue.

315 Toute la nuit il écouta et entendit le mineur inconnu qui continuait son œuvre souterraine.

Le jour vint, le geôlier entra. Dantès lui dit qu'en buvant la veille à même la cruche, elle avait échappé à sa main et s'était brisée en tombant. Le geôlier alla en grommelant chercher une 320 cruche neuve, sans même prendre la peine d'emporter les morceaux de la vieille.

Il revint un instant après, recommanda plus d'adresse au prisonnier et sortit.

Dantès écouta avec une joie indicible le grincement de la 325 serrure qui, chaque fois qu'elle se refermait jadis, lui serrait le cœur. Il écouta s'éloigner le bruit des pas ; puis, quand ce bruit se fut éteint, il bondit vers sa couchette qu'il déplaça, et, à la lueur du faible rayon de jour qui pénétrait dans son cachot, put voir la besogne inutile qu'il avait faite la nuit précédente 330 en s'adressant au corps de la pierre au lieu de s'adresser au plâtre qui entourait ses extrémités.

L'humidité avait rendu ce plâtre friable.

Dantès vit avec un battement de cœur joyeux que ce plâtre se détachait par fragments ; ces fragments étaient presque des 335 atomes, c'est vrai ; mais au bout d'une demi-heure, cependant, Dantès en avait détaché une poignée à peu près. Un mathématicien eût pu calculer qu'avec deux années à peu près de ce travail, en supposant qu'on ne rencontrât point le roc, on pouvait se creuser un passage de deux pieds carrés et de vingt pieds de 340 profondeur.

Le prisonnier se reprocha alors de ne pas avoir employé à ce travail ces longues heures successivement écoulées, toujours plus lentes, et qu'il avait perdues dans l'espérance, dans la prière et dans le désespoir.

345 Depuis six ans à peu près qu'il était enfermé dans ce cachot, quel travail, si lent qu'il fût, n'eût-il pas achevé !

Et cette idée lui donna une nouvelle ardeur.

En trois jours il parvint, avec des précautions inouïes, à enlever tout le ciment et à mettre à nu la pierre : la muraille était faite 350 de moellons[12] au milieu desquels, pour ajouter à la solidité, avait pris place de temps en temps une pierre de taille. C'était une de ces pierres de taille qu'il avait presque déchaussée, et qu'il s'agissait maintenant d'ébranler dans son alvéole.

Dantès essaya avec ses ongles, mais ses ongles étaient insuf-355 fisants pour cela.

Les morceaux de la cruche introduits dans les intervalles se brisaient lorsque Dantès voulait s'en servir en manière de levier.

Après une heure de tentatives inutiles, Dantès se releva la sueur et l'angoisse sur le front. Allait-il donc être arrêté ainsi 360 dès le début, et lui faudrait-il attendre, inerte et inutile, que son voisin, qui de son côté se lasserait peut-être, eût tout fait !

Alors une idée lui passa par l'esprit ; il demeura debout et souriant ; son front humide de sueur se sécha tout seul.

Le geôlier apportait tous les jours la soupe de Dantès dans 365 une casserole de fer-blanc. Cette casserole contenait sa soupe et celle d'un second prisonnier, car Dantès avait remarqué que cette casserole était, ou entièrement pleine, ou à moitié vide,

12. Pierres non taillées ou grossièrement taillées.

selon que le porte-clefs commençait la distribution des vivres par lui ou par son compagnon.

370 Cette casserole avait un manche de fer ; c'était ce manche de fer qu'ambitionnait Dantès et qu'il eût payé, si on les lui avait demandés en échange, de dix années de sa vie.

Le geôlier versait le contenu de cette casserole dans l'assiette de Dantès. Après avoir mangé sa soupe avec une cuiller de bois, 375 Dantès lavait cette assiette qui servait ainsi chaque jour.

Le soir, Dantès posa son assiette à terre, à mi-chemin de la porte à la table ; le geôlier en entrant mit le pied sur l'assiette et la brisa en mille morceaux.

Cette fois il n'y avait rien à dire contre Dantès : il avait eu le 380 tort de laisser son assiette à terre, c'est vrai, mais le geôlier avait eu celui de ne pas regarder à ses pieds.

Le geôlier se contenta donc de grommeler.

Puis il regarda autour de lui dans quoi il pouvait verser la soupe ; le mobilier de Dantès se bornait à cette seule assiette, 385 il n'y avait pas de choix.

« Laissez la casserole, dit Dantès, vous la reprendrez en m'apportant demain mon déjeuner. »

Ce conseil flattait la paresse du geôlier, qui n'avait pas besoin ainsi de remonter, de redescendre et de remonter encore.

390 Il laissa la casserole.

Dantès frémit de joie.

Cette fois il mangea vivement la soupe et la viande que, selon l'habitude des prisons, on mettait avec la soupe. Puis, après avoir attendu une heure, pour être certain que le geôlier ne se 395 raviserait point, il dérangea son lit, prit sa casserole, introduisit le bout du manche entre la pierre de taille dénuée de son ciment et les moellons voisins, et commença de faire le levier.

Une légère oscillation prouva à Dantès que la besogne venait à bien.

400 En effet, au bout d'une heure la pierre était tirée du mur, où elle laissait une excavation de plus d'un pied et demi de diamètre.

Dantès ramassa avec soin tout le plâtre, le porta dans des angles de sa prison, gratta la terre grisâtre avec un des fragments 405 de sa cruche et recouvrit le plâtre de terre.

Puis voulant mettre à profit cette nuit où le hasard, ou plutôt la savante combinaison qu'il avait imaginée, avait remis entre ses mains un instrument si précieux, il continua de creuser avec acharnement.

410 À l'aube du jour il replaça la pierre dans son trou, repoussa son lit contre la muraille et se coucha.

Le déjeuner consistait en un morceau de pain : le geôlier entra et posa ce morceau de pain sur la table.

« Eh bien ! vous ne m'apportez pas une autre assiette ? demanda 415 Dantès.

– Non, dit le porte-clefs ; vous êtes un brise-tout, vous avez détruit votre cruche, et vous êtes cause que j'ai cassé votre assiette ; si tous les prisonniers faisaient autant de dégât, le gouvernement n'y pourrait pas tenir. On vous laisse la casserole, 420 on vous versera votre soupe dedans ; de cette façon vous ne casserez pas votre ménage, peut-être. »

Dantès leva les yeux au ciel et joignit ses mains sous sa couverture.

Ce morceau de fer qui lui restait faisait naître dans son cœur 425 un élan de reconnaissance plus vif vers le ciel que ne lui avaient jamais causé dans sa vie passée les plus grands biens qui lui étaient survenus.

Seulement il avait remarqué que depuis qu'il avait commencé à travailler, lui, le prisonnier ne travaillait plus.

430 N'importe, ce n'était pas une raison pour cesser sa tâche ; si son voisin ne venait pas à lui, c'était lui qui irait à son voisin.

Toute la journée il travailla sans relâche ; le soir il avait, grâce à son nouvel instrument, tiré de la muraille plus de dix poignées de débris de moellons, de plâtre et de ciment.

435 Lorsque l'heure de la visite arriva, il redressa de son mieux le manche tordu de sa casserole et remit le récipient à sa place accoutumée. Le porte-clefs y versa la ration ordinaire de soupe et de viande, ou plutôt de soupe et de poisson, car ce jour-là était un jour maigre, et trois fois par semaine on faisait faire 440 maigre aux prisonniers. C'eût été encore un moyen de calculer le temps, si depuis longtemps Dantès n'avait pas abandonné ce calcul.

Puis la soupe versée, le porte-clefs se retira.

Cette fois Dantès voulut s'assurer si son voisin avait bien 445 réellement cessé de travailler.

Il écouta.

Tout était silencieux comme pendant ces trois jours où les travaux avaient été interrompus.

Dantès soupira ; il était évident que son voisin se défiait de 450 lui.

Cependant il ne se découragea point et continua de travailler toute la nuit ; mais après deux ou trois heures de labeur, il rencontra un obstacle.

Le fer ne mordait plus et glissait sur une surface plane.

455 Dantès toucha l'obstacle avec ses mains et reconnut qu'il avait atteint une poutre.

Cette poutre traversait ou plutôt barrait entièrement le trou qu'avait commencé Dantès.

Maintenant il fallait creuser dessus ou dessous.

460 Le malheureux jeune homme n'avait point songé à cet obstacle.

« Oh ! mon Dieu, mon Dieu ! s'écria-t-il, je vous avais cependant tant prié, que j'espérais que vous m'avez entendu. Mon

Dieu ! après m'avoir ôté la liberté de la vie, mon Dieu ! après
465 m'avoir ôté le calme de la mort, mon Dieu ! qui m'avez rappelé à l'existence, mon Dieu ! ayez pitié de moi, ne me laissez pas mourir dans le désespoir !

– Qui parle de Dieu et de désespoir en même temps ? », articula une voix qui semblait venir de dessous terre et qui,
470 assourdie par l'opacité, parvenait au jeune homme avec un accent sépulcral.

Edmond sentit se dresser ses cheveux sur sa tête, et il recula sur ses genoux.

« Ah ! murmura-t-il, j'entends parler un homme. »

475 Il y avait quatre ou cinq ans qu'Edmond n'avait entendu parler que son geôlier, et pour le prisonnier le geôlier n'est pas un homme : c'est une porte vivante ajoutée à sa porte de chêne ; c'est un barreau de chair ajouté à ses barreaux de fer.

« Au nom du ciel ! s'écria Dantès, vous qui avez parlé, parlez
480 encore, quoique votre voix m'ait épouvanté ; qui êtes-vous ?

– Qui êtes-vous vous-même ? demanda la voix.

– Un malheureux prisonnier », reprit Dantès qui ne faisait, lui, aucune difficulté de répondre.

« De quel pays ?

485 – Français.

– Votre nom ?

– Edmond Dantès.

– Votre profession ?

– Marin.

490 – Depuis combien de temps êtes-vous ici ?

– Depuis le 9 mars 1815.

– Votre crime ?

– Je suis innocent.

– Mais de quoi vous accuse-t-on ?

495 – D'avoir conspiré pour le retour de l'empereur.

– Comment ! pour le retour de l'empereur ! l'empereur n'est donc plus sur le trône ?

– Il a abdiqué à Fontainebleau en 1814 et a été relégué à l'île d'Elbe. Mais vous-même depuis quel temps êtes-vous donc ici, 500 que vous ignoriez tout cela ?

– Depuis 1811. »

Dantès frissonna ; cet homme avait quatre ans de prison de plus que lui.

« C'est bien, ne creusez plus, dit la voix en parlant fort vite ; 505 seulement dites-moi à quelle hauteur se trouve l'excavation[13] que vous avez faite ?

– Au ras de la terre.

– Comment est-elle cachée ?

– Derrière mon lit.

510 – A-t-on dérangé votre lit depuis que vous êtes en prison ?

– Jamais.

– Sur quoi donne votre chambre ?

– Sur un corridor.

– Et le corridor ?

515 – Aboutit à la cour.

– Hélas ! murmura la voix.

– Oh ! mon Dieu ! qu'y a-t-il donc ? s'écria Dantès.

– Il y a que je me suis trompé, que l'imperfection de mes dessins m'a abusé, que le défaut d'un compas m'a perdu, qu'une ligne 520 d'erreur sur mon plan a équivalu à quinze pieds en réalité, et que j'ai pris le mur que vous creusez pour celui de la citadelle !

– Mais alors vous aboutissiez à la mer ?

– C'était ce que je voulais.

– Et si vous aviez réussi !

525 – Je me jetais à la nage, je gagnais une des îles qui environnent

13. Creux, cavité.

le château d'If, soit l'île de Daume, soit l'île de Tiboulen, soit même la côte, et alors j'étais sauvé.

– Auriez-vous donc pu nager jusque-là ?

– Dieu m'eût donné la force ; et maintenant tout est perdu.

530 – Tout ?

– Oui. Rebouchez votre trou avec précaution, ne travaillez plus, ne vous occupez de rien, et attendez de mes nouvelles.

– Qui êtes-vous au moins… dites moi qui vous êtes ?

– Je suis… je suis… le n° 27.

535 – Vous défiez-vous donc de moi ? » demanda Dantès.

Edmond crut entendre comme un rire amer percer la voûte et monter jusqu'à lui.

« Oh ! je suis bon chrétien », s'écria-t-il, devinant instinctivement que cet homme songeait à l'abandonner ; « je vous jure sur le Christ 540 que je me ferai tuer plutôt que de laisser entrevoir à vos bourreaux et aux miens l'ombre de la vérité ; mais, au nom du ciel, ne me privez pas de votre présence, ne me privez pas de votre voix, ou, je vous le jure, car je suis au bout de ma force, je me brise la tête contre la muraille, et vous aurez ma mort à vous reprocher.

545 – Quel âge avez-vous ? votre voix semble être celle d'un jeune homme.

– Je ne sais pas mon âge, car je n'ai pas mesuré le temps depuis que je suis ici. Ce que je sais, c'est que j'allais avoir dix-neuf ans lorsque j'ai été arrêté le 9 mars 1815.

550 – Pas tout à fait vingt-six ans, murmura la voix. Allons, à cet âge on n'est pas encore un traître,

– Oh ! non ! non ! je vous le jure, répéta Dantès. Je vous l'ai déjà dit et je vous le redis, je me ferai couper en morceaux plutôt que de vous trahir.

555 – Vous avez bien fait de me parler, vous avez bien fait de me prier ; car j'allais former un autre plan et m'éloigner de vous. Mais votre âge me rassure, je vous rejoindrai, attendez-moi.

– Quand cela ?

– Il faut que je calcule nos chances ; laissez-moi vous donner
560 le signal.

– Mais vous ne m'abandonnerez pas, vous ne me laisserez pas seul, vous viendrez à moi, ou vous me permettrez d'aller à vous ? Nous fuirons ensemble, et, si nous ne pouvons fuir, nous parlerons, vous des gens que vous aimez, moi des gens que
565 j'aime. Vous devez aimer quelqu'un ?

– Je suis seul au monde.

– Alors vous m'aimerez, moi : si vous êtes jeune, je serai votre camarade ; si vous êtes vieux, je serai votre fils. J'ai un père qui doit avoir soixante-dix ans, s'il vit encore ; je n'aimais que lui
570 et une jeune fille qu'on appelait Mercédès. Mon père ne m'a pas oublié, j'en suis sûr ; mais elle. Dieu sait si elle pense encore à moi. Je vous aimerai comme j'aimais mon père.

– C'est bien, dit le prisonnier, à demain. »

[...]

XVII. La chambre de l'abbé

Les deux hommes deviennent compagnons.

[...]

« Revenons-en donc à votre monde à vous. Vous alliez être
575 nommé capitaine du *Pharaon* ?

– Oui.

– Vous alliez épouser une belle jeune fille ?

– Oui.

– Quelqu'un avait-il intérêt à ce que vous ne devinssiez pas capi-
580 taine du *Pharaon* ? Quelqu'un avait-il intérêt à ce que vous n'épousassiez pas Mercédès ? Répondez d'abord à la première question, l'ordre est la clef de tous les problèmes. Quelqu'un avait-il intérêt à ce que vous ne devinssiez pas capitaine du *Pharaon* ?

– Non ; j'étais fort aimé à bord. Si les matelots avaient pu
585 élire un chef, je suis sûr qu'ils m'eussent élu. Un seul homme avait quelque motif de m'en vouloir ; j'avais eu quelque temps auparavant une querelle avec lui, et je lui avais proposé un duel qu'il avait refusé.

– Allons donc ! Cet homme, comment se nommait-il ?

590 – Danglars.

– Qu'était-il à bord ?

– Agent comptable.

– Si vous fussiez devenu capitaine, l'eussiez-vous conservé dans son poste ?

595 – Non, si la chose eût dépendu de moi, car j'avais cru remarquer quelques infidélités dans ses comptes.

– Bien. Maintenant quelqu'un a-t-il assisté à votre dernier entretien avec le capitaine Leclère ?

– Non, nous étions seuls.

600 – Quelqu'un a-t-il pu entendre votre conversation ?

– Oui, car la porte était ouverte ; et même… attendez… oui, oui, Danglars est passé juste au moment où le capitaine Leclère me remettait le paquet destiné au grand maréchal.

– Bon, fit l'abbé, nous sommes sur la voie. Avez-vous amené
605 quelqu'un avec vous à terre quand vous avez relâché à l'île d'Elbe ?

– Personne.

– On vous a remis une lettre ?

– Oui, le grand maréchal.

610 – Cette lettre, qu'en avez-vous fait ?

– Je l'ai mise dans mon portefeuille.

– Vous aviez donc votre portefeuille sur vous ? Comment un portefeuille devant contenir une lettre officielle pouvait-il tenir dans la poche d'un marin ?

615 – Vous avez raison, mon portefeuille était à bord.

– Ce n'est donc qu'à bord que vous avez enfermé la lettre dans le portefeuille ?

– Oui.

– De Porto-Ferrajo à bord qu'avez-vous fait de cette lettre ?

620 – Je l'ai tenue à la main.

– Quand vous êtes remonté sur le *Pharaon*, chacun a donc pu voir que vous teniez une lettre ?

– Oui.

– Danglars comme les autres ?

625 – Danglars comme les autres.

– Maintenant, écoutez bien ; réunissez tous vos souvenirs : vous rappelez-vous dans quels termes était rédigée la dénonciation ?

– Oh ! oui ; je l'ai relue trois fois, et chaque parole en est 630 restée dans ma mémoire.

– Répétez-la-moi. »

Dantès se recueillit un instant.

« La voici, dit-il, textuellement :

M. le procureur du roi est prévenu par un ami du trône et de 635 *la religion que le nommé Edmond Dantès, second du navire le Pharaon, arrivé ce matin de Smyrne, après avoir touché à Naples et à Porto-Ferrajo, a été chargé par Murat d'un paquet pour l'usurpateur, et par l'usurpateur d'une lettre pour le comité bonapartiste de Paris.*

640 *On aura la preuve de son crime en l'arrêtant, car on trouvera cette lettre sur lui, ou chez son père, ou dans sa cabine à bord du* Pharaon.

L'abbé haussa les épaules.

« C'est clair comme le jour, dit-il, il faut que vous ayez eu le 645 cœur bien naïf et bien bon pour n'avoir pas deviné la chose tout d'abord.

– Vous croyez ? s'écria Dantès. Ah ! ce serait bien infâme !

– Quelle était l'écriture ordinaire de Danglars ?
– Une belle cursive[14].
650 – Quelle était l'écriture de la lettre anonyme ?
– Une écriture renversée. »
L'abbé sourit.
« Contrefaite, n'est-ce pas ?
– Bien hardie pour être contrefaite.
655 – Attendez », dit-il.

Il prit sa plume, ou plutôt ce qu'il appelait ainsi, la trempa dans l'encre et écrivit de la main gauche, sur un linge préparé à cet effet, les deux ou trois premières lignes de la dénonciation.

660 Dantès recula et regarda presque avec terreur l'abbé.

« Oh ! c'est étonnant, s'écria-t-il, comme cette écriture ressemblait à celle-ci.

– C'est que la dénonciation avait été écrite de la main gauche. J'ai observé une chose, continua l'abbé.

665 – Laquelle ?

– C'est que toutes les écritures tracées de la main droite sont variées, c'est que toutes les écritures tracées de la main gauche se ressemblent.

– Vous avez donc tout vu, tout observé ?
670 – Continuons.
– Oh ! oui, oui.
– Passons à la seconde question.
– J'écoute.
– Quelqu'un avait-il intérêt à ce que vous n'épousassiez pas
675 Mercédès ?
– Oui ! un jeune homme qui l'aimait.
– Son nom ?

14. Creux, cavité.

– Fernand.

– C'est un nom espagnol ?

680 – Il était Catalan.

– Croyez-vous que celui-ci était capable d'écrire la lettre ?

– Non ! celui-ci m'eût donné un coup de couteau, voilà tout.

– Oui, c'est dans la nature espagnole : un assassinat, oui, une 685 lâcheté, non.

– D'ailleurs, continua Dantès, il ignorait tous les détails consignés dans la dénonciation.

– Vous ne les aviez donnés à personne ?

– À personne.

690 – Pas même à votre maîtresse ?

– Pas même à ma fiancée.

– C'est Danglars.

– Oh ! maintenant j'en suis sûr.

– Attendez… Danglars connaissait-il Fernand ?

695 – Non… si… Je me rappelle…

– Quoi ?

– La surveille de mon mariage je les ai vus attablés ensemble sous la tonnelle du père Pamphile. Danglars était amical et railleur, Fernand était pâle et troublé.

700 – Ils étaient seuls ?

– Non, ils avaient avec eux un troisième compagnon, bien connu de moi, qui sans doute leur avait fait faire connaissance, un tailleur nommé Caderousse ; mais celui-ci était déjà ivre ; attendez… attendez… Comment ne me suis-je pas rappelé cela ? 705 Près de la table où ils buvaient étaient un encrier, du papier, des plumes. (Dantès porta la main à son front.) Oh ! les infâmes ! les infâmes !

– Voulez-vous encore savoir autre chose ? dit l'abbé en riant.

– Oui, oui, puisque vous approfondissez tout, puisque vous

710 voyez clair en toutes choses. Je veux savoir pourquoi je n'ai été interrogé qu'une fois, pourquoi on ne m'a pas donné des juges, et comment je suis condamné sans arrêt.

– Oh ! ceci, dit l'abbé, c'est un peu plus grave ; la justice a des allures sombres et mystérieuses qu'il est difficile de pénétrer.
715 Ce que nous avons fait jusqu'ici pour vos deux amis étaient un jeu d'enfant : il va falloir, sur ce sujet, me donner les indications les plus précises.

– Voyons, interrogez-moi, car en vérité vous voyez plus clair dans ma vie que moi-même.

720 – Qui vous a interrogé ? est-ce le procureur du roi, le substitut, le juge d'instruction ?

– C'était le substitut.

– Jeune, ou vieux ?

– Jeune : vingt-sept ou vingt-huit ans.

725 – Bien ! pas corrompu encore, mais ambitieux déjà, dit l'abbé. Quelles furent ses manières avec vous ?

– Douces plutôt que sévères.

– Lui avez-vous tout raconté ?

– Tout.

730 – Et ses manières ont-elles changé dans le courant de l'interrogatoire ?

– Un instant elles ont été altérées, lorsqu'il eut lu la lettre qui me compromettait ; il parut comme accablé de mon malheur.

– De votre malheur ?

735 – Oui.

– Et vous êtes bien sûr que c'était votre malheur qu'il plaignait ?

– Il m'a donné une grande preuve de sa sympathie du moins.

740 – Laquelle ?

– Il a brûlé la seule pièce qui pouvait me compromettre.

– Laquelle ? la dénonciation ?

– Non, la lettre.

– Vous en êtes sûr ?

– Cela s'est passé devant moi.

– C'est autre chose ; cet homme pourrait être un plus profond scélérat que vous ne croyez.

– Vous me faites frissonner, sur mon honneur ! dit Dantès, le monde est-il donc peuplé de tigres et de crocodiles ?

– Oui ; seulement, les tigres et les crocodiles à deux pieds sont plus dangereux que les autres.

– Continuons, continuons.

– Volontiers ; il a brûlé la lettre, dites-vous ?

– Oui, en me disant : Vous voyez, il n'existe que cette preuve-là contre vous, et je l'anéantis."

– Cette conduite est trop sublime pour être naturelle.

– Vous croyez ?

– J'en suis sûr. À qui cette lettre était-elle adressée ?

– À M. Noirtier, rue Coq-Héron, n° 13, à Paris.

– Pouvez-vous présumer que votre substitut ait quelque intérêt à ce que cette lettre disparût ?

– Peut-être ; car il m'a fait promettre deux ou trois fois, dans mon intérêt, disait-il, de ne parler à personne de cette lettre, et il m'a fait jurer de ne pas prononcer le nom qui était inscrit sur l'adresse.

– Noirtier ? répéta l'abbé… Noirtier ? j'ai connu un Noirtier à la cour de l'ancienne reine d'Étrurie, un Noirtier qui avait été girondin dans la révolution. Comment s'appelait votre substitut, à vous ?

– De Villefort. »

L'abbé éclata de rire.

Dantès le regarda avec stupéfaction.

« Qu'avez-vous ? dit-il.

– Voyez-vous ce rayon du jour ? demanda l'abbé.

775 – Oui.

– Eh bien ! tout est plus clair pour moi maintenant que ce rayon transparent et lumineux. Pauvre enfant, pauvre jeune homme ! Et ce magistrat a été bon pour vous ?

– Oui.

780 – Ce digne substitut a brûlé, anéanti la lettre ?

– Oui.

– Cet honnête pourvoyeur du bourreau vous a fait jurer de ne jamais prononcer le nom de Noirtier ?

– Oui.

785 – Ce Noirtier, pauvre aveugle que vous êtes, savez-vous ce que c'était que ce Noirtier ? Ce Noirtier, c'était son père ! »

La foudre, tombée aux pieds de Dantès et lui creusant un abîme au fond duquel s'ouvrait l'enfer, lui eût produit un effet moins prompt, moins électrique, moins écrasant, que ces paroles 790 inattendues ; il se leva, saisissant sa tête à deux mains comme pour l'empêcher d'éclater.

« Son père ! son père ! s'écria-t-il.

– Oui, son père, qui s'appelle Noirtier de Villefort », reprit l'abbé.

795 Alors une lumière fulgurante traversa le cerveau du prisonnier, tout ce qui lui était demeuré obscur fut à l'instant même éclairé d'un jour éclatant. Ces tergiversations de Villefort pendant l'interrogatoire, cette lettre détruite, ce serment exigé, cette voix presque suppliante du magistrat qui, au lieu de menacer, 800 semblait implorer, tout lui revint à la mémoire ; il jeta un cri, chancela un instant comme un homme ivre ; puis, s'élançant par l'ouverture qui conduisait de la cellule de l'abbé à la sienne :

« Oh ! dit-il, il faut que je sois seul pour penser à tout 805 cela. »

Et, en arrivant dans son cachot, il tomba sur son lit, où le porte-clefs le retrouva le soir, assis, les yeux fixes, les traits contractés, mais immobile et muet comme une statue.

Pendant ces heures de méditation qui s'étaient écoulées comme 810 des secondes, il avait pris une terrible résolution et fait un formidable serment !

Une voix tira Dantès de cette rêverie, c'était celle de l'abbé Faria, qui, ayant reçu à son tour la visite de son geôlier, venait inviter Dantès à souper avec lui. Sa qualité de fou reconnu, et 815 surtout de fou divertissant, donnait au vieux prisonnier quelques privilèges, comme celui d'avoir du pain un peu plus blanc et un petit flacon de vin le dimanche. Or, on était justement arrivé au dimanche, et l'abbé venait inviter son jeune compagnon à partager son pain et son vin.

820 Dantès le suivit : toutes les lignes de son visage s'étaient remises et avaient repris leur place accoutumée ; mais avec une raideur et une fermeté, si l'on peut le dire, qui accusaient une résolution prise. L'abbé le regarda fixement.

« Je suis fâché de vous avoir aidé dans vos recherches et de 825 vous avoir dit ce que je vous ai dit, fit-il.

– Pourquoi cela ? demanda Dantès.

– Parce que je vous ai infiltré dans le cœur un sentiment qui n'y était point : la vengeance. »

[…] Dès le soir, les deux prisonniers arrêtèrent un plan d'édu- 830 cation qui commença de s'exécuter le lendemain. Dantès avait une mémoire prodigieuse, une facilité de conception extrême : la disposition mathématique de son esprit le rendait apte à tout comprendre par le calcul, tandis que la poésie du marin corrigeait tout ce que pouvait avoir de trop matériel la démonstra- 835 tion réduite à la sécheresse des chiffres ou à la rectitude des lignes ; il savait déjà, d'ailleurs, l'italien et un peu de romaïque[15], qu'il avait appris dans ses voyages d'Orient. Avec ces deux langues, il comprit bientôt le mécanisme de toutes les autres, et, au bout de six mois, il commençait à parler l'espagnol, 840 l'anglais et l'allemand. Comme il l'avait dit à l'abbé Faria, soit que la distraction que lui donnait l'étude lui tint lieu de liberté, soit qu'il fût, comme nous l'avons vu déjà, rigide observateur de sa parole, il ne parlait plus de fuir, et les journées s'écoulaient pour lui rapides et instructives. Au bout d'un an, c'était un 845 autre homme.

[...]

Le Comte de Monte Cristo **de Josée Dayan (1997), avec Gérard Depardieu et Georges Moustaki.**

15. Langue grecque moderne.

Questions

Ai-je bien lu ?

1 Dantès connaissait-il le contenu de la lettre dont il était porteur ?

2 **a.** À qui cette lettre était-elle destinée ?

b. Pourquoi, à la vue du nom du destinataire de la lettre, Villefort revient-il sur sa décision de libérer Dantès ?

c. Que fait-il de la lettre ?

3 Dans quel lieu Dantès est-il emprisonné ?

4 **a.** Qui est son voisin de cellule ? Comment parvient-il jusqu'à lui ?

b. Quelles explications donne-t-il à Dantès sur la raison de son emprisonnement ?

c. Quelle instruction lui donne-t-il ?

Repérer et analyser

Le parcours de Dantès

La scène chez le substitut Villefort

5 Par quels sentiments Dantès passe-t-il successivement dans cette scène ? Relevez des termes précis, appuyez-vous sur les gestes et expressions traduisant ces sentiments.

6 Montrez que le destin semble s'acharner sur Dantès : en quoi le hasard a-t-il aggravé le piège imaginé par Danglars ?

7 Pourquoi Villefort devient-il désormais un ennemi de Dantès, involontairement complice du complot tramé contre lui ?

Au château d'If

8 Combien d'années environ Dantès a-t-il passées au château d'If ?

9 **a.** Dans quel état se trouve-t-il avant qu'il n'entende le bruit ?

b. Montrez que la perception de ce bruit contribue à améliorer son état.

10 **a.** Quels obstacles Dantès doit-il surmonter pour rejoindre son voisin de cellule.

b. Par quelles différentes ruses Dantès parvient-il à venir à bout de ces obstacles ?

11 Pourquoi peut-on dire que l'abbé Faria apparaît pour Dantès comme un envoyé de Dieu ?

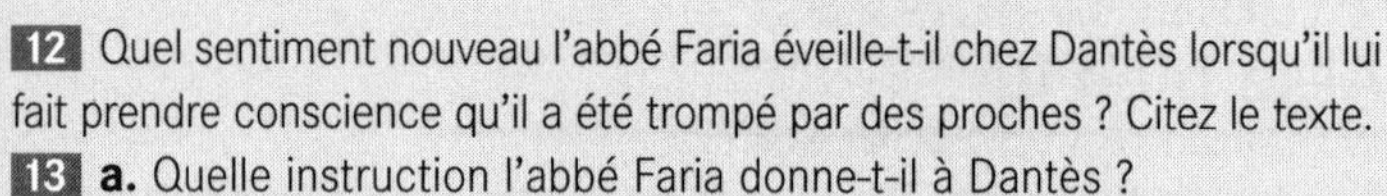

12 Quel sentiment nouveau l'abbé Faria éveille-t-il chez Dantès lorsqu'il lui fait prendre conscience qu'il a été trompé par des proches ? Citez le texte.

13 **a.** Quelle instruction l'abbé Faria donne-t-il à Dantès ?
b. Quelles qualités de Dantès expliquent ses rapides progrès ?

14 Relevez à la fin de l'extrait la phrase qui montre que Dantès a subi une complète métamorphose.

Le personnage de Villefort

15 Relevez les sentiments successivement éprouvés par Villefort à la vue du destinataire de la lettre. Quelles en sont les manifestations physiques ?

16 Montrez que Villefort joue un double jeu : que cherche-t-il à faire croire à Dantès ?

17 Que fait Villefort de la lettre ? Quelle faute commet-il vis-à-vis de la loi ?

18 Comment Villefort pense-t-il retourner la situation en sa faveur.

Le suspense et les effets de dramatisation

19 **a.** Le lecteur s'attendait-il au revirement de Villefort à propos de la libération de Dantès ?
b. Comprend-il tout de suite la raison de ce revirement ? De quel personnage partage-t-il alors les réactions ?
c. À quel moment le lecteur comprend-il la situation ? Quel effet le narrateur a-t-il voulu produire en retardant l'information ?

20 **a.** Lorsque Dantès est emprisonné au château d'If, quelle indication temporelle introduit une nouvelle péripétie ?
b. Pourquoi le narrateur attend-il avant de révéler la nature du bruit perçu par Dantès ?

21 **a.** Quelle est la durée de l'événement raconté depuis la perception du bruit par Dantès jusqu'à la rencontre de l'abbé Faria ?
b. Comment le narrateur fait-il partager au lecteur l'angoisse et l'attente de Dantès ? Pour répondre :
– appuyez-vous sur les indications temporelles qui rythment le temps qui passe ;
– citez des exemples qui montrent que le récit se fait en partie selon le point de vue de Dantès (réflexions intérieures, verbes de perception auditives).

22 À quelle suite le lecteur peut-il s'attendre ?

Étudier la langue

Vocabulaire : préfixe et suffixe

Le préfixe *in-* (*il-*, *im-*, *in-*, *ir-*) marque la négation ; les suffixes *-ible/-able* marquent la possibilité.

23 À partir du préfixe *in-* et du suffixe *-able/-ible*, trouvez l'adjectif correspondant à chacune des définitions suivantes :
- que l'on ne peut percevoir ;
- que l'on ne peut fléchir ;
- que l'on ne peut manger ;
- que l'on ne peut respirer ;
- qui en peut ressentir de la pitié ;
- que l'on ne peut appliquer.

24 Donnez la définition des adjectifs suivants en commençant par : *que l'on ne peut...*, puis formez un groupe nominal à l'aide de ces adjectifs (exemple : impardonnable > que l'on ne peut pardonner > une faute impardonnable).
- illicite ;
- irrépressible ;
- inextinguible ;
- insatiable ;
- innombrable ;
- irrecevable

Écrire

Écrire un récit

25 Vous avez vécu un jour une longue attente. Racontez l'événement et faites part des sentiments que vous avez ressentis.

Consigne d'écriture :
- présentez les circonstances et la nature de l'attente ;
- exprimez ensuite vos réactions et sentiments au fur et à mesure que le temps passe ;
- puis racontez le dénouement : l'événement attendu se réalise...

Débattre

26 « Soit que la distraction de l'étude lui tînt de liberté » : pour vous, l'étude est-elle une forme de liberté ? Confrontez vos différents points de vue.

Se documenter

Le château d'If

If est un îlot calcaire rocheux occupant une place stratégique face au port de Marseille. François Ier y fit bâtir de 1524 à 1531 une solide forteresse, tant pour défendre les côtes françaises que pour surveiller la remuante cité de Marseille. Le château devient rapidement prison d'État ; de nombreux protestants notamment y sont incarcérés à la fin du XVIe siècle, durant les sanglantes guerres de religion. Le plus célèbre de ses prisonniers est Honoré Gabriel Riqueti, comte de Mirabeau (1749-1791), grand homme politique de la Révolution française, enfermé à If en 1774 par son propre père en punition de sa vie dissipée. Mais c'est Dumas qui rend le château d'If célèbre en y emprisonnant trois de ses héros : Dantès bien sûr ; l'homme au masque de fer, prétendu jumeau de Louis XIV condamné à une vie clandestine secrète pour ne pas faire ombrage au pouvoir de son frère, dont Dumas imagine les mésaventures dans le troisième volume des aventures des mousquetaires, *Le Vicomte de Bragelonne* ; José Custodia de Faria enfin (1756-1819), prêtre portugais, hypnotiseur, qui ne mit en vérité jamais les pieds à If, mais dont Dumas a fait son abbé Faria. Les romans de Dumas sont si populaires que légende, fiction et réalité historique se sont confondues. Dumas raconte ainsi que lors d'une visite qu'il fit *incognito* au château d'If, on le conduisit dans la cellule de Dantès : « Or, voilà que la légende fausse a pris la place de l'histoire vraie ; voilà qu'on ne raconte plus au château d'If la captivité de Mirabeau, mais la fuite de Dantès. [...] Tant il y a que j'arrivai au château d'If pour me faire raconter l'histoire de Dantès comme à un étranger, et que, comme à un étranger, le concierge, ou plutôt la concierge, dans un baragouin espagnol impossible à comprendre, il faut lui rendre cette justice, me raconta l'histoire de Dantès. Rien n'y manquait, je dois le dire, ni le corridor creusé d'un cachot à l'autre, ni la mort de Faria, ni la fuite du prisonnier. Quelques pierres avaient même été tirées à la muraille pour donner plus de vraisemblance à la chose. En sortant, je donnai au concierge un certificat attestant que toute cette histoire était parfaitement conforme au roman. »

Texte 5 – Dantès s'évade du château d'If

« Dantès avait été lancé dans la mer »

XX. Le cimetière du château d'If

Quatorze ans se sont écoulés depuis l'emprisonnement de Dantès. Faria et lui ont entrepris de creuser une nouvelle galerie pour s'évader. Mais Faria décède brusquement, après avoir révélé à Dantès l'existence d'un fabuleux trésor caché par les Borgia, une illustre famille italienne, sur une petite île de la Méditerranée nommée Monte-Cristo. Dantès a alors une idée : prendre la place du cadavre dans le sac qui lui sert de cercueil. Ainsi, pense-t-il, il pourra sortir du château…

[…]

« Oh, oh ! murmura-t-il, qui m'envoie cette pensée ? est-ce vous, mon Dieu ? puisqu'il n'y a que les morts qui sortent librement d'ici, prenons la place des morts. »

Et sans perdre le temps de revenir sur cette décision, comme pour ne pas donner à la pensée le temps de détruire cette résolution désespérée, il se pencha vers le sac hideux, l'ouvrit avec le couteau que Faria avait fait, retira le cadavre du sac, l'emporta chez lui, le coucha dans son lit, le coiffa du lambeau de linge dont il avait l'habitude de se coiffer lui-même, le couvrit de sa couverture, baisa une dernière fois ce front glacé, essaya de refermer ces yeux rebelles, qui continuaient de rester ouverts, effrayants par l'absence de la pensée, tourna la tête le long du mur afin que le geôlier, en apportant son repas du soir, crût qu'il était couché comme c'était souvent son habitude, rentra dans la galerie, tira le lit contre la muraille, rentra dans l'autre chambre, prit dans l'armoire l'aiguille, le fil, jeta ses haillons pour qu'on sentît bien sous la toile les chairs nues, se glissa dans le sac éventré, se plaça dans la situation où était le cadavre, et referma la couture en dedans.

20 On aurait pu entendre battre son cœur si par malheur on fût entré en ce moment.

Dantès aurait bien pu attendre après la visite du soir, mais il avait peur que d'ici là le gouverneur ne changeât de résolution et qu'on n'enlevât le cadavre.

25 Alors sa dernière espérance était perdue.

En tout cas, maintenant son plan était arrêté.

Voici ce qu'il comptait faire.

Si pendant le trajet les fossoyeurs[1] reconnaissaient qu'ils portaient un vivant au lieu de porter un mort, Dantès ne leur
30 donnait pas le temps de se reconnaître ; d'un vigoureux coup de couteau il ouvrait le sac depuis le haut jusqu'en bas, profitait de leur terreur et s'échappait ; s'ils voulaient l'arrêter, il jouait du couteau.

S'ils le conduisaient jusqu'au cimetière et le déposaient dans
35 une fosse, il se laissait couvrir de terre ; puis, comme c'était la nuit, à peine les fossoyeurs avaient-ils le dos tourné, qu'il s'ouvrait un passage à travers la terre molle et s'enfuyait : il espérait que le poids ne serait pas trop grand pour qu'il pût le soulever.

40 S'il se trompait, si au contraire la terre était trop pesante, il mourait étouffé, et, tant mieux ! tout était fini.

Dantès n'avait pas mangé depuis la veille, mais il n'avait pas songé à la faim le matin, et il n'y songeait pas encore. Sa position était trop précaire pour lui laisser le temps d'arrêter sa
45 pensée sur aucune autre idée.

1. Personne chargée de creuser les fosses pour enterrer les morts.

Le premier danger que courait Dantès, c'était que le geôlier, en lui apportant son souper de sept heures, s'aperçût de la substitution opérée : heureusement, vingt fois, soit par misanthropie[2], soit par fatigue, Dantès avait reçu le geôlier couché ;
50 et dans ce cas, d'ordinaire, cet homme déposait son pain et sa soupe sur la table et se retirait sans lui parler.

Mais, cette fois, le geôlier pouvait déroger[3] à ses habitudes de mutisme[4], parler à Dantès, et voyant que Dantès ne lui répondait point, s'approcher du lit et tout découvrir.

55 Lorsque sept heures du soir s'approchèrent, les angoisses de Dantès commencèrent véritablement. Sa main, appuyée sur son cœur, essayait d'en comprimer les battements, tandis que de l'autre il essuyait la sueur de son front qui ruisselait le long de ses tempes. De temps en temps des frissons lui couraient par
60 tout le corps et lui serraient le cœur comme dans un étau glacé. Alors il croyait qu'il allait mourir. Les heures s'écoulèrent sans amener aucun mouvement dans le château, et Dantès comprit qu'il avait échappé à ce premier danger ; c'était d'un bon augure. Enfin, vers l'heure fixée par le gouverneur, des pas se firent
65 entendre dans l'escalier. Edmond comprit que le moment était venu ; il rappela tout son courage, retenant son haleine ; heureux s'il eût pu retenir en même temps et comme elle les pulsations précipitées de ses artères.

On s'arrêta à la porte, le pas était double. Dantès devina que
70 c'étaient les deux fossoyeurs qui le venaient chercher. Ce soupçon se changea en certitude, quand il entendit le bruit qu'ils faisaient en déposant la civière.

La porte s'ouvrit, une lumière voilée parvint aux yeux de Dantès. Au travers de la toile qui le couvrait, il vit deux ombres
75 s'approcher de son lit. Une troisième à la porte, tenant un falot[5]

2. Fait de fuir la compagnie des hommes.
3. Ne pas respecter.
4. Silence.
5. Lanterne.

à la main. Chacun des deux hommes, qui s'étaient approchés du lit, saisit le sac par une de ses extrémités.

« C'est qu'il est encore lourd, pour un vieillard si maigre ! dit l'un d'eux en le soulevant par la tête.

80 – On dit que chaque année ajoute une demi-livre au poids des os, dit l'autre en le prenant par les pieds.

– As-tu fait ton nœud ? demanda le premier.

– Je serais bien bête de nous charger d'un poids inutile, dit le second, je le ferai là-bas.

85 – Tu as raison ; partons alors.

– Pourquoi ce nœud ? » se demanda Dantès.

On transporta le prétendu mort du lit sur la civière. Edmond se raidissait pour mieux jouer son rôle de trépassé[6]. On le posa sur la civière ; et le cortège, éclairé par l'homme au falot, qui 90 marchait devant, monta l'escalier.

Tout à coup, l'air frais et âpre[7] de la nuit l'inonda. Dantès reconnut le mistral. Ce fut une sensation subite, pleine à la fois de délices et d'angoisses.

Les porteurs firent une vingtaine de pas, puis ils s'arrêtèrent 95 et déposèrent la civière sur le sol. Un des porteurs s'éloigna, et Dantès entendit ses souliers retentir sur les dalles.

« Où suis-je donc ? » se demanda-t-il.

« Sais-tu qu'il n'est pas léger du tout ! » dit celui qui était resté près de Dantès en s'asseyant sur le bord de la civière.

100 Le premier sentiment de Dantès avait été de s'échapper, heureusement il se retint.

« Éclaire-moi donc, animal, dit celui des deux porteurs qui s'était éloigné, ou je ne trouverai jamais ce que je cherche. »

L'homme au falot obéit à l'injonction[8], quoique, comme on 105 l'a vu, elle fût faite en termes peu convenables.

6. Mort.
7. Rude.
8. Ordre.

« Que cherche-t-il donc ? se demanda Dantès. Une bêche sans doute. »

Une exclamation de satisfaction indiqua que le fossoyeur avait trouvé ce qu'il cherchait.

110 « Enfin, dit l'autre, ce n'est pas sans peine.

– Oui, répondit-il, mais il n'aura rien perdu pour attendre. »

À ces mots, il se rapprocha d'Edmond, qui entendit déposer près de lui un corps lourd et retentissant ; au même moment, une corde entoura ses pieds d'une vive et douloureuse pres-
115 sion.

« Eh bien ! le nœud est-il fait ? » demanda celui des fossoyeurs qui était resté inactif.

« Et bien fait, dit l'autre ; je t'en réponds.

– En ce cas, en route. »

120 Et la civière soulevée reprit son chemin.

On fit cinquante pas à peu près, puis on s'arrêta pour ouvrir une porte, puis on se remit en route. Le bruit des flots se brisant contre les rochers sur lesquels est bâti le château arrivait plus distinctement à l'oreille de Dantès à mesure que l'on avança.

125 « Mauvais temps ! dit un des porteurs, il ne fera pas bon d'être en mer cette nuit.

– Oui, l'abbé court grand risque d'être mouillé », dit l'autre – et ils éclatèrent de rire.

Dantès ne comprit pas très bien la plaisanterie, mais ses
130 cheveux ne s'en dressèrent pas moins sur la tête.

« Bon, nous voilà arrivés ! reprit le premier.

– Plus loin, plus loin, dit l'autre, tu sais bien que le dernier est resté en route, brisé sur les rochers, et que le gouverneur nous a dit le lendemain que nous étions des fainéants. »

135 On fit encore quatre ou cinq pas en montant toujours, puis Dantès sentit qu'on le prenait par la tête et par les pieds et qu'on le balançait.

« Une, dirent les fossoyeurs.

– Deux.

140 – Trois ! »

En même temps, Dantès se sentit lancé, en effet, dans un vide énorme, traversant les airs comme un oiseau blessé, tombant, tombant toujours avec une épouvante qui lui glaçait le cœur. Quoique tiré en bas par quelque chose de pesant qui précipitait 145 son vol rapide, il lui semblait que cette chute durait un siècle. Enfin, avec un bruit épouvantable, il entra comme une flèche dans une eau glacée qui lui fit pousser un cri, étouffé à l'instant même par l'immersion.

Dantès avait été lancé dans la mer, au fond de laquelle l'en-150 traînait un boulet de trente-six[9] attaché à ses pieds.

La mer est le cimetière du château d'If.

XXI. L'île de Tiboulen

Dantès, étourdi, presque suffoqué, eut cependant la présence d'esprit de retenir son haleine, et, comme sa main droite, ainsi que nous l'avons dit, préparé qu'il était à toutes les chances, tenait son 155 couteau tout ouvert, il éventra rapidement le sac, sortit le bras, puis la tête ; mais alors, malgré ses mouvements pour soulever le boulet, il continua de se sentir entraîné ; alors il se cambra, cherchant la corde qui liait ses jambes, et, par un effort suprême, il la trancha précisément au moment où il suffoquait ; alors, donnant 160 un vigoureux coup de pied, il remonta libre à la surface de la mer, tandis que le boulet entraînait dans ses profondeurs inconnues le tissu grossier qui avait failli devenir son linceul[10].

Dantès ne prit que le temps de respirer, et replongea une seconde fois ; car la première précaution qu'il devait prendre 165 était d'éviter les regards.

9. Boulet pesant trente-six livres, soit un peu moins de dix-huit kilos.

10. Drap dans lequel on ensevelit les morts.

Lorsqu'il reparut pour la seconde fois, il était déjà à cinquante pas au moins du lieu de sa chute ; il vit au-dessus de sa tête un ciel noir et tempétueux, à la surface duquel le vent balayait quelques nuages rapides, découvrant parfois un petit coin d'azur 170 rehaussé d'une étoile ; devant lui s'étendait la plaine sombre et mugissante, dont les vagues commençaient à bouillonner comme à l'approche d'une tempête, tandis que, derrière lui, plus noir que la mer, plus noir que le ciel, montait, comme un fantôme menaçant, le géant de granit, dont la pointe sombre 175 semblait un bras étendu pour ressaisir sa proie ; sur la roche la plus haute était un falot éclairant deux ombres.

Il lui sembla que ces deux ombres se penchaient sur la mer avec inquiétude ; en effet, ces étranges fossoyeurs devaient avoir entendu le cri qu'il avait jeté en traversant l'espace. Dantès 180 plongea donc de nouveau, et fit un trajet assez long entre deux eaux ; cette manœuvre lui était jadis familière, et attirait d'ordinaire autour de lui, dans l'anse du Pharo, de nombreux admirateurs, lesquels l'avaient proclamé bien souvent le plus habile nageur de Marseille.

185 Lorsqu'il revint à la surface de la mer, le falot avait disparu.

Il fallait s'orienter : de toutes les îles qui entourent le château d'If, Ratonneau et Pommègue sont les plus proches ; mais Ratonneau et Pommègue sont habitées ; il en est ainsi de la 190 petite île de Daume : l'île la plus sûre était donc celle de Tiboulen ou de Lemaire ; les îles de Tiboulen et de Lemaire sont à une lieue[11] du château d'If.

Dantès ne résolut pas moins de gagner une de ces deux îles ; mais comment trouver ces îles au milieu de la nuit qui s'épais-195 sissait à chaque instant autour de lui !

11.– Environ quatre kilomètres.

En ce moment, il vit briller comme une étoile le phare de Planier.

En se dirigeant droit sur ce phare, il laissait l'île de Tiboulen un peu à gauche ; en appuyant un peu à gauche, il devait donc
200 rencontrer cette île sur son chemin.

[…]

XXII. Les contrebandiers

Dantès a la chance d'être recueilli en mer par des marins contrebandiers qui l'enrôlent dans leur troupe sans lui en demander plus sur son identité et son passé. Ils font escale au port italien de Livourne ; Dantès se rend chez le barbier pour couper les cheveux et la barbe qu'il avait laissés pousser et redécouvrir son visage après quatorze ans sans miroir…

[…]

Le barbier livournais se mit à la besogne sans observation.

Lorsque l'opération fut terminée, lorsque Edmond sentit son menton entièrement rasé, lorsque ses cheveux furent réduits à la longueur ordinaire, il demanda un miroir et se regarda.

205 Il avait alors trente-trois ans, comme nous l'avons dit, et ces quatorze années de prison avaient pour ainsi dire apporté un grand changement moral dans sa figure.

Dantès était entré au château d'If avec ce visage rond, riant et épanoui du jeune homme heureux, à qui les premiers pas dans
210 la vie ont été faciles, et qui compte sur l'avenir comme sur la déduction naturelle du passé : tout cela était bien changé.

Sa figure ovale s'était allongée, sa bouche rieuse avait pris ces lignes fermes et arrêtées qui indiquent la résolution ; ses sourcils s'étaient arqués sous une ride unique, pensive ; ses yeux s'étaient
215 empreints d'une profonde tristesse, du fond de laquelle jaillissaient de temps en temps de sombres éclairs, de la misanthropie et de

la haine ; son teint, éloigné si longtemps de la lumière du jour et des rayons du soleil, avait pris cette couleur mate qui fait, quand leur visage est encadré dans des cheveux noirs, la beauté aristo-
220 cratique des hommes du Nord ; cette science profonde qu'il avait acquise avait, en outre reflété sur tout son visage une auréole d'intelligente sécurité ; en outre, il avait, quoique naturellement d'une taille assez haute, acquis cette vigueur trapue d'un corps toujours concentrant ses forces en lui.

225 À l'élégance des formes nerveuses et grêles[12] avait succédé la solidité des formes arrondies et musculeuses. Quant à sa voix, les prières, les sanglots et les imprécations l'avaient changée, tantôt en un timbre d'une douceur étrange, tantôt en une accentuation rude et presque rauque.

230 En outre, sans cesse dans un demi-jour et dans l'obscurité, ses yeux avaient acquis cette singulière faculté de distinguer les objets pendant la nuit, comme font ceux de l'hyène et du loup.

Edmond sourit en se voyant : il était impossible que son
235 meilleur ami, si toutefois il lui restait un ami, le reconnût ; il ne se reconnaissait même pas lui-même.

[...]

XXIV. Éblouissement

Dantès sillonne la Méditerranée avec l'équipage de contrebandiers qui l'a recueilli, puis se rend discrètement sur l'île de Monte-Cristo, à la recherche du trésor des Borgia. Il suit les instructions de Faria et découvre sur l'île une première puis une deuxième grotte secrète. Mais il se demande encore si ce trésor n'était pas le délire d'un vieux prisonnier à moitié fou…

12. Minces.

[…] Il sonda du regard la seconde grotte : elle était vide comme la première.

Le trésor, s'il existait, était enterré dans cet angle sombre.

240 L'heure de l'angoisse était arrivée ; deux pieds de terre à fouiller, c'était tout ce qui restait à Dantès entre la suprême joie et le suprême désespoir.

Il s'avança vers l'angle et, comme pris d'une résolution subite, il attaqua le sol hardiment.

245 Au cinquième ou sixième coup de pioche, le fer résonna sur du fer.

Jamais tocsin[13] funèbre, jamais glas[14] frémissant ne produisit pareil effet sur celui qui l'entendit. Dantès n'aurait rien rencontré qu'il ne fût certes pas devenu plus pâle.

250 Il sonda à côté de l'endroit où il avait sondé déjà, et rencontra la même résistance mais non pas le même son.

« C'est un coffre de bois, cerclé de fer », dit-il.

En ce moment, une ombre passa interceptant le jour.

Dantès laissa tomber sa pioche, saisit son fusil, repassa par 255 l'ouverture, et s'élança vers le jour.

Une chèvre sauvage avait bondi par-dessus la première entrée de la grotte et broutait à quelques pas de là.

C'était une belle occasion de s'assurer son dîner, mais Dantès eut peur que la détonation du fusil n'attirât quelqu'un.

260 Il réfléchit un instant, coupa un arbre résineux, alla l'allumer au feu encore fumant où les contrebandiers avaient fait cuire leur déjeuner, et revint avec cette torche.

Il ne voulait perdre aucun détail de ce qu'il allait voir.

Il approcha la torche du trou informe et inachevé, et reconnut 265 qu'il ne s'était pas trompé : ses coups avaient alternativement frappé sur le fer et sur le bois.

13. Sonnerie de cloche repétée, pour donner l'alarme.

14. Tintement d'une cloche d'église pour annoncer une mort ou un enterrement.

Il planta sa torche dans la terre et se remit à l'œuvre.

En un instant, un emplacement de trois pieds de long sur deux pieds de large à peu près fut déblayé, et Dantès put reconnaître un coffre de bois de chêne cerclé de fer ciselé.

Au milieu du couvercle resplendissaient, sur une plaque d'argent que la terre n'avait pu ternir, les armes de la famille Spada, c'est-à-dire une épée posée en pal sur un écusson ovale, comme sont les écussons italiens, et surmonté d'un chapeau de cardinal.

Dantès les reconnut facilement : l'abbé Faria les lui avait tant de fois dessinées !

Dès lors, il n'y avait plus de doute, le trésor était bien là ; on n'eût pas pris tant de précautions pour remettre à cette place un coffre vide.

En un instant, tous les alentours du coffre furent déblayés, et Dantès vit tour à tour apparaître la serrure du milieu, placée entre deux cadenas, et les anses des faces latérales ; tout cela était ciselé comme on ciselait à cette époque, où l'art rendait précieux les plus vils métaux.

Dantès prit le coffre par les anses et essaya de le soulever : c'était chose impossible.

Dantès essaya de l'ouvrir : serrure et cadenas étaient fermés ; les fidèles gardiens semblaient ne pas vouloir rendre leur trésor.

Dantès introduisit le côté tranchant de sa pioche entre le coffre et le couvercle, pesa sur le manche de la pioche, et le couvercle, après avoir crié, éclata. Une large ouverture des ais[15] rendit les ferrures[16] inutiles, elles tombèrent à leur tour, serrant encore de leurs ongles tenaces les planches entamées par leur chute, et le coffre fut découvert.

Une fièvre vertigineuse s'empara de Dantès ; il saisit son fusil, l'arma et le plaça près de lui. D'abord il ferma les yeux, comme font les enfants, pour apercevoir, dans la nuit étincelante de leur

15. Planches de bois.

16. Garnitures de fer, de métal.

imagination, plus d'étoiles qu'ils n'en peuvent compter dans un ciel encore éclairé, puis il les rouvrit et demeura ébloui.

Trois compartiments scindaient le coffre.

300 Dans le premier brillaient de rutilants écus d'or aux fauves reflets.

Dans le second, des lingots mal polis et rangés en bon ordre, mais qui n'avaient de l'or que le poids et la valeur.

Dans le troisième enfin, à demi plein, Edmond remua à poignée 305 les diamants, les perles, les rubis, qui, cascade étincelante, faisaient, en retombant les uns sur les autres, le bruit de la grêle sur les vitres.

Après avoir touché, palpé, enfoncé ses mains frémissantes dans l'or et les pierreries, Edmond se releva et pris sa course à 310 travers les cavernes avec la tremblante exaltation d'un homme qui touche à la folie. Il sauta sur un rocher d'où il pouvait découvrir la mer, et n'aperçut rien ; il était seul, bien seul, avec ces richesses incalculables, inouïes, fabuleuses, qui lui appartenaient : seulement rêvait-il ou était-il éveillé ? faisait-il un 315 songe fugitif ou étreignait-il corps à corps une réalité ?

Il avait besoin de revoir son or, et cependant il sentait qu'il n'aurait pas la force, en ce moment, d'en soutenir la vue. Un instant, il appuya ses deux mains sur le haut de sa tête, comme pour empêcher sa raison de s'enfuir ; puis il s'élança tout au 320 travers de l'île, sans suivre, non pas de chemin, il n'y en a pas dans l'île de Monte-Cristo, mais de ligne arrêtée, faisant fuir les chèvres sauvages et effrayant les oiseaux de mer par ses cris et ses gesticulations. Puis, par un détour, il revint, doutant encore, se précipitant de la première grotte dans la seconde, et 325 se retrouvant en face de cette mine d'or et de diamants.

Cette fois, il tomba à genoux, comprimant de ses deux mains convulsives son cœur bondissant, et murmurant une prière intelligible pour Dieu seul.

Questions

Ai-je bien lu ?

1 Comment Dantès s'échappe-t-il du château d'If ?

2 Par qui est-il recueilli en mer (voir paratexte) ?

3 Que découvre-t-il sur l'île de Monte-Cristo ?

Repérer et analyser

Le parcours de Dantès

L'évasion

4 **a.** Pendant combien de temps Dantès est-il resté au château d'If ? Quel âge a-t-il au moment de l'évasion ?
b. De quelle façon s'est-il évadé ?

5 **a.** Quelles différentes prises de risque le plan d'évasion qu'il a imaginé comporte-t-il ?
b. De quelles qualités Dantès fait-il preuve ?

6 En quoi l'épisode de l'évasion peut-il représenter symboliquement une seconde naissance pour Dantès ?

La transformation physique

7 Dans quelles circonstances Dantès se regarde-t-il dans une glace ?

8 **a.** Relevez les termes qui caractérisent le visage et le corps de Dantès avant sa captivité.
b. Quels changements se sont opérés dans son visage, sa taille, ses formes, sa voix ? Relevez des termes précis, prenez en compte les caractéristiques physiques et morales.
c. Quels éléments inquiétants se dégagent de ce portrait ? Citez des termes précis.

9 « Edmond sourit en se voyant » (l. 234) : que traduit selon vous ce sourire ?

La découverte du trésor

10 De quel trésor s'agit-il ? Où se trouve-t-il ?

11 En quoi cette découverte marque-t-elle une étape importante dans le parcours de Dantès ?

12 **a.** Quel nouveau rôle l'abbé Faria a-t-il joué dans ce parcours ?
b. Montrez en citant le texte que Dantès voit dans la découverte du trésor la marque de la volonté de Dieu.

Le roman d'aventure : suspense et dramatisation

Le jeu sur le point de vue

Le narrateur omniscient peut adopter par moments le point de vue d'un personnage (ou point de vue interne), c'est-à-dire qu'il ne dévoile au lecteur que ce que voit ou entend le personnage. Cette façon de présenter les faits contribue au suspense car le lecteur partage totalement les sensations et émotions éprouvées par le personnage, sans savoir ce qui l'attend.

13 **a.** Où Dantès se trouve-t-il durant tout le temps où il est transporté par les fossoyeurs ?
b. Selon quel point de vue dominant le narrateur rapporte-t-il l'épisode de l'évasion (notamment les actions et les paroles des fossoyeurs...) ? Le lecteur en sait-il plus ou autant que le personnage ? Justifiez votre réponse.
c. À travers quelles sensations Dantès, enfermé dans son sac, perçoit-il le monde extérieur ? Relevez les termes qui traduisent son angoisse.
d. À partir de quel moment Dantès retrouve-t-il des perceptions visuelles ? Que voit-il ?

Le ralentissement du rythme narratif

Le narrateur peut ralentir le rythme c'est-à-dire qu'il utilise plusieurs lignes ou pages pour rapporter une action de courte durée, multipliant les détails et donnant ainsi l'illusion au lecteur que l'action se déroule en même temps qu'il la lit.

14 **a.** Combien de lignes le narrateur consacre-t-il à la scène d'évasion (ch. XX) ? Quelle est la durée approximative de cette scène ?
b. Comment fait-il pour ralentir le rythme du récit ? Appuyez-vous sur la présence de dialogues, sur les verbes d'action, sur la durée de la chute.

15 Au moment de la découverte du trésor, montrez que le narrateur ralentit à nouveau le rythme du récit en détaillant de plus en plus les gestes et impressions de Dantès. Dans quel but fait-il cela ?

Le cadre romanesque

16 Montrez que dans l'épisode de l'évasion (l. 73-151) le cadre, le moment de la journée contribuent à créer une atmosphère de terreur.

Le motif du trésor

17 **a.** Quel est le contenu du coffre découvert par Dantès ?

b. Relevez les termes qui évoquent l'abondance et la brillance des richesses découvertes.

c. Relevez les trois adjectifs qui qualifient les richesses contenues dans le coffre (l. 300-307) et qui montrent que Dantès a l'impression de vivre un conte merveilleux.

18 Quels sont les différents sentiments et sensations éprouvés par Dantès avant, au moment et après la découverte du trésor ? Montrez qu'ils contribuent à l'effet de dramatisation.

Se documenter

Le thème de l'Orient et l'univers des *Mille et Une Nuits*

Le thème de l'Orient, présent dès le premier chapitre (on se rappelle que le navire le *Pharaon* vient de Smyrne) est récurrent dans le roman. Ici, le destin de Dantès semble rejoindre celui du personnage d'Ali-Baba, héros de l'un des contes les plus célèbres des *Mille et Une Nuits*, « Ali baba et les quarante voleurs » : un pauvre bûcheron découvre dans une grotte un trésor fabuleux accumulé par des voleurs.

Les Mille et Une Nuits sont un recueil de contes orientaux, à la base oraux, qui se sont peu à peu élaborés sous une forme écrite. Les récits se sont transmis et enrichis de siècles en siècles, traversant les frontières. Ainsi, les premiers contes, nés probablement en Inde au Ve siècle, se retrouvent en Perse vers le VIe siècle puis arrivent au VIIIe siècle à Bagdad, brillante capitale du monde musulman, où ils sont traduits en arabe. On y trouve des histoires merveilleuses de génies et de prodiges, des amoncellements de luxe et de richesses, des intrigues amoureuses.

Entre le XIe et le XIVe siècle, Bagdad connaît des années de déclin. Les contes arrivent au Caire où ils s'enrichissent encore d'histoires nouvelles issues de la réalité et de la civilisation égyptiennes. Enfin, après quelques siècles d'oubli, les contes arrivent en Europe au début du XVIIIe siècle. L'orientaliste Antoine Galland (1646-1715) a réuni et traduit en français de nombreux manuscrits et a permis à l'œuvre de se répandre avec succès dans tout l'Occident.

Étudier la langue

Vocabulaire : autour du mot *misanthropie*

Le mot *misanthropie*(= « haine du genre humain ») est formé de la racine *mis(o)-*, « haine », issue du verbe grec *miseïn*, « haïr », et du nom *anthrôpos* qui signifie « être humain ».

19 « ...soit par misanthropie, soit par fatigue » (l. 48-49) ; « ...de sombres éclairs, de la misanthropie et de la haine » (l. 216-217).
Aidez-vous du dictionnaire pour trouver les mots dont quelques lettres vous sont données.

a. Une personne qui évite de fréquenter ses semblables est une personne m - - - - t - - - - e.

b. Une personne qui n'aime pas les femmes (« femme » se dit *gunê* en grec) est m - - - g - - e.

c. Une personne généreuse et qui aime ses semblables est une personne p - - - a - - - - - - e (la racine *phil-* signifie « qui aime »).

d. Un p - t - - c- - - - - - - - e est un genre d'homme proche du singe (« singe » se dit *pithêkos* en grec).

e. Un a - - - - - - - l - g - e– est une personne qui étudie les sociétés humaines (la racine *–logue* signifie « savant spécialiste d'une science »).

Écrire

Rédiger un portrait

20 Décrivez un(e) camarade (ou une autre personne) que vous n'avez pas vu depuis quelque temps. Vous montrerez les transformations qui se sont opérées dans son physique.

Consignes d'écriture :

– vous pourrez commencer par présenter les circonstances de la rencontre ;
– vous introduirez votre description par « Je la/le regardais. Comme elle/il avait changé ! »
– vous choisirez quelques éléments du visage (yeux, cheveux, bouche, joues...) ou de l'aspect général (taille, démarche...) que vous décrirez en notant quelques changements (*devenir*, *s'allonger*, *grandir*, *affiner*, *s'arrondir*...).

Texte 6 – Dantès retrouve Caderousse

« Avez-vous connu en 1814 ou en 1815 un marin qui s'appelait Dantès ? »

XXVI. L'Auberge du pont du Gard

*Riche d'une fortune considérable, Dantès quitte ses amis contrebandiers. Il achète un yacht à Gênes, il y enferme son trésor et met le cap sur Marseille, après avoir appris que son père était mort et que Mercédès avait disparu. Il découvre que l'appartement qu'habitait son père, Allées de Meilhan, au cinquième étage d'une pauvre maison, était loué par un jeune couple. On lui dit que le tailleur Caderousse qui habitait à l'étage au-dessous tenait maintenant une petite auberge à Beaucaire en Provence. Dantès, sous le nom de lord Wilmore, achète la maison à son propriétaire, demandant aux locataires de libérer le cinquième et de choisir un autre appartement dans cette même maison. Puis il décide de mener son enquête sur les circonstances de son emprisonnement afin de vérifier tous les faits qu'avait devinés l'abbé Faria (**voir texte 4 p. 74**). Déguisé en abbé italien, il se rend donc à cheval à l'Auberge du pont du Gard pour rencontrer Caderousse.*

Le cavalier mit pied à terre, et, tirant l'animal par la bride, il alla l'attacher au tourniquet d'un contrevent[1] délabré qui ne tenait plus qu'à un gond ; puis, s'avançant vers la porte en essuyant d'un mouchoir de coton rouge son front ruisselant

1. Volet extérieur d'une fenêtre.

de sueur, le prêtre frappa trois coups sur le seuil du bout ferré de la canne qu'il tenait à la main.

Aussitôt un grand chien noir se leva et fit quelques pas en aboyant et en montrant ses dents blanches et aiguës ; double démonstration hostile qui prouvait le peu d'habitude qu'il avait de la société.

Aussitôt un pas lourd ébranla l'escalier de bois rampant le long de la muraille, et que descendait, en se courbant et à reculons, l'hôte du pauvre logis à la porte duquel se tenait le prêtre.

« Me voilà ! disait Caderousse tout étonné, me voilà ! veux-tu te taire, Margottin ! N'ayez pas peur, monsieur, il aboie, mais il ne mord pas. Vous désirez du vin, n'est-ce pas ? car il fait une polissonne de chaleur… Ah ! pardon », interrompit Caderousse en voyant à quelle sorte de voyageur il avait affaire, pardon, « je ne savais pas qui j'avais l'honneur de recevoir ; que désirez-vous, que demandez-vous, monsieur l'abbé ? je suis à vos ordres. »

Le prêtre regarda cet homme pendant deux ou trois secondes avec une attention étrange, il parut même chercher à attirer de son côté sur lui l'attention de l'aubergiste ; puis, voyant que les traits de celui-ci n'exprimaient d'autre sentiment que la surprise de ne pas recevoir une réponse, il jugea qu'il était temps de faire cesser cette surprise, et dit avec un accent italien très prononcé :

« N'êtes-vous pas monsou Caderousse ?

– Oui, monsieur », dit l'hôte peut-être encore plus étonné de la demande qu'il ne l'avait été du silence, « je le suis en effet ; Gaspard Caderousse, pour vous servir.

– Gaspard Caderousse… oui, je crois que c'est là le prénom et le nom ; vous demeuriez autrefois Allées de Meilhan, n'est-ce pas ? au quatrième ?

– C'est cela.

– Et vous y exerciez la profession de tailleur ?

– Oui, mais l'état a mal tourné : il fait si chaud à ce coquin
40 de Marseille que l'on finira, je crois, par ne plus s'y habiller du tout. Mais à propos de chaleur, ne voulez-vous pas vous rafraîchir, monsieur l'abbé ?

– Si fait, donnez-moi une bouteille de votre meilleur vin, et nous reprendrons la conversation, s'il vous plaît, où nous la
45 laissons.

– Comme il vous fera plaisir, monsieur l'abbé », dit Caderousse.

Et pour ne pas perdre cette occasion de placer une des dernières bouteilles de vin de Cahors qui lui restaient, Caderousse se
50 hâta de lever une trappe pratiquée dans le plancher même de cette espèce de chambre du rez-de-chaussée, qui servait à la fois de salle et de cuisine.

Lorsque au bout de cinq minutes il reparut, il trouva l'abbé assis sur un escabeau, le coude appuyé à une table longue,
55 tandis que Margottin, qui paraissait avoir fait sa paix avec lui en entendant que, contre l'habitude, ce voyageur singulier allait prendre quelque chose, allongeait sur sa cuisse son cou décharné et son œil langoureux.

« Vous êtes seul ? » demanda l'abbé à son hôte[2], tandis que
60 celui-ci posait devant lui la bouteille et un verre.

« Oh ! mon Dieu ! oui ! seul ou à peu près, monsieur l'abbé ; car j'ai ma femme qui ne me peut aider en rien, attendu qu'elle est toujours malade, la pauvre Carconte.

– Ah ! vous êtes marié ! » dit le prêtre avec une sorte d'intérêt,
65 et en jetant autour de lui un regard qui paraissait estimer à sa mince valeur le maigre mobilier du pauvre ménage.

2. Personne qui reçoit quelqu'un ou qui est reçue par quelqu'un.

« Vous trouvez que je ne suis pas riche, n'est-ce pas, monsieur l'abbé ? dit en soupirant Caderousse ; mais que voulez-vous ! il ne suffit pas d'être honnête homme pour prospérer dans ce
70 monde. »

L'abbé fixa sur lui un regard perçant.

« Oui, honnête homme ; de cela je puis m'en vanter, monsieur », dit l'hôte en soutenant le regard de l'abbé, une main sur sa poitrine et en hochant la tête du haut en bas ; « et dans notre
75 époque tout le monde n'en peut pas dire autant.

– Tant mieux si ce dont vous vous vantez est vrai, dit l'abbé ; car tôt ou tard, j'en ai la ferme conviction, l'honnête homme est récompensé et le méchant puni.

– C'est votre état[3] de dire cela, monsieur l'abbé ; c'est votre
80 état de dire cela, reprit Caderousse avec une expression amère ; après cela on est libre de ne pas croire ce que vous dites.

– Vous avez tort de parler ainsi, monsieur, dit l'abbé, car peut-être vais-je être moi-même pour vous, tout à l'heure, une preuve de ce que j'avance.

85 – Que voulez-vous dire ? demanda Caderousse d'un air étonné.

– Je veux dire qu'il faut que je m'assure avant tout si vous êtes celui à qui j'ai affaire.

– Quelles preuves voulez-vous que je vous donne ?

90 – Avez-vous connu en 1814 ou 1815 un marin qui s'appelait Dantès ?

– Dantès !... si je l'ai connu, ce pauvre Edmond ! je le crois bien ? c'était même un de mes meilleurs amis ! » s'écria Caderousse, dont un rouge de pourpre envahit le visage, tandis
95 que l'œil clair et assuré de l'abbé semblait se dilater pour couvrir tout entier celui qu'il interrogeait.

3. Votre état de prêtre.

« Oui, je crois en effet qu'il s'appelait Edmond.

– S'il s'appelait Edmond, le petit ! je le crois bien ! aussi vrai que je m'appelle, moi, Gaspard Caderousse. Et qu'est-il devenu, monsieur, ce pauvre Edmond ? continua l'aubergiste ; l'auriez-vous connu ? vit-il encore ? est-il libre ? est-il heureux ?

– Il est mort prisonnier, plus désespéré et plus misérable que les forçats qui traînent leur boulet au bagne de Toulon. »

Une pâleur mortelle succéda sur le visage de Caderousse à la rougeur qui s'en était d'abord emparée. Il se retourna et l'abbé lui vit essuyer une larme avec un coin du mouchoir rouge qui lui servait de coiffure.

« Pauvre petit ! murmura Caderousse. Eh bien ! voilà encore une preuve de ce que je vous disais, monsieur l'abbé, que le bon Dieu n'était bon que pour les mauvais. Ah ! continua Caderousse avec ce langage coloré des gens du Midi, le monde va de mal en pis. Qu'il tombe donc du ciel deux jours de poudre et une heure de feu, et que tout soit dit !

– Vous paraissez aimer ce garçon de tout votre cœur, monsieur ? demanda l'abbé.

– Oui, je l'aimais bien, dit Caderousse, quoique j'aie à me reprocher d'avoir un instant envié son bonheur. Mais depuis, je vous le jure, foi de Caderousse, j'ai bien plaint son malheureux sort. »

Il se fit un instant de silence pendant lequel le regard fixe de l'abbé ne cessa point un instant d'interroger la physionomie[4] mobile de l'aubergiste.

« Et vous l'avez connu, le pauvre petit ? continua Caderousse.

– J'ai été appelé à son lit de mort pour lui offrir les derniers secours de la religion, répondit l'abbé.

4. Traits et expression d'un visage.

– Et de quoi est-il mort ? » demanda Caderousse d'une voix étranglée.

« Et de quoi meurt-on en prison quand on y meurt à trente
130 ans, si ce n'est de la prison elle-même ? »

Caderousse essuya la sueur qui coulait de son front.

« Ce qu'il y a d'étrange dans tout cela, reprit l'abbé, c'est que Dantès, à son lit de mort, sur le Christ dont il baisait les pieds, m'a toujours juré qu'il ignorait la véritable cause de sa capti-
135 vité.

– C'est vrai, c'est vrai, murmura Caderousse, il ne pouvait pas le savoir ; non, monsieur l'abbé, il ne mentait pas, le pauvre petit.

– C'est ce qui fait qu'il m'a chargé d'éclaircir son malheur
140 qu'il n'avait jamais pu éclaircir lui-même, et de réhabiliter[5] sa mémoire, si cette mémoire avait reçu quelque souillure[6]. »

Et le regard de l'abbé, devenant de plus en plus fixe, dévora l'expression presque sombre qui apparut sur le visage de Caderousse.

145 « Un riche Anglais, continua l'abbé, son compagnon d'infortune, et qui sortit de prison à la seconde Restauration, était possesseur d'un diamant d'une grande valeur. En sortant de prison, il voulut laisser à Dantès, qui, dans une maladie qu'il avait faite, l'avait soigné comme un frère, un témoignage de sa
150 reconnaissance en lui laissant ce diamant. Dantès, au lieu de s'en servir pour séduire ses geôliers, qui d'ailleurs pouvaient le prendre et le trahir après, le conserva toujours précieusement pour le cas où il sortirait de prison ; car s'il sortait de prison, sa fortune était assurée par la vente seule de ce diamant.

155 – C'était donc comme vous le dites, demanda Caderousse avec des yeux ardents, un diamant d'une grande valeur ?

5. Rendre à quelqu'un son honneur.

6. Salissure morale, déshonneur.

– Tout est relatif, reprit l'abbé ; d'une grande valeur pour Edmond ; ce diamant était estimé cinquante mille francs.

– Cinquante mille francs ! dit Caderousse ; mais il était donc 160 gros comme une noix ?

– Non, pas tout à fait, dit l'abbé, mais vous allez en juger vous-même, car je l'ai sur moi. »

Caderousse sembla chercher sous les vêtements de l'abbé le dépôt dont il parlait.

165 L'abbé tira de sa poche une petite boîte de chagrin[7] noir, l'ouvrit et fit briller aux yeux éblouis de Caderousse l'étincelante merveille montée sur une bague d'un admirable travail.

« Et cela vaut cinquante mille francs ?

– Sans la monture, qui est elle-même d'un certain prix », dit 170 l'abbé.

Et il referma l'écrin, et remit dans sa poche le diamant qui continuait d'étinceler au fond de la pensée de Caderousse.

« Mais comment vous trouvez-vous avoir ce diamant en votre possession, monsieur l'abbé ? demanda Caderousse. Edmond 175 vous a donc fait son héritier ?

– Non, mais son exécuteur testamentaire[8]. “J'avais trois bons amis et une fiancée, m'a-t-il dit : tous quatre, j'en suis sûr, me regrettent amèrement : l'un de ces bons amis s'appelait Caderousse.” »

180 Caderousse frémit.

« “L'autre” », continua l'abbé sans paraître s'apercevoir de l'émotion de Caderousse, « “l'autre s'appelait Danglars ; le troisième, a-t-il ajouté, bien que mon rival, m'aimait aussi.” »

185 Un sourire diabolique éclaira les traits de Caderousse, qui fit un mouvement pour interrompre l'abbé.

7. Cuir.

8. Personne chargée de réaliser les dernières volontés de l'auteur d'un testament.

« Attendez, dit l'abbé, laissez-moi finir, et si vous avez quelque observation à me faire, vous me la ferez tout à l'heure. "L'autre, bien que mon rival, m'aimait aussi et s'appelait Fernand ; quant à ma fiancée, son nom était..." Je ne me rappelle plus le nom de la fiancée, dit l'abbé.

– Mercédès, dit Caderousse.

– Ah ! oui, c'est cela, reprit l'abbé avec un soupir étouffé, Mercédès.

– Eh bien ? demanda Caderousse.

– Donnez-moi une carafe d'eau », dit l'abbé.

Caderousse s'empressa d'obéir.

L'abbé remplit le verre et but quelques gorgées.

« Où en étions-nous ? » demanda-t-il en posant son verre sur la table.

« La fiancée s'appelait Mercédès.

– Oui, c'est cela. "Vous irez à Marseille..." C'est toujours Dantès qui parle, comprenez-vous ?

– Parfaitement.

– "Vous vendrez ce diamant, vous ferez cinq parts, et vous les partagerez entre ces bons amis, les seuls êtres qui m'aient aimé sur la terre !"

– Comment cinq parts ? dit Caderousse, vous ne m'avez nommé que quatre personnes.

– Parce que la cinquième est morte, à ce qu'on m'a dit... La cinquième était le père de Dantès.

– Hélas ! oui », dit Caderousse ému par les passions qui s'entrechoquaient en lui ; « hélas ! oui, le pauvre homme il est mort.

– J'ai appris cet événement à Marseille, répondit l'abbé en faisant un effort pour paraître indifférent, mais il y a si longtemps que cette mort est arrivée que je n'ai pu recueillir aucun détail... Sauriez-vous quelque chose de la fin de ce vieillard, vous ?

– Eh ! dit Caderousse, qui peut savoir cela mieux que moi ?… 220 Je demeurais porte à porte avec le bonhomme… Eh ! mon Dieu ! oui : un an à peine après la disparition de son fils, il mourut, le pauvre vieillard !

– Mais, de quoi mourut-il ?

– Les médecins ont nommé sa maladie… une gastro-entérite, je 225 crois ; ceux qui le connaissaient ont dit qu'il était mort de douleur… et moi, qui l'ai presque vu mourir, je dis qu'il est mort… »

Caderousse s'arrêta.

« Mort de quoi ? reprit avec anxiété le prêtre.

– Eh bien ! mort de faim !

230 – De faim ? s'écria l'abbé bondissant sur son escabeau, de faim ! les plus vils animaux ne meurent pas de faim ! les chiens qui errent dans les rues trouvent une main compatissante qui leur jette un morceau de pain ; et un homme, un chrétien, est mort de faim au milieu d'autres hommes qui se disent chrétiens 235 comme lui ! Impossible ! oh ! c'est impossible !

– J'ai dit ce que j'ai dit, reprit Caderousse.

– Et tu as tort, dit une voix dans l'escalier, de quoi te mêles-tu ? »

Les deux hommes se retournèrent, et virent à travers les barres 240 de la rampe la tête maladive de la Carconte ; elle s'était traînée jusque-là et écoutait la conversation, assise sur la dernière marche, la tête appuyée sur ses genoux.

« De quoi te mêles-tu toi-même, femme ? dit Caderousse. Monsieur demande des renseignements, la politesse veut que 245 je les lui donne.

– Oui, mais la prudence veut que tu les lui refuses. Qui te dit dans quelle intention on veut te faire parler imbécile ?

– Dans une excellente, madame, je vous en réponds, dit l'abbé. Votre mari n'a donc rien à craindre, pourvu qu'il réponde 250 franchement.

– Rien à craindre, oui ! on commence par de belles promesses, puis on se contente, après, de dire qu'on n'a rien à craindre ; puis on s'en va sans rien tenir de ce qu'on a dit, et un beau matin le malheur tombe sur le pauvre monde sans que l'on sache d'où il vient.

– Soyez tranquille, bonne femme, le malheur ne vous viendra pas de mon côté, je vous en réponds. »

La Carconte grommela quelques paroles qu'on ne put entendre, laissa retomber sur ses genoux sa tête un instant soulevée et continua de trembler de fièvre, laissant son mari libre de continuer la conversation, mais placée de manière à n'en pas perdre un mot.

Pendant ce temps, l'abbé avait bu quelques gorgées d'eau et s'était remis.

« Mais, reprit-il, ce malheureux vieillard était-il donc si abandonné de tout le monde, qu'il soit mort d'une pareille mort ?

– Oh ! monsieur, reprit Caderousse, ce n'est pas que Mercédès la Catalane, ni M. Morrel l'aient abandonné ; mais le pauvre vieillard s'était pris d'une antipathie profonde pour Fernand, celui-là même, continua Caderousse avec un sourire ironique, que Dantès vous a dit être de ses amis.

– Ne l'était-il donc pas ? dit l'abbé

– Gaspard ! Gaspard ! murmura la femme du haut de son escalier, fais attention à ce que tu vas dire. »

Caderousse fit un mouvement d'impatience, et sans accorder d'autre réponse à celle qui l'interrompait :

« Peut-on être l'ami de celui dont on convoite[9] la femme ? répondit-il à l'abbé. Dantès, qui était un cœur d'or, appelait tous ces gens-là ses amis... Pauvre Edmond !... Au fait, il vaut mieux qu'il n'ait rien su ; il aurait eu trop de peine à leur

9. Désire ce qui appartient à un autre.

pardonner au moment de la mort... Et, quoi qu'on dise », continua Caderousse dans son langage qui ne manquait pas d'une sorte de rude poésie, « j'ai encore plus peur de la malédiction des morts que de la haine des vivants.

285 – Imbécile ! dit la Carconte.

– Savez-vous donc, continua l'abbé, ce que Fernand a fait contre Dantès ?

– Si je sais, je le crois bien.

– Parlez alors.

290 – Gaspard, fais ce que tu veux, tu es le maître, dit la femme ; mais si tu m'en croyais, tu ne dirais rien.

– Cette fois, je crois que tu as raison, femme, dit Caderousse.

– Ainsi, vous ne voulez rien dire ? reprit l'abbé.

295 – À quoi bon ! dit Caderousse. Si le petit était vivant et qu'il vînt à moi pour connaître une bonne fois pour toutes ses amis et ses ennemis, je ne dis pas ; mais il est sous terre, à ce que vous m'avez dit, il ne peut plus avoir de haine, il ne peut plus se venger. Éteignons tout cela.

300 – Vous voulez alors, dit l'abbé, que je donne à ces gens, que vous donnez pour d'indignes et faux amis, une récompense destinée à la fidélité ?

– C'est vrai, vous avez raison, dit Caderousse. D'ailleurs que serait pour eux maintenant le legs[10] du pauvre Edmond ? une 305 goutte d'eau tombant à la mer !

– Sans compter que ces gens-là peuvent t'écraser d'un geste, dit la femme.

– Comment cela ? ces gens-là sont donc devenus riches et puissants ?

310 – Alors, vous ne savez pas leur histoire ?

10. Don par testament.

– Non, racontez-la-moi. »

Caderousse parut réfléchir un instant.

« Non, en vérité, dit-il, ce serait trop long.

– Libre à vous de vous taire, mon ami, dit l'abbé avec l'accent
315 de la plus profonde indifférence, et je respecte vos scrupules ; d'ailleurs ce que vous faites là est d'un homme vraiment bon : n'en parlons donc plus. De quoi étais-je chargé ? D'une simple formalité. Je vendrai donc ce diamant. »

Et il tira le diamant de sa poche, ouvrit l'écrin, et le fit briller
320 aux yeux éblouis de Caderousse.

« Viens donc voir, femme ! dit celui-ci d'une voix rauque.

– Un diamant ! » dit la Carconte se levant et descendant d'un pas assez ferme l'escalier ; « qu'est-ce que c'est donc que ce diamant ?

325 – N'as-tu donc pas entendu, femme ? dit Caderousse, c'est un diamant que le petit nous a légué : à son père d'abord, à ses trois amis Fernand, Danglars et moi et à Mercédès sa fiancée. Le diamant vaut cinquante mille francs.

– Oh ! le beau joyau ! dit-elle.

330 – Le cinquième de cette somme nous appartient, alors ? dit Caderousse.

– Oui, Monsieur, répondit l'abbé, plus la part du père de Dantès, que je me crois autorisé à répartir sur vous quatre.

– Et pourquoi sur nous quatre ? demanda la Carconte.

335 – Parce que vous étiez les quatre amis d'Edmond.

– Les amis ne sont pas ceux qui trahissent ! murmura sourdement à son tour la femme.

– Oui, oui, dit Caderousse, et c'est ce que je disais : c'est presque une profanation[11], presque un sacrilège que de récom-
340 penser la trahison, le crime peut-être.

11. Outrage, violation de ce qui a un caractère sacré.

– C'est vous qui l'aurez voulu », reprit tranquillement l'abbé en remettant le diamant dans la poche de sa soutane ; « maintenant donnez-moi l'adresse des amis d'Edmond, afin que je puisse exécuter ses dernières volontés. »

345 La sueur coulait à lourdes gouttes du front de Caderousse ; il vit l'abbé se lever, se diriger vers la porte comme pour jeter un coup d'œil d'avis à son cheval, et revenir.

Caderousse et sa femme se regardaient avec une indicible expression.

350 « Le diamant serait pour nous tout entier, dit Caderousse.

– Le crois-tu ? répondit la femme.

– Un homme d'église ne voudrait pas nous tromper.

– Fais comme tu voudras, dit la femme ; quant à moi, je ne m'en mêle pas. »

355 Et elle reprit le chemin de l'escalier toute grelottante ; ses dents claquaient malgré la chaleur ardente qu'il faisait.

Sur la dernière marche, elle s'arrêta un instant.

« Réfléchis bien, Gaspard ! dit-elle.

– Je suis décidé », dit Caderousse.

360 La Carconte rentra dans sa chambre en poussant un soupir ; on entendit le plafond crier sous ses pas jusqu'à ce qu'elle eût rejoint son fauteuil où elle tomba assise lourdement.

« À quoi êtes-vous décidé ? demanda l'abbé.

– À tout vous dire, répondit celui-ci.

365 – Je crois, en vérité, que c'est ce qu'il y a de mieux à faire, dit le prêtre ; non pas que je tienne à savoir les choses que vous voudriez me cacher ; mais enfin, si vous pouvez m'amener à distribuer les legs selon les vœux du testateur[12], ce sera mieux.

– Je l'espère », répondit Caderousse les joues enflammées

370 par la rougeur de l'espérance et de la cupidité[13].

12. Auteur d'un testament.

13. Désir démesuré d'argent, de richesse.

« Je vous écoute, dit l'abbé.

– Attendez, reprit Caderousse, on pourrait nous interrompre à l'endroit le plus intéressant, et ce serait désagréable ; d'ailleurs il est inutile que personne sache que vous êtes venu ici. »

375 Et il alla à la porte de son auberge et ferma la porte, à laquelle, par surcroît de précaution, il mit la barre de nuit.

Pendant ce temps, l'abbé avait choisi sa place pour écouter tout à son aise ; il s'était assis dans un angle, de manière à demeurer dans l'ombre tandis que la lumière tomberait en plein 380 sur le visage de son interlocuteur. Quant à lui, la tête inclinée, les mains jointes ou plutôt crispées, il s'apprêtait à écouter de toutes ses oreilles.

Caderousse approcha un escabeau et s'assit en face de lui.

« Souviens-toi que je ne te pousse à rien ! » dit la voix trem- 385 blotante de la Carconte, comme si, à travers le plancher, elle eût pu voir la scène qui se préparait.

« C'est bien, c'est bien, dit Caderousse, n'en parlons plus ; je prends tout sur moi. »

Et il commença.

XXVII. Le récit

390 « Avant tout, dit Caderousse, je dois, monsieur, vous prier de me promettre une chose.

– Laquelle ? demanda l'abbé.

– C'est que jamais, si vous faites un usage quelconque des détails que je vais vous donner, on ne saura que ces détails 395 viennent de moi, car ceux dont je vais vous parler sont riches et puissants, et, s'ils me touchaient seulement du bout du doigt, ils me briseraient comme verre.

– Soyez tranquille, mon ami, dit l'abbé, je suis prêtre, et les confessions meurent dans mon sein ; rappelez-vous que nous 400 n'avons d'autre but que d'accomplir dignement les dernières

volontés de notre ami ; parlez donc sans ménagement comme sans haine ; dites la vérité, toute la vérité : je ne connais pas et ne connaîtrai probablement jamais les personnes dont vous allez me parler ; d'ailleurs je suis Italien et non pas Français ;
405 j'appartiens à Dieu et non pas aux hommes, et je vais rentrer dans mon couvent, dont je ne suis sorti que pour remplir les dernières volontés d'un mourant. »

Cette promesse positive parut donner à Caderousse un peu d'assurance.

410 « Eh bien ! en ce cas, dit Caderousse, je veux, je dirai même plus, je dois vous détromper sur ces amitiés que le pauvre Edmond croyait sincères et dévouées.

– Commençons par son père, s'il vous plaît, dit l'abbé. Edmond m'a beaucoup parlé de ce vieillard, pour lequel il avait un
415 profond amour.

– L'histoire est triste, monsieur, dit Caderousse en hochant la tête ; vous en connaissez probablement les commencements.

– Oui, répondit l'abbé, Edmond m'a raconté les choses jusqu'au moment où il a été arrêté dans un petit cabaret près de
420 Marseille.

– À la Réserve ! ô mon Dieu, oui ! je vois encore la chose comme si j'y étais.

– N'était-ce pas au repas même de ses fiançailles ?

– Oui, et le repas qui avait eu un gai commencement eut une
425 triste fin : un commissaire de police suivi de quatre fusiliers entra, et Dantès fut arrêté.

– Voilà où s'arrête ce que je sais, monsieur, dit le prêtre ; Dantès lui-même ne savait rien autre que ce qui lui était absolument personnel, car il n'a jamais revu aucune des cinq
430 personnes que je vous ai nommées, ni entendu parler d'elles.

– Eh bien ! Dantès une fois arrêté, M. Morrel courut prendre des informations : elles furent bien tristes. Le vieillard retourna

seul dans sa maison, ploya[14] son habit de noces en pleurant, passa toute la journée à aller et venir dans sa chambre, et le
435 soir ne se coucha point, car je demeurais au-dessous de lui, et je l'entendis marcher toute la nuit ; moi-même, je dois le dire, je ne dormis pas non plus, car la douleur de ce pauvre père me faisait grand mal, et chacun de ses pas me broyait le cœur, comme s'il eût réellement posé son pied sur ma poitrine.

440 Le lendemain, Mercédès vint à Marseille pour implorer la protection de M. de Villefort : elle n'obtint rien ; mais, du même coup, elle alla rendre visite au vieillard. Quand elle le vit si morne et si abattu, qu'il avait passé la nuit sans se mettre au lit et qu'il n'avait pas mangé depuis la veille, elle voulut l'em-
445 mener pour en prendre soin, mais le vieillard ne voulut jamais y consentir.

"Non, disait-il, je ne quitterai pas la maison, car c'est moi que mon pauvre enfant aime avant toutes choses, et, s'il sort de prison, c'est moi qu'il accourra voir d'abord. Que dirait-il
450 si je n'étais point là à l'attendre ?"

J'écoutais tout cela du carré, car j'aurais voulu que Mercédès déterminât le vieillard à la suivre ; ce pas retentissant tous les jours sur ma tête ne me laissait pas un instant de repos.

– Mais ne montiez-vous pas vous-même près du vieillard
455 pour le consoler ? demanda le prêtre.

– Ah ! monsieur ! répondit Caderousse, on ne console que ceux qui veulent être consolés, et lui ne voulait pas l'être : d'ailleurs, je ne sais pourquoi, mais il me semblait qu'il avait de la répugnance à me voir. Une nuit cependant que j'entendais
460 ses sanglots, je n'y pus résister et je montai ; mais quand j'arrivai à la porte, il ne sanglotait plus, il priait. Ce qu'il trouvait d'éloquentes paroles et de pitoyables supplications, je ne saurais

14. Plia.

vous le redire, monsieur : c'était plus que de la piété, c'était plus que de la douleur ; aussi, moi qui ne suis pas cagot[15] et
465 qui n'aime pas les jésuites, je me dis ce jour-là : C'est bien heureux, en vérité, que je sois seul, et que le bon Dieu ne m'ait pas envoyé d'enfants, car si j'étais père et que je ressentisse une douleur semblable à celle du pauvre vieillard, ne pouvant trouver dans ma mémoire ni dans mon cœur tout ce qu'il dit au bon
470 Dieu, j'irais tout droit me précipiter dans la mer pour ne pas souffrir plus longtemps.

– Pauvre père ! murmura le prêtre.

– De jour en jour il vivait plus seul et plus isolé : souvent M. Morrel et Mercédès venaient pour le voir, mais sa porte
475 était fermée ; et, quoique je fusse bien sûr qu'il était chez lui, il ne répondait pas. Un jour que, contre son habitude, il avait reçu Mercédès, et que la pauvre enfant, au désespoir elle-même, tentait de le réconforter :

"Crois-moi, ma fille, lui dit-il, il est mort ; et, au lieu que
480 nous l'attendions, c'est lui qui nous attend : je suis bien heureux, c'est moi qui suis le plus vieux et qui, par conséquent, le reverrai le premier."

Si bon que l'on soit, voyez-vous, on cesse bientôt de voir les gens qui vous attristent ; le vieux Dantès finit par demeurer
485 tout à fait seul : je ne voyais plus monter de temps en temps chez lui que des gens inconnus, qui descendaient avec quelque paquet mal dissimulé ; j'ai compris depuis ce que c'était que ces paquets : il vendait peu à peu ce qu'il avait pour vivre. Enfin, le bonhomme arriva auprès de ses pauvres hardes ; il devait
490 trois termes : on menaça de le renvoyer ; il demanda huit jours encore, on les lui accorda. Je sus ce détail parce que le propriétaire entra chez moi en sortant de chez lui.

15. Hypocrite.

Pendant les trois premiers jours, je l'entendis marcher comme d'habitude ; mais le quatrième, je n'entendis plus rien. Je me hasardai à monter : la porte était fermée ; mais à travers la serrure je l'aperçus si pâle et si défait, que, le jugeant bien malade, je fis prévenir M. Morrel et courus chez Mercédès. Tous deux s'empressèrent de venir. M. Morrel amenait un médecin ; le médecin reconnut une gastro-entérite et ordonna la diète. J'étais là, monsieur, et je n'oublierai jamais le sourire du vieillard à cette ordonnance.

Dès lors il ouvrit sa porte : il avait une excuse pour ne plus manger ; le médecin avait ordonné la diète. »

L'abbé poussa une espèce de gémissement.

« Cette histoire vous intéresse, n'est-ce pas, monsieur ? dit Caderousse.

– Oui, répondit l'abbé ; elle est attendrissante.

– Mercédès revint ; elle le trouva si changé, que, comme la première fois, elle voulut le faire transporter chez elle. C'était aussi l'avis de M. Morrel, qui voulait opérer le transport de force ; mais le vieillard cria tant, qu'ils eurent peur. Mercédès resta au chevet de son lit. M. Morrel s'éloigna en faisant signe à la Catalane qu'il laissait une bourse sur la cheminée. Mais, armé de l'ordonnance du médecin, le vieillard ne voulut rien prendre. Enfin, après neuf jours de désespoir et d'abstinence, le vieillard expira en maudissant ceux qui avaient causé son malheur et en disant à Mercédès :

“Si vous revoyez mon Edmond, dites-lui que je meurs en le bénissant.” »

L'abbé se leva, fit deux tours dans la chambre en portant une main frémissante à sa gorge aride[16].

« Et vous croyez qu'il est mort…

16. Sèche.

– De faim… monsieur, de faim, dit Caderousse ; j'en réponds aussi vrai que nous sommes ici deux chrétiens. »

525 L'abbé, d'une main convulsive, saisit le verre d'eau encore à moitié plein, le vida d'un trait et se rassit les yeux rougis et les joues pâles.

« Avouez que voilà un grand malheur ! dit-il d'une voix rauque.

530 – D'autant plus grand, monsieur, que Dieu n'y est pour rien, et que les hommes seuls en sont cause.

– Passons donc à ces hommes, dit l'abbé ; mais songez-y, continua-t-il d'un air presque menaçant, vous vous êtes engagé à me tout dire : voyons, quels sont ces hommes qui ont fait 535 mourir le fils de désespoir, et le père de faim ?

– Deux hommes jaloux de lui, monsieur, l'un par amour, l'autre par ambition ; Fernand et Danglars.

– Et de quelle façon se manifesta cette jalousie, dites ?

– Ils dénoncèrent Edmond comme agent bonapartiste.

540 – Mais lequel des deux le dénonça, lequel des deux fut le vrai coupable ?

– Tous deux, monsieur, l'un écrivit la lettre, l'autre la mit à la poste.

– Et où cette lettre fut-elle écrite ?

545 – À la Réserve même, la veille du mariage.

– C'est bien cela, c'est bien cela, murmura l'abbé ; ô Faria ! Faria ! comme tu connaissais les hommes et les choses !

– Vous dites, monsieur ? demanda Caderousse.

– Rien, reprit le prêtre ; continuez.

550 – Ce fut Danglars qui écrivit la dénonciation de la main gauche pour que son écriture ne fût pas reconnue, et Fernand qui l'envoya.

– Mais, s'écria tout à coup l'abbé, vous étiez là, vous !

– Moi ! dit Caderousse étonné ; qui vous a dit que j'y étais ? »

555 L'abbé vit qu'il s'était lancé trop avant.

« Personne, dit-il, mais pour être si bien au fait de tous ces détails, il faut que vous en ayez été le témoin.

– C'est vrai, dit Caderousse d'une voix étouffée, j'y étais.

– Et vous ne vous êtes pas opposé à cette infamie[17] ? dit 560 l'abbé ; alors vous êtes leur complice.

– Monsieur, dit Caderousse, ils m'avaient fait boire tous deux au point que j'en avais à peu près perdu la raison. Je ne voyais plus qu'à travers un nuage. Je dis tout ce que peut dire un homme dans cet état ; mais ils me répondirent tous deux que 565 c'était une plaisanterie qu'ils avaient voulu faire, et que cette plaisanterie n'aurait pas de suite.

– Le lendemain, monsieur, le lendemain, vous vîtes bien qu'elle en avait ; cependant vous ne dites rien ; vous étiez là cependant lorsqu'il fut arrêté.

570 – Oui, monsieur, j'étais là et je voulus parler, je voulus tout dire, mais Danglars me retint.

"Et s'il est coupable, par hasard, me dit-il, s'il a véritablement relâché à l'île d'Elbe, s'il est véritablement chargé d'une lettre pour le comité bonapartiste de Paris, si on trouve cette lettre sur 575 lui, ceux qui l'auront soutenu passeront pour ses complices."

J'eus peur de la politique telle qu'elle se faisait alors je l'avoue ; je me tus, ce fut une lâcheté, j'en conviens mais ce ne fut pas un crime.

– Je comprends ; vous laissâtes faire, voilà tout.

580 – Oui, monsieur, répondit Caderousse, et c'est mon remords de la nuit et du jour. J'en demande bien souvent pardon à Dieu, je vous le jure, d'autant plus que cette action, la seule que j'aie sérieusement à me reprocher dans tout le cours de ma vie, est sans doute la cause de mes adversités[18]. J'expie un instant d'égoïsme ;

17. Action odieuse.

18. Malheurs.

585 aussi, c'est ce que je dis toujours à la Carconte lorsqu'elle se plaint : "Tais-toi, femme, c'est Dieu qui le veut ainsi." »

Et Caderousse baissa la tête avec tous les signes d'un vrai repentir.

« Bien, monsieur, dit l'abbé, vous avez parlé avec franchise ; 590 s'accuser ainsi, c'est mériter son pardon.

– Malheureusement, dit Caderousse, Edmond est mort et ne m'a pas pardonné, lui !

– Il ignorait, dit l'abbé...

– Mais il sait maintenant, peut-être, reprit Caderousse ; on 595 dit que les morts savent tout. »

Il se fit un instant de silence : l'abbé s'était levé et se promenait pensif ; il revint à sa place et se rassit.

« Vous m'avez nommé déjà deux ou trois fois un certain M. Morrel, dit-il. Qu'était-ce que cet homme ?

600 – C'était l'armateur du *Pharaon*, le patron de Dantès.

– Et quel rôle a joué cet homme dans toute cette triste affaire ? demanda l'abbé.

– Le rôle d'un homme honnête, courageux et affectionné, monsieur. Vingt fois il intercéda pour Edmond ; quand l'em-605 pereur rentra, il écrivit, pria, menaça, si bien qu'à la seconde Restauration il fut fort persécuté comme bonapartiste. Dix fois, comme je vous l'ai dit, il était venu chez le père Dantès pour le retirer chez lui, et la veille ou la surveille de sa mort, je vous l'ai dit encore, il avait laissé sur la cheminée une bourse 610 avec laquelle on paya les dettes du bonhomme et l'on subvint à son enterrement ; de sorte que le pauvre vieillard put du moins mourir comme il avait vécu, sans faire de tort à personne. C'est encore moi qui ai la bourse, une grande bourse en filet rouge.

615 – Et, demanda l'abbé, ce M. Morrel vit-il encore ?

– Oui, dit Caderousse.

– En ce cas, reprit l'abbé, ce doit être un homme béni de Dieu, il doit être riche… heureux ?… »

Caderousse sourit amèrement.

620 « Oui, heureux comme moi, dit-il.

– M. Morrel serait malheureux ! s'écria l'abbé.

– Il touche à la misère, monsieur, et, bien plus, il touche au déshonneur.

– Comment cela ?

625 – Oui, reprit Caderousse, c'est comme cela ; après vingt-cinq ans de travail, après avoir acquis la plus honorable place dans le commerce de Marseille, M. Morrel est ruiné de fond en comble. Il a perdu cinq vaisseaux en deux ans, a essuyé trois banqueroutes[19] effroyables, et n'a plus d'espérance que dans 630 ce même *Pharaon* que commandait le pauvre Dantès, et qui doit revenir des Indes avec un chargement de cochenille[20] et d'indigo[21]. Si ce navire-là manque comme les autres, il est perdu.

– Et, dit l'abbé, a-t-il une femme, des enfants, le malheu- 635 reux ?

– Oui ; il a une femme qui, dans tout cela, se conduit comme une sainte ; il a une fille qui allait épouser un homme qu'elle aimait, et à qui sa famille ne veut plus laisser épouser une fille ruinée ; il a un fils enfin, lieutenant dans l'armée ; mais, vous 640 le comprenez bien, tout cela double sa douleur au lieu de l'adoucir, à ce pauvre cher homme. S'il était seul, il se brûlerait la cervelle et tout serait dit.

– C'est affreux ! murmura le prêtre.

– Voilà comme Dieu récompense la vertu, monsieur, dit 645 Caderousse. Tenez, moi qui n'ai jamais fait une mauvaise action

19. Faillites.
20. Insecte dont on tirait une teinture rouge écarlate.
21. Teinture bleue extraite d'un arbrisseau exotique.

à part ce que je vous ai raconté, moi, je suis dans la misère ; moi, après avoir vu mourir ma pauvre femme de la fièvre, sans pouvoir rien faire pour elle, je mourrai de faim comme est mort le père Dantès, tandis que Fernand et Danglars roulent sur 650 l'or.

– Et comment cela ?

– Parce que tout leur a tourné à bien, tandis qu'aux honnêtes gens tout tourne à mal.

– Qu'est devenu Danglars ? le plus coupable, n'est-ce pas, 655 l'instigateur[22] ?

– Ce qu'il est devenu ? il a quitté Marseille ; il est entré, sur la recommandation de M. Morrel, qui ignorait son crime, comme commis d'ordre chez un banquier espagnol ; à l'époque de la guerre d'Espagne il s'est chargé d'une part dans les fournitures 660 de l'armée française et a fait fortune ; alors, avec ce premier argent il a joué sur les fonds, et a triplé, quadruplé ses capitaux, et veuf lui-même de la fille de son banquier, il a épousé une veuve, madame de Nargonne, fille de M. Servieux, chambellan du roi actuel, et qui jouit de la plus grande faveur. Il s'était fait 665 millionnaire, on l'a fait baron ; de sorte qu'il est baron Danglars maintenant, qu'il a un hôtel rue du Mont-Blanc, dix chevaux dans ses écuries, six laquais dans son antichambre, et je ne sais combien de millions dans ses caisses.

– Ah ! fit l'abbé avec un singulier accent ; et il est heureux ?

670 – Ah ! heureux, qui peut dire cela ? Le malheur ou le bonheur, c'est le secret des murailles ; les murailles ont des oreilles mais elles n'ont pas de langue : si l'on est heureux avec une grande fortune, Danglars est heureux.

– Et Fernand ?

675 – Fernand, c'est bien autre chose encore !

22. Personne qui incite, qui pousse à faire quelque chose.

– Mais comment a pu faire fortune un pauvre pêcheur catalan, sans ressources, sans éducation ? Cela me passe, je vous l'avoue.

– Et cela passe tout le monde aussi ; il faut qu'il y ait dans sa 680 vie quelque étrange secret que personne ne sait.

– Mais enfin par quels échelons visibles a-t-il monté à cette haute fortune ou à cette haute position ?

– À toutes deux, monsieur, à toutes deux ! lui a fortune et position tout ensemble.

685 – C'est un conte que vous me faites là.

– Le fait est que la chose en a bien l'air ; mais écoutez, et vous allez comprendre.

– Fernand, quelques jours avant le retour[23], était tombé à la conscription[24]. Les Bourbons le laissèrent bien tranquille aux 690 Catalans, mais Napoléon revint, une levée extraordinaire fut décrétée, et Fernand fut forcé de partir. Moi aussi, je partis ; mais comme j'étais plus vieux que Fernand, et que je venais d'épouser ma pauvre femme, je fus envoyé sur les côtes seulement.

695 Fernand, lui, fut enrégimenté dans les troupes actives, gagna la frontière avec son régiment, et assista à la bataille de Ligny[25].

La nuit qui suivit la bataille, il était de planton[26] à la porte du général qui avait des relations secrètes avec l'ennemi. Cette 700 nuit même le général devait rejoindre les Anglais[27]. Il proposa à Fernand de l'accompagner ; Fernand accepta, quitta son poste et suivit le général.

23. Retour à la royauté, Restauration.
24. Inscription des jeunes gens pour le service national.
25. La bataille de Ligny (16 juin 1815) opposa les armées prussiennes à l'armée française commandée par Napoléon.
26. Soldat de service auprès d'un officier supérieur.
27. Les Anglais font partie des forces ennemies.

Ce qui eût fait passer Fernand à un conseil de guerre si Napoléon fut resté sur le trône, lui servit de recommandation près des Bourbons. Il rentra en France avec l'épaulette de sous-lieutenant ; et comme la protection du général, qui est en haute faveur, ne l'abandonna point, il était capitaine en 1823, lors de la guerre d'Espagne, c'est-à-dire au moment même où Danglars risquait ses premières spéculations[28]. Fernand était espagnol, il fut envoyé à Madrid pour y étudier l'esprit de ses compatriotes ; il y retrouva Danglars, s'aboucha[29] avec lui, promit à son général un appui parmi les royalistes de la capitale et des provinces, reçut des promesses, prit de son côté des engagements, guida son régiment par les chemins connus de lui seul dans des gorges gardées par des royalistes, et enfin rendit dans cette courte campagne de tels services, qu'après la prise du Trocadéro[30] il fut nommé colonel et reçut la croix d'officier de la Légion d'honneur avec le titre de comte.

– Destinée ! destinée ! murmura l'abbé.

– Oui, mais écoutez, ce n'est pas le tout. La guerre d'Espagne finie, la carrière de Fernand se trouvait compromise par la longue paix qui promettait de régner en Europe. La Grèce seule était soulevée contre la Turquie, et venait de commencer la guerre de son indépendance ; tous les deux étaient tournés vers Athènes : c'était la mode de plaindre et de soutenir les Grecs. Le gouvernement français, sans les protéger ouvertement, comme vous savez, tolérait les migrations partielles. Fernand sollicita et obtint la permission d'aller servir en Grèce, en demeurant toujours porté néanmoins sur les contrôles de l'armée.

Quelque temps après on apprit que le comte de Morcerf, c'était le nom qu'il portait, était entré au service d'Ali-Pacha avec le grade de général instructeur.

28. Opérations boursières.
29. Se mit en rapport.
30. Le 31 août 1823, le fort du Trocadéro, qui défend le port de Cadix (Espagne), est pris par les soldats français.

Ali-Pacha fut tué, comme vous savez ; mais avant de mourir il récompensa les services de Fernand en lui laissant une somme considérable avec laquelle Fernand revint en France, où son grade de lieutenant général lui fut confirmé.

– De sorte qu'aujourd'hui ?… demanda l'abbé.

– De sorte qu'aujourd'hui, poursuivit Caderousse, il possède un hôtel magnifique à Paris, rue du Helder, n° 27. »

L'abbé ouvrit la bouche, demeura un instant comme un homme qui hésite, mais faisant un effort sur lui même :

« Et Mercédès, dit-il, on m'a assuré qu'elle avait disparu ?

– Disparu, dit Caderousse, oui, comme disparaît le soleil pour se lever le lendemain plus éclatant.

– A-t-elle donc fait fortune aussi ? » demanda l'abbé avec un sourire ironique.

« Mercédès est à cette heure une des plus grandes dames de Paris, dit Caderousse.

– Continuez, dit l'abbé, il me semble que j'écoute le récit d'un rêve. Mais j'ai vu moi-même des choses si extraordinaires, que celles que vous me dites m'étonnent moins.

– Mercédès fut d'abord désespérée du coup qui lui enlevait Edmond. Je vous ai dit ses instances près de M. de Villefort et son dévouement pour le père de Dantès. Au milieu de son désespoir une nouvelle douleur vint l'atteindre, ce fut le départ de Fernand, de Fernand dont elle ignorait le crime, et qu'elle regardait comme son frère.

Fernand partit, Mercédès demeura seule.

Trois mois s'écoulèrent pour elle dans les larmes : pas de nouvelles d'Edmond, pas de nouvelles de Fernand ; rien devant les yeux qu'un vieillard qui s'en allait mourant de désespoir.

Un soir, après être restée toute la journée assise, comme c'était son habitude, à l'angle des deux chemins qui se rendent de Marseille aux Catalans, elle rentra chez elle plus abattue qu'elle ne l'avait encore été ; ni son amant ni son ami ne revenaient par l'un ou l'autre de ces deux chemins, et elle n'avait de nouvelles ni de l'un ni de l'autre.

Tout à coup il lui sembla entendre un pas connu ; elle se retourna avec anxiété, la porte s'ouvrit, elle vit apparaître Fernand avec son uniforme de sous-lieutenant.

Ce n'était pas la moitié de ce qu'elle pleurait, mais c'était une portion de sa vie passée qui revenait à elle.

Mercédès saisit les mains de Fernand avec un transport que celui-ci prit pour de l'amour, et qui n'était que la joie de n'être plus seule au monde et de revoir enfin un ami après les longues heures de la tristesse solitaire. Et puis, il faut le dire, Fernand n'avait jamais été haï, il n'était pas aimé voilà tout ; un autre tenait tout le cœur de Mercédès, cet autre était absent… était disparu… était mort peut-être. À cette dernière idée, Mercédès éclatait en sanglots et se tordait les bras de douleur ; mais cette idée, qu'elle repoussait autrefois quand elle lui était suggérée par un autre, lui revenait maintenant toute seule à l'esprit ; d'ailleurs, de son côté, le vieux Dantès ne cessait de lui dire : "Notre Edmond est mort, car s'il n'était pas mort il nous reviendrait."

Le vieillard mourut, comme je vous l'ai dit : s'il eût vécu, peut-être Mercédès ne fût-elle jamais devenue la femme d'un autre ; car il eût été là pour lui reprocher son infidélité. Fernand comprit cela. Quand il connut la mort du vieillard, il revint. Cette fois il était lieutenant. Au premier voyage, il n'avait pas dit à Mercédès un mot d'amour ; au second, il lui rappela qu'il l'aimait.

Mercédès lui demanda six mois encore pour attendre et pleurer Edmond.

– Au fait, dit l'abbé avec un sourire amer, cela faisait dix-huit mois en tout. Que peut demander davantage l'amant le plus adoré ?

Puis il murmura les paroles du poète anglais : *Frailty, thy name is woman !*[31]

– Six mois après, reprit Caderousse, le mariage eut lieu à l'église des Accoules.

800 – C'était la même église où elle devait épouser Edmond, murmura le prêtre ; il n'y avait que le fiancé de changé, voilà tout.

– Mercédès se maria donc, continua Caderousse ; mais, quoique aux yeux de tous elle parût calme, elle ne manqua pas 805 moins de s'évanouir en passant devant la Réserve, où dix-huit mois auparavant avaient été célébrées ses fiançailles avec celui qu'elle eût vu qu'elle aimait encore, si elle eût osé regarder au fond de son cœur.

Fernand plus heureux, mais non pas plus tranquille, car je 810 le vis à cette époque et il craignait sans cesse le retour d'Edmond, Fernand s'occupa aussitôt de dépayser sa femme et de s'exiler lui-même : il y avait à la fois trop de dangers et de souvenirs à rester aux Catalans.

Huit jours après la noce ils partirent.

815 – Et revîtes-vous Mercédès ? demanda le prêtre.

– Oui, au moment de la guerre d'Espagne, à Perpignan, où Fernand l'avait laissée ; elle faisait alors l'éducation de son fils. »

L'abbé tressaillit.

820 « De son fils ? dit-il.

– Oui, répondit Caderousse, du petit Albert.

– Mais pour instruire ce fils, continua l'abbé, elle avait donc reçu de l'éducation elle-même ? Il me semblait avoir entendu dire à Edmond que c'était la fille d'un simple pêcheur, belle 825 mais inculte.

31. « Fragilité, ton nom est femme ! » (Shakespeare, *Hamlet*, acte I, scène 2, vers 146).

– Oh ! dit Caderousse, connaissait-il donc si mal sa propre fiancée ! Mercédès eût pu devenir reine, Monsieur, si la couronne se devait poser seulement sur les têtes les plus belles et les plus intelligentes. Sa fortune grandissait déjà, et elle grandissait avec sa fortune. Elle apprenait le dessin, elle apprenait la musique, elle apprenait tout. D'ailleurs, je crois, entre nous, qu'elle ne faisait tout cela que pour se distraire, pour oublier, et qu'elle ne mettait tant de choses dans sa tête que pour combattre ce qu'elle avait dans le cœur. Mais maintenant tout doit être dit, continua Caderousse : la fortune et les honneurs l'ont consolée sans doute. Elle est riche, elle est comtesse, et cependant... »

Caderousse s'arrêta.

« Cependant, quoi ? demanda l'abbé.

– Cependant je suis sûr qu'elle n'est pas heureuse, dit Caderousse.

– Et qui vous le fait croire ?

– Eh bien ! quand je me suis trouvé trop malheureux moi-même, j'ai pensé que mes anciens amis m'aideraient en quelque chose. Je me suis présenté chez Danglars, qui ne m'a pas même reçu. J'ai été chez Fernand, qui m'a fait remettre cent francs par son valet de chambre.

– Alors vous ne les vîtes ni l'un ni l'autre ?

– Non ; mais madame de Morcerf m'a vu, elle.

– Comment cela ?

– Lorsque je suis sorti, une bourse est tombée à mes pieds ; elle contenait vingt-cinq louis : j'ai levé vivement la tête et j'ai vu Mercédès, qui refermait la persienne.

– Et M. de Villefort ? demanda l'abbé.

– Oh ! lui n'avait pas été mon ami ; lui, je ne le connaissais pas ; lui, je n'avais rien à lui demander.

– Mais ne savez-vous point ce qu'il est devenu, et la part qu'il a prise au malheur d'Edmond ?

– Non ; je sais seulement que quelque temps après l'avoir fait arrêter il a épousé mademoiselle de Saint-Méran, et bientôt a quitté Marseille. Sans doute que le bonheur lui aura souri comme aux autres, sans doute qu'il est riche comme Danglars, considéré comme Fernand ; moi seul, vous le voyez, suis resté pauvre, misérable et oublié de Dieu.

– Vous vous trompez, mon ami, dit l'abbé : Dieu peut paraître oublier parfois quand sa justice se repose ; mais il vient toujours un moment où il se souvient, et en voici la preuve. »

À ces mots, l'abbé tira le diamant de sa poche, et le présentant à Caderousse :

« Tenez, mon ami, lui dit-il, prenez ce diamant, car il est à vous.

– Comment, à moi seul ! s'écria Caderousse ; ah ! monsieur, ne raillez-vous pas ?

– Ce diamant devait être partagé entre ses amis : Edmond n'avait qu'un seul ami, le partage devient donc inutile. Prenez ce diamant et vendez-le ; il vaut cinquante mille francs, je vous le répète, et cette somme, je l'espère, suffira pour vous tirer de la misère.

– Oh ! monsieur », dit Caderousse en avançant timidement une main et en essuyant de l'autre la sueur qui perlait sur son front ; « oh ! monsieur, ne faites pas une plaisanterie du bonheur ou du désespoir d'un homme !

– Je sais ce que c'est que le bonheur et ce que c'est que le désespoir, et je ne jouerai jamais à plaisir avec les sentiments. Prenez donc, mais en échange… »

Caderousse, qui touchait déjà le diamant, retira sa main.

L'abbé sourit.

« En échange, continua-t-il, donnez-moi cette bourse de soie rouge que M. Morrel avait laissée sur la cheminée du vieux Dantès, et qui, me l'avez-vous dit, est encore entre vos mains. »

Caderousse, de plus en plus étonné, alla vers une grande armoire de chêne, l'ouvrit et donna à l'abbé une bourse longue, de soie rouge flétrie, et autour de laquelle glissaient deux anneaux de cuivre dorés autrefois.

L'abbé la prit, et en sa place donna le diamant à Caderousse.

« Oh ! vous êtes un homme de Dieu, monsieur ! s'écria Caderousse, car en vérité personne ne savait qu'Edmond vous avait donné ce diamant et vous auriez pu le garder. »

« Bien, se dit tout bas l'abbé, tu l'eusses fait, à ce qu'il paraît, toi. »

L'abbé se leva, prit son chapeau et ses gants.

« Ah çà, dit-il, tout ce que vous m'avez dit est bien vrai, n'est-ce pas, et je puis y croire en tout point ?

– Tenez, monsieur l'abbé, dit Caderousse, voici dans le coin de ce mur un christ de bois bénit ; ouvrez sur ce bahut le livre d'évangiles de ma femme : ouvrez ce livre, et je vais vous jurer dessus, la main étendue vers le christ, je vais vous jurer sur le salut de mon âme, sur ma foi de chrétien, que je vous ai dit toutes choses comme elles s'étaient passées, et comme l'ange des hommes le dira à l'oreille de Dieu le jour du jugement dernier !

– C'est bien », dit l'abbé convaincu par cet accent que Caderousse disait la vérité, « c'est bien ; que cet argent vous profite ! Adieu, je retourne loin des hommes qui se font tant de mal les uns aux autres. »

Et l'abbé, se délivrant à grand-peine des enthousiastes élans de Caderousse, leva lui-même la barre de la porte, sortit, remonta à cheval, salua une dernière fois l'aubergiste qui se confondait en adieux bruyants, et partit, suivant la même direction qu'il avait déjà suivie pour venir.

Quand Caderousse se retourna, il vit derrière lui la Carconte, plus pâle et plus tremblante que jamais.

« Est-ce bien vrai, ce que j'ai entendu ? dit-elle.

– Quoi ? qu'il nous donnait le diamant pour nous tout seuls ? dit Caderousse, presque fou de joie.

925 – Oui.

– Rien de plus vrai, car le voilà. »

La femme le regarda un instant ; puis d'une voix sourde :

« Et s'il était faux ? » dit-elle.

Caderousse pâlit et chancela.

930 « Faux, murmura-t-il, faux... et pourquoi cet homme m'aurait-il donné un diamant faux ?

– Pour avoir ton secret sans le payer, imbécile ! »

Caderousse resta un instant étourdi sous le poids de cette supposition.

935 « Oh ! » dit-il au bout d'un instant et en prenant son chapeau qu'il posa sur le mouchoir rouge noué autour de sa tête, « nous allons bien le savoir.

– Et comment cela ?

– C'est la foire à Beaucaire ; il y a des bijoutiers de Paris : je 940 vais aller le leur montrer. Toi, garde la maison, femme ; dans deux heures je serai de retour. »

Et Caderousse s'élança hors de la maison, et prit tout courant la route opposée à celle que venait de prendre l'inconnu.

« Cinquante mille francs ! murmura la Carconte, restée seule, 945 c'est de l'argent... mais ce n'est pas une fortune. »

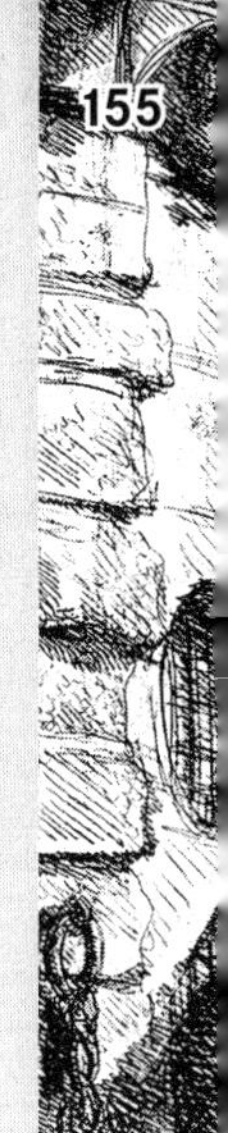

Questions

Ai-je bien lu ?

1 **a.** Chez quel personnage Dantès se rend-il après son évasion et après être rentré en possession du trésor ?
b. Sous quelle apparence ?
c. Que cherche-t-il à savoir ?

2 Quel objet lui sert d'appât pour faire parler son interlocuteur ?

3 **a.** Quels sont les faits qui lui sont confirmés concernant l'implication de Danglars et de Fernand dans son emprisonnement ?
b. A-t-il des éléments précis sur l'implication de Villefort ?

4 **a.** Par qui avait-il déjà été informé du rôle de chacun de ces personnages dans son arrestation ?
b. Caderousse est-il lui aussi impliqué ?

Repérer et analyser

Le narrateur et le point de vue

5 **a.** Pourquoi, dans tout le passage, le narrateur désigne-t-il Edmond Dantès par le terme « l'abbé » ?
b. Le lecteur sait-il qu'il s'agit d'Edmond Dantès ? Quels personnages ne le savent pas ?
c. Qu'en déduisez-vous sur le point de vue adopté par le narrateur ?

La scène

Le cadre, les personnages

6 Dans quel lieu la scène se déroule-t-elle ?

7 **a.** Qui sont les personnages présents ? Où se trouvent-ils précisément ?
b. Où « l'abbé » se place-t-il pour écouter le récit de Caderousse ? Pourquoi souhaite-t-il « demeurer dans l'ombre » ?

8 Montrez que la scène s'ouvre sur l'arrivée d'un personnage et se clôt sur deux départs.

Le dialogue

9 **a.** Quelle est la part du dialogue dans cette scène ?

b. Pouvez-vous évaluer la durée approximative de cette scène par rapport au temps que vous mettez à la lire ? Combien de pages sont consacrées à cette durée ?

c. Qu'en déduisez-vous sur le rythme narratif ? Le narrateur le ralentit-il ou l'accélère-t-il ? Justifiez le choix du narrateur.

Le parcours de Dantès

Le travestissement

Edmond Dantès, considéré comme noyé et apprenant la perte de son père et de Mercédès, n'a plus aucun lien avec son passé. Il se travestit pour accomplir sa vengeance, s'avançant tantôt sous un masque, tantôt sous un autre. Il s'est déjà fait passer pour un riche anglais, lord Wilmore, pour acheter la maison de son père disparu (voir paratexte p. 123).

10 **a.** Quelle est la prétendue nationalité de « l'abbé » ?

b. Montrez en citant des exemples que Dantès endosse parfaitement son rôle et qu'il est bon comédien (notamment l. 28-30 et l. 398-407).

11 **a.** Quel prétexte Dantès prend-il pour faire parler Caderousse ?

b. En quoi le travestissement en abbé peut-il favoriser les confidences ?

12 Comment et pourquoi Dantès joue-t-il avec le diamant ? À quels moments le sort-il ? le remet-il dans sa poche ?

Dantès face à Caderousse

13 **a.** Qu'apprend Dantès sur la façon dont son père est mort ?

b. À quels signes voit-on qu'il est troublé ? Citez le texte.

c. Réussit-il à cacher cependant ses émotions face à Caderousse?

14 **a.** En quoi Dantès est-il habile lorsqu'il évoque Mercédès (l. 190) ?

b. Quelles sont ses réactions quand Caderousse lui parle de la jeune femme ?

c. Pourquoi se sent-il obligé de préciser à un certain moment : « C'est toujours Dantès qui parle » (l. 202-203) ?

15 Quelles informations Caderousse donne-t-il à Dantès :

- sur le parcours sentimental, familial, social de Danglars, Fernand, Villefort ?
- sur Mercédès ?
- sur le comportement de Morrel et sa situation financière ?

16 **a.** Dantès juge-t-il Caderousse innocent ? Justifiez votre réponse ? Pourquoi lui donne-t-il finalement le diamant ?
b. Quel objet lui demande-t-il en échange ?

Le couple Caderousse

17 Quelle est la situation financière du couple ? Quel est l'état de santé de la femme ?
18 Montrez en citant le texte qu'au début du dialogue Caderousse est mal à l'aise lorsque « l'abbé » lui parle de Dantès.
19 Quel est l'effet de la vue du diamant sur Caderousse puis sur sa femme ?
20 **a.** À quels différents moments la femme de Caderousse intervient-elle dans le dialogue ? Pourquoi ?
b. Quelle image le narrateur donne-t-il de ce couple ? Pensez-vous qu'il soit tombé dans le piège tendu par Dantès ?

Étudier la langue

Vocabulaire : autour du mot « hôte »

Le mot « hôte » vient du latin *hospes*, *hospitis* (racine *hospital-*) qui a donné *hostel* (*hôtel*), *hostellerie* (forme ancienne de *hôtellerie*) et aussi *hôpital*.
En ancien français, le mot *hostel* pouvait désigner la maison de soins qui accueille les malades. Ce sens est conservé dans le nom de l'Hôtel-Dieu (= maison de Dieu), qui fut le premier hôpital de Paris.

21 Donnez les définitions des mots est expressions en gras , issus de la famille du mot « hôte ».
a. Je vous remercie de votre aimable **hospitalité**.
b. Le **personnel hospitalier** est très dévoué.
c. Vous êtes mon **hôte**.
d. Nous avons remercié nos **hôtes**.
e. Nous avons logé dans une **chambre d'hôte**.
f. Il habite dans un **hôtel particulier**.
g. Le **maître d'hôtel** nous a présenté le menu.
h. Il a été **hospitalisé**, maintenant il a quitté l'**hôpital**.
i. Cette côte est **inhospitalière**.

Texte 7 – Dantès sauve Morrel du suicide

« Le 5 septembre, [...] je me présenterai chez vous »

XXIX. La maison Morrel

Le lendemain du jour où Dantès a quitté Caderousse, un mystérieux lord anglais se rend chez le maire de Marseille. Il dit être envoyé par la compagnie Thomson et French de Rome qui aurait des fonds engagés chez Morrel. Le maire lui apprend que Morrel a perdu plusieurs navires et qu'il est en faillite ; il lui conseille de s'adresser à un certain M. de Boville, inspecteur des prisons, qui a « deux cent mille francs placés dans la maison Morrel ».

L'Anglais se rend chez Boville et lui propose de lui racheter sa dette, qui serait ainsi éteinte. Il lui demande ensuite l'autorisation de consulter le registre d'entrée et de sortie des prisons, au prétexte qu'il voulait savoir ce qui était arrivé à un de ses amis, l'abbé Faria. M. de Boville lui dit se souvenir de lui car sa mort a été accompagnée de la disparition et de la mort certaine d'un dangereux prisonnier, Edmond Dantès. Boville, tout à sa joie de se voir libéré de sa dette, laisse l'Anglais consulter le registre. Après être passé sur la liasse de l'abbé Faria, l'Anglais cherche Dantès. Il retrouve chaque pièce du dossier : dénonciation, interrogatoire, pétition de Morrel en sa faveur, annotation accusatrice de Villefort... L'Anglais met dans sa poche la lettre de dénonciation, sans que M. de Boville ne le voie... Il se rend ensuite chez Morrel pour l'entretenir de ses dettes. Ce dernier lui explique que son seul espoir est l'arrivée du Pharaon, *parti de Calcutta le 5 février, mais toujours pas arrivé. Au même moment, Julie, la fille de Morrel, vient annoncer que le* Pharaon *a fait naufrage mais que l'équipage a été sauvé. L'Anglais accorde alors à Morrel trois mois de délai pour payer ses dettes, la date étant fixée au 5 septembre.*

[...]

« J'ai vu, monsieur, dit l'Anglais, qu'il vous était arrivé un nouveau malheur immérité comme les autres, et cela m'a confirmé dans le désir que j'ai de vous être agréable. [...] Vous désirez un délai pour me payer ?

5 – Un délai pourrait me sauver l'honneur, et par conséquent la vie.

– Combien demandez-vous ? »

Morrel hésita.

« Deux mois, dit-il.

– Bien, dit l'étranger, je vous en donne trois.

10 – Mais croyez-vous que la maison Thomson et French...

– Soyez tranquille, monsieur, je prends tout sur moi. Nous sommes aujourd'hui le 5 juin.

– Oui.

– Eh bien, renouvelez-moi tous ces billets au 5 septembre ; et 15 le 5 septembre, à onze heures du matin (la pendule marquait onze heures juste en ce moment), je me présenterai chez vous.

– Je vous attendrai, monsieur, dit Morrel, et vous serez payé ou je serai mort. »

Ces derniers mots furent prononcés si bas, que l'étranger ne 20 put les entendre.

Les billets furent renouvelés, on déchira les anciens et le pauvre armateur se trouva au moins avoir trois mois devant lui pour réunir ses dernières ressources.

L'Anglais reçut ses remerciements avec le flegme[1] particulier 25 à sa nation et prit congé de Morrel, qui le reconduisit en le bénissant jusqu'à la porte.

Sur l'escalier, il rencontra Julie. La jeune fille faisait semblant de descendre, mais en réalité, elle l'attendait.

« Ô monsieur, dit-elle en joignant les mains.

1. Nonchalance.

30 – Mademoiselle, dit l'étranger, vous recevrez un jour une lettre signée ... Simbad le Marin[2]... faites de point en point ce que vous dira cette lettre, si étrange que vous paraisse la recommandation.

– Oui, monsieur, répondit Julie.

35 – Me promettez-vous de le faire ?

– Je vous le jure.

Bien ! Adieu, mademoiselle. Demeurez toujours une bonne et sainte fille comme vous êtes, et j'ai bon espoir que Dieu vous récompensera en vous donnant Emmanuel[3] pour mari. »

40 Julie poussa un petit cri, devint rouge comme une cerise, et se retint à la rampe pour ne pas tomber.

L'étranger continua son chemin en lui faisant un geste d'adieu.

[...]

XXX. Le 5 septembre

[...] Pendant toute la nuit du 4 au 5 septembre, madame 45 Morrel resta l'oreille collée contre la boiserie. Jusqu'à trois heures du matin, elle entendit son mari marcher avec agitation dans sa chambre.

À trois heures seulement, il se jeta sur son lit.

Les deux femmes[4] passèrent la nuit ensemble. Depuis la veille 50 au soir, elles attendaient Maximilien[5].

À huit heures, M. Morrel entra dans leur chambre. Il était calme, mais l'agitation de la nuit se lisait sur son visage pâle et défait.

2. Simbad le Marin (écrit le plus souvent Sindbad) est un personnage des contes des *Mille et Une Nuits* qui vit des aventures fantastiques à travers le monde.
3. Jeune homme de vingt-trois ans, employé chez Morrel et amoureux de sa fille Julie.
4. Madame Morrel et sa fille Julie.
5. Fils des Morrel, frère de Julie ; âgé de vingt-deux ans, il a embrassé la carrière militaire.

Les femmes n'osèrent lui demander s'il avait bien dormi.

55 Morrel fut meilleur pour sa femme, et plus paternel pour sa fille qu'il n'avait jamais été ; il ne pouvait se rassasier de regarder et d'embrasser la pauvre enfant.

Julie se rappela la recommandation d'Emmanuel[6] et voulut suivre son père lorsqu'il sortit ; mais celui-ci la repoussant avec 60 douceur :

« Reste près de ta mère », lui dit-il.

Julie voulut insister.

« Je le veux ! » dit Morrel.

C'était la première fois que Morrel disait à sa fille : Je le veux ! 65 mais il le disait avec un accent empreint d'une si paternelle douceur, que Julie n'osa faire un pas en avant.

Elle resta à la même place, debout, muette et immobile. Un instant après, la porte se rouvrit, elle sentit deux bras qui l'entouraient, et une bouche qui se collait à son front.

70 Elle leva les yeux et poussa une exclamation de joie.

« Maximilien, mon frère ! » s'écria-t-elle.

À ce cri madame Morrel accourut et se jeta dans les bras de son fils.

« Ma mère », dit le jeune homme en regardant alternativement 75 madame Morrel et sa fille ; « qu'y a-t-il donc et que se passe-t-il ? votre lettre m'a épouvanté et j'accours.

– Julie, dit madame Morrel en faisant signe au jeune homme, va dire à ton père que Maximilien vient d'arriver. »

La jeune fille s'élança hors de l'appartement, mais, sur la 80 première marche de l'escalier, elle trouva un homme tenant une lettre à la main.

« N'êtes-vous pas mademoiselle Julie Morrel ? dit cet homme avec un accent italien des plus prononcés.

6. Emmanuel a recommandé à Julie de ne pas laisser son père seul.

– Oui, monsieur, répondit Julie toute balbutiante ; mais que
85 me voulez-vous ? je ne vous connais pas.

– Lisez cette lettre », dit l'homme en lui tendant un billet.

Julie hésitait.

« Il y va du salut de votre père », dit le messager.

La jeune fille lui arracha le billet des mains.

90 Puis elle l'ouvrit vivement et lut :

Rendez-vous à l'instant même aux Allées de Meilhan, entrez dans la maison n° 15, demandez à la concierge la clef de la chambre du cinquième, entrez dans cette chambre, prenez sur le coin de la cheminée une bourse en filet de soie rouge, et
95 *apportez cette bourse à votre père.*

Il est important qu'il l'ait avant onze heures.

Vous avez promis de m'obéir aveuglément, je vous rappelle votre promesse.

SIMBAD LE MARIN

100 La jeune fille poussa un cri de joie, leva les yeux, chercha, pour l'interroger, l'homme qui lui avait remis ce billet, mais il avait disparu.

Elle reporta alors les yeux sur le billet pour le lire une seconde fois et s'aperçut qu'il avait un *post-scriptum*.

105 Elle lut :

Il est important que vous remplissiez cette mission en personne et seule ; si vous veniez accompagnée ou qu'une autre que vous se présentât, le concierge répondrait qu'il ne sait ce que l'on veut dire.

110 Ce *post-scriptum* fut une puissante correction à la joie de la jeune fille. N'avait-elle rien à craindre, n'était-ce pas quelque piège qu'on lui tendait ? Son innocence lui laissait ignorer quels étaient les dangers que pouvait courir une jeune fille de son âge, mais on n'a pas besoin de connaître le danger pour craindre ;
115 il y a même une chose à remarquer, c'est que ce sont justement

les dangers inconnus qui inspirent les plus grandes terreurs.

Julie hésitait, elle résolut de demander conseil.

Mais, par un sentiment étrange, ce ne fut ni à sa mère ni à son frère qu'elle eut recours, ce fut à Emmanuel.

Elle descendit, lui raconta ce qui lui était arrivé le jour où le mandataire[7] de la maison Thomson et French était venu chez son père ; elle lui dit la scène de l'escalier, lui répéta la promesse qu'elle avait faite et lui montra la lettre.

« Il faut y aller, mademoiselle, dit Emmanuel.

– Y aller ? murmura Julie.

– Oui, je vous y accompagnerai.

– Mais vous n'avez pas vu que je dois être seule ? dit Julie.

– Vous serez seule aussi, répondit le jeune homme, moi je vous attendrai au coin de la rue du Musée ; et si vous tardez de façon à me donner quelque inquiétude, alors j'irai vous rejoindre, et, je vous en réponds, malheur à ceux dont vous me diriez que vous auriez eu à vous plaindre !

– Ainsi, Emmanuel, reprit en hésitant la jeune fille, votre avis est donc que je me rende à cette invitation ?

– Oui ; le messager ne vous a-t-il pas dit qu'il y allait du salut de votre père ?

– Mais enfin, Emmanuel, quel danger court-il donc ? » demanda la jeune fille.

Emmanuel hésita un instant, mais le désir de décider la jeune fille d'un seul coup et sans retard l'emporta.

« Écoutez ; lui dit-il, c'est aujourd'hui le 5 septembre, n'est-ce pas ?

– Oui.

– Aujourd'hui, à onze heures, votre père a près de trois cents mille francs à payer.

– Oui, nous le savons.

7. Personne chargée d'une commission.

– Eh bien, dit Emmanuel, il n'en a pas quinze mille en caisse.

– Alors que va-t-il donc arriver ?

– Il va arriver que si aujourd'hui, avant onze heures, votre
150 père n'a pas trouvé quelqu'un qui lui vienne en aide, à midi votre père sera obligé de se déclarer en banqueroute.

– Oh ! venez ! venez ! » s'écria la jeune fille en entraînant le jeune homme avec elle.

Pendant ce temps, madame Morrel avait tout dit à son fils.
155 Le jeune homme savait bien qu'à la suite des malheurs successifs qui étaient arrivés à son père, de grandes réformes avaient été faites dans les dépenses de la maison ; mais il ignorait que les choses en fussent arrivées à ce point.

Il demeura anéanti.

160 Puis tout à coup il s'élança hors de l'appartement, monta rapidement l'escalier, car il croyait son père à son cabinet, mais il frappa vainement.

Comme il était à la porte de ce cabinet, il entendit celle de l'appartement s'ouvrir, il se retourna et vit son père. Au lieu de
165 remonter droit à son cabinet, M. Morrel était rentré dans sa chambre et en sortait seulement maintenant.

M. Morrel poussa un cri de surprise en apercevant Maximilien ; il ignorait l'arrivée du jeune homme. Il demeura immobile à la même place, serrant avec son bras gauche un objet qu'il tenait
170 caché sous sa redingote.

Maximilien descendit vivement l'escalier et se jeta au cou de son père : mais tout à coup il se recula, laissant sa main droite seulement appuyée sur la poitrine de son père.

« Mon père, dit-il en devenant pâle comme la mort, pourquoi
175 avez-vous donc une paire de pistolets sous votre redingote ?

– Oh ! voilà ce que je craignais ! dit Morrel.

– Mon père ! mon père ! au nom du ciel ! s'écria le jeune homme, pourquoi ces armes ?

– Maximilien, répondit Morrel en regardant fixement son fils, tu
180 es un homme, et un homme d'honneur ; viens, je vais te le dire. »

Et Morrel monta d'un pas assuré à son cabinet, tandis que Maximilien le suivait en chancelant.

Morrel ouvrit la porte et la referma derrière son fils ; puis il traversa l'antichambre, s'approcha du bureau, déposa ses pisto-
185 lets sur le coin de la table, et montra du bout du doigt à son fils un registre ouvert.

Sur ce registre était consigné l'état exact de la situation.

Morrel avait à payer dans une demi-heure deux cent quatre-vingt-sept mille cinq cents francs.

190 Il possédait en tout quinze mille deux cent cinquante-sept francs.

« Lis », dit Morrel.

Le jeune homme lut et resta un moment comme écrasé.

Morrel ne disait pas une parole : qu'aurait-il pu dire qui
195 ajoutât à l'inexorable arrêt des chiffres !

« Et vous avez tout fait, mon père, dit au bout d'un instant le jeune homme, pour aller au-devant de ce malheur ?

– Oui, répondit Morrel.

– Vous ne comptez sur aucune rentrée ?

200 – Sur aucune.

– Vous avez épuisé toutes vos ressources ?

– Toutes.

– Et dans une demi-heure, dit Maximilien d'une voix sombre, notre nom est déshonoré !

205 – Le sang lave le déshonneur, dit Morrel. [...] Et maintenant, dit Morrel, laisse-moi seul et tâche d'éloigner les femmes.

– Ne voulez-vous pas revoir ma sœur ? » demanda Maximilien.

Un dernier et sourd espoir était caché pour le jeune homme dans cette entrevue, voilà pourquoi il la proposait. M. Morrel
210 secoua la tête.

« Je l'ai vue ce matin, dit-il, et je lui ai dit adieu.

– N'avez-vous pas quelque recommandation particulière à me faire, mon père ? demanda Maximilien d'une vois, altérée.

– Si fait, mon fils, une recommandation sacrée.

215 – Dites, mon père.

– La maison Thomson et French est la seule qui, par humanité, par égoïsme peut-être, mais ce n'est pas à moi à lire dans le cœur des hommes, a eu pitié de moi. Son mandataire, celui qui, dans dix minutes, se présentera pour toucher le montant 220 d'une traite de deux cent quatre-vingt-sept mille cinq cents francs, je ne dirai pas m'a accordé, mais m'a offert trois mois. Que cette maison soit remboursée la première, mon fils, que cet homme te soit sacré.

– Oui, mon père, dit Maximilien.

225 – Et maintenant encore une fois adieu, dit Morrel, va, va j'ai besoin d'être seul ; tu trouveras mon testament dans le secrétaire de ma chambre à coucher. »

Le jeune homme resta debout inerte, n'ayant qu'une force de volonté, mais pas d'exécution.

230 « Écoute, Maximilien, dit son père, suppose que je sois soldat comme toi, que j'aie reçu l'ordre d'emporter une redoute[8], et que tu saches que je doive être tué en l'emportant, ne me dirais-tu pas ce que tu me disais tout à l'heure : “Allez, mon père, car vous vous déshonorez en restant, et mieux vaut la mort que la 235 honte !”

– Oui, oui, dit le jeune homme, oui. »

Et serrant convulsivement Morrel dans ses bras :

« Allez, mon père », dit-il.

Et il s'élança hors du cabinet.

[...]

8. Un fort.

240 Morrel retomba sur sa chaise ; ses yeux se portèrent vers la pendule : il lui restait sept minutes, voilà tout ; l'aiguille marchait avec une rapidité incroyable ; il lui semblait qu'il la voyait aller.

Ce qui se passa alors, et dans ce moment suprême, dans l'esprit de cet homme qui, jeune encore, à la suite d'un raison-
245 nement faux peut-être, mais spécieux du moins, allait se séparer de tout ce qu'il aimait au monde et quitter la vie, qui avait pour lui toutes les douceurs de la famille, est impossible à exprimer : il eût fallu voir, pour en prendre une idée, son front couvert de sueur, et cependant résigné, ses yeux mouillés de larmes, et
250 cependant levés au ciel.

L'aiguille marchait toujours, les pistolets étaient tout chargés ; il allongea la main, en prit un, et murmura le nom de sa fille.

Puis il posa l'arme mortelle, prit la plume et écrivit quelques mots.

255 Il lui semblait alors qu'il n'avait pas assez dit adieu à son enfant chérie.

Puis il se retourna vers la pendule ; il ne comptait plus par minute mais par seconde.

Il reprit l'arme, la bouche entr'ouverte et les yeux fixés sur
260 l'aiguille ; puis il tressaillit au bruit qu'il faisait lui-même en armant le chien.

En ce moment une sueur plus froide lui passa sur le front, une angoisse plus mortelle lui serra le cœur.

Il entendit la porte de l'escalier crier sur ses gonds.

265 Puis s'ouvrit celle de son cabinet.

La pendule allait sonner onze heures.

Morrel ne se retourna point, il attendait ces mots de Coclès[9] :

« Le mandataire de la maison Thomson et French. »

9. Caissier de la maison Morrel.

270 Et il approchait l'arme de sa bouche…

Tout à coup il entendit un cri : c'était la voix de sa fille.

Il se retourna et aperçut Julie, le pistolet lui échappa des mains.

« Mon père ! » s'écria la jeune fille hors d'haleine et presque mourante de joie, « sauvé ! vous êtes sauvé ! »

275 Et elle se jeta dans ses bras en élevant à la main une bourse rouge en filet de soie.

« Sauvé ! mon enfant ! dit Morrel ; que veux-tu dire ?

– Oui, sauvé ! voyez, voyez ! », dit la jeune fille.

Morrel prit la bourse et tressaillit, car un vague souvenir lui 280 rappela cet objet pour lui avoir appartenu.

D'un côté était la traite de deux cent quatre-vingt-sept mille cinq cents francs.

La traite était acquittée.

De l'autre était un diamant de la grosseur d'une noisette, avec 285 ces trois mots écrits sur un petit morceau de parchemin :

« Dot de Julie. »

Morrel passa sa main sur son front : il croyait rêver.

En ce moment la pendule sonna onze heures.

Le timbre vibra pour lui comme si chaque coup du marteau 290 d'acier vibrait sur son propre cœur.

« Voyons, mon enfant, dit-il, explique-toi. Où as-tu trouvé cette bourse ?

– Dans une maison des Allées de Meilhan, au n° 15, sur le coin de la cheminée d'une pauvre petite chambre au cinquième étage.

295 – Mais, s'écria Morrel, cette bourse n'est pas à toi. »

Julie tendit à son père la lettre qu'elle avait reçue le matin.

« Et tu as été seule dans cette maison ? dit Morrel après avoir lu.

– Emmanuel m'accompagnait, mon père. Il devait m'attendre au coin de la rue du Musée ; mais, chose étrange, à mon retour, 300 il n'y était plus.

– Monsieur Morrel ! s'écria une voix dans l'escalier, monsieur Morrel !

– C'est sa voix », dit Julie.

En même temps Emmanuel entra, le visage bouleversé de joie et d'émotion.

305 « Le *Pharaon* ! s'écria-t-il ; le *Pharaon* !

– Eh bien, quoi ? le *Pharaon* ! êtes-vous fou, Emmanuel ? Vous savez bien qu'il est perdu.

– Le *Pharaon* ! Monsieur, on signale le *Pharaon* ; le *Pharaon* entre dans le port. »

310 Morrel retomba sur sa chaise, les forces lui manquaient ; son intelligence se refusait à classer cette suite d'événements incroyables, inouïs, fabuleux.

Mais son fils entra à son tour.

« Mon père, s'écria Maximilien, que disiez-vous donc que le
315 *Pharaon* était perdu ? La vigie l'a signalé, et il entre dans le port.

– Mes amis, fit Morrel, si cela était, il faudrait croire à un miracle de Dieu ! Impossible ! impossible ! »

Mais ce qui était réel et non moins incroyable, c'était cette bourse qu'il tenait dans ses mains c'était cette lettre de change
320 acquittée, c'était ce magnifique diamant.

« Ah ! Monsieur, dit Coclès à son tour, qu'est-ce que cela veut dire, le *Pharaon* ?

– Allons, mes enfants, dit Morrel en se soulevant, allons voir, et que Dieu ait pitié de nous, si c'est une fausse nouvelle. »

325 Ils descendirent ; au milieu de l'escalier attendait madame Morrel : la pauvre femme n'avait pas osé monter.

En un instant ils furent à la Cannebière.

Il y avait foule sur le port.

Toute cette foule s'ouvrit devant Morrel.

330 « Le *Pharaon* ! le *Pharaon* ! » disaient toutes ces voix.

En effet, chose merveilleuse, inouïe, en face de la tour Saint-Jean, un bâtiment, portant sur sa poupe ces mots écrits en lettres blanches : le *Pharaon* (Morrel et fils de Marseille), abso-

lument de la contenance de l'autre *Pharaon*, et chargé comme
335 l'autre de cochenille et d'indigo jetait l'ancre et carguait ses voiles ; sur le pont, le capitaine Gaumard donnait ses ordres, et maître Penelon[10] faisait des signes à M. Morrel.

Il n'y avait plus à en douter : le témoignage des sens était là, et dix mille personnes venaient en aide à ce témoignage.

340 Comme Morrel et son fils s'embrassaient sur la jetée aux applaudissements de toute la ville témoin de ce prodige, un homme, dont le visage était à moitié couvert par une barbe noire, et qui, caché derrière la guérite[11] d'un factionnaire[12], contemplait cette scène avec attendrissement, murmura ces mots :

345 « Sois heureux, noble cœur ; sois béni pour tout le bien que tu as fait et que tu feras encore ; et que ma reconnaissance reste dans l'ombre comme ton bienfait. »

Et, avec un sourire où la joie et le bonheur se révélaient, il quitta l'abri où il était caché, et sans que personne fît attention
350 à lui, tant chacun était préoccupé de l'événement du jour, il descendit un de ces petits escaliers qui servent de débarcadère et héla trois fois :

« Jacopo[13] ! Jacopo ! Jacopo ! »

Alors une chaloupe vint à lui, le reçut à bord, et le conduisit
355 à un yacht richement gréé, sur le pont duquel il s'élança avec la légèreté d'un marin ; de là, il regarda encore une fois Morrel qui, pleurant de joie, distribuait de cordiales poignées de main à toute cette foule, et remerciait d'un vague regard ce bienfaiteur inconnu qu'il semblait chercher au ciel.

360 « Et maintenant, dit l'homme inconnu, adieu bonté, humanité, reconnaissance… Adieu à tous les sentiments qui

10. Le capitaine Gaumard et Penelon faisaient partie de l'équipage rescapé de l'ancien *Pharaon*.
11. Poste de garde.
12. Soldat qui monte la garde.
13. Un des contrebandiers qui avait recueilli Dantès après son évasion du château d'If et avec qui il est devenu ami.

***Le Comte de Monte Cristo* de Josée Dayan (1997), avec Jean-Claude Brialy et Christopher Thompson.**

épanouissent le cœur !... Je me suis substitué à la Providence[14] pour récompenser les bons... que le Dieu vengeur me cède sa place pour punir les méchants ! »

365 À ces mots il fit un signal, et, comme s'il n'eût attendu que ce signal pour partir, le yacht prit aussitôt la mer.

14. Dieu.

Questions

Ai-je bien lu ?

1 **a.** Qui est Morrel ? Quelle est sa situation financière ?
b. Dans quel état moral se trouve-t-il ?
c. Quel est son seul espoir de surmonter la situation ?
2 Qui sont Julie, Maximilien, Emmanuel, Coclès ?
3 De quelle façon Dantès vient-il en aide à Morrel ?
4 Quel événement comble Morrel de joie à la fin du chapitre XXX ?
5 **a.** Quel personnage contemple la scène « avec attendrissement » ?
b. Qu'advient-il de ce personnage à la fin du chapitre ?

Repérer et analyser

Le parcours de Dantès

Métamorphoses et travestissements

6 **a.** Sous quelle identité Dantès apparaît-il à Morrel ?
b. Qui se cache sous le nom de Simbad le Marin ?
c. Pourquoi Dantès reste-t-il dans l'ombre (l. 340-366) ?

Monte-Cristo comme figure de Dieu

7 **a.** Quelles actions Dantès réalise-t-il en faveur de Morrel (l. 313-320) ?.
b. Quelles sont ses motivations pour agir ainsi ?
8 **a.** « Récompenser les bons » (l. 363), « punir les méchants » (l. 364) : qui Dantès a-t-il récompensé ? Qui va-t-il punir ? Pourquoi ?
b. Montrez qu'il se sent investi d'une mission divine.

Un enchanteur des *Mille et Une Nuits*

9 **a.** Quel personnage renvoie aux contes des *Milles et Une Nuits* ?
b. Comme pour ce personnage, la mer est le domaine de Dantès. Montrez-le en citant le texte (l. 354-366).
10 Quel « prodige » (l. 341) Dantès a-t-il réalisé en l'honneur de Morrel ? Relevez le champ lexical du prodige (l. 310-337).

Le roman d'aventure

Le jeu sur le point de vue

11 **a.** Relevez les termes par lesquels le narrateur désigne Dantès.
b. Quel point de vue adopte-t-il ? Quel est l'intérêt de ce choix ?

Le traitement du temps

12 Quel jour et à quelle heure le « mandataire de la maison Thomson et French doit-il se présenter chez Morrel ?

13 Relevez les indications de jour, d'heure, de minute et de seconde (l. 44-266). Quel est le rôle de la pendule ?

14 **a.** Quelles indications temporelles (ex. : puis...) assurent l'enchaînement des actions (l. 251-271) ?
b. Quelle remarque faites-vous sur la disposition typographique des phrases ? Quel est l'effet produit par l'ensemble de ces procédés ?

La lettre dans le roman

15 **a.** Quel personnage annonce qu'une lettre va être envoyée ? À qui ? De qui est-elle signée ?
b. Quelle typographie signale l'insertion d'une lettre ?
c. Montrez que le lecteur prend connaissance de la lettre en même temps que le destinataire.

16 **a.** Quel personnage habitait à l'adresse indiquée dans la lettre ?
b. Quel personnage a encore accès à ce lieu ?

17 Quel effet le narrateur recherche-t-il en reproduisant cette lettre dans le roman, plutôt que de la résumer ?

Les péripéties et les coups de théâtre

Le coup de théâtre est un terme qui s'utilise au théâtre. Un coup de théâtre se définit comme l'irruption brutale d'un événement qui va changer le cours des choses.

18 **a.** Quelles sont les différentes péripéties qui s'enchaînent à partir de l'arrivée de Maximilien ?
b. Quels sont les deux événements qui constituent un coup de théâtre ? Quels personnages annoncent ce coup de théâtre ? Quel est l'effet produit ?

Le rôle des objets

19 « Morrel prit la bourse et tressaillit » (l. 279) : de quelle bourse s'agit-il ? À quel moment du roman a-t-il été question de cette bourse ?

20 Dantès offre un diamant à Morrel. À quel personnage a-t-il déjà offert un diamant ? Lequel selon lui en fera un bon usage ? Lequel un mauvais ?

Le thème de l'Orient

21 À quelle partie du roman la scène du retour du *Pharaon* ressuscité fait-elle écho ? En quoi le thème de l'Orient est-il réamorcé ?

Étudier la langue

Vocabulaire : les abréviations latines

22 **a.** Que signifie le mot *post-scriptum* ? Comment est-il abrégé ?
b. Que signifient les lettres suivantes : N.B. ; CV ; cf. ; etc. ?

Vocabulaire : les préfixes *post-* et *pré-*

23 **a.** Quel est le sens des préfixes *post-* et *pré-* ?
b. Qu'est-ce qu'un traitement postopératoire ? une carte prépayée ? un examen prénatal ?

Conjugaison

24 **a.** Identifiez le mode et le temps des verbes conjugués (l. 230-234).
b. Réécrivez le passage jusqu'à « tout à l'heure » en imaginant que Morrel s'adresse à plusieurs personnes (commencez par : « Écoutez… »).

S'exprimer à l'oral

Compte rendu de lecture

25 Lisez les aventures de Sindbad le Marin. Choisissez un des sept voyages et racontez-le à la classe.

Texte 8 – Monte-Cristo se rapproche des Morcef

« Mon père […] j'ai l'honneur de vous présenter M. le comte de Monte-Cristo »

XLI. La présentation

Neuf ans se sont écoulés, nous sommes en 1838. Edmond Dantès, anobli par le pape, est devenu comte de Monte-Cristo. Il prépare activement sa vengeance et gagne Paris, où vivent ses ennemis, Danglars, Morcef et Villefort. Tous trois ont fait de belles carrières : Danglars, devenu un riche banquier par d'habiles opérations souvent frauduleuses, a été fait baron par Charles X. Fernand, l'ancien pêcheur, devenu officier dans l'armée, s'est enrichi et a obtenu son titre de comte de Morcef en trahissant son protecteur, le pacha de Janina : profitant du conflit gréco-turc, il livra son château aux Turcs en échange d'argent. Villefort, profitant de la dénonciation du complot contenu dans la lettre dont Dantès était porteur, est devenu procureur du roi à Paris, en charge des affaires criminelles.

Monte-Cristo se fait introduire dans la haute société parisienne par le vicomte Albert de Morcerf, fils unique de Mercédès et Fernand. Monte-Cristo a en effet organisé l'enlèvement du jeune homme avec un bandit de ses amis, Luigi Vampa, et a fait croire à ses parents que c'est lui qui l'a arraché des griffes du brigand moyennant rançon. Ce matin-là, les Morcerf reçoivent le comte pour le remercier d'avoir sauvé leur fils… Albert fait d'abord visiter ses appartements à Monte Cristo. Un portrait attire son attention.

[...]

Ce portrait attira tout d'abord les regards du comte de Monte-Cristo, car il fit trois pas rapides dans la chambre et s'arrêta tout à coup devant lui.

C'était celui d'une jeune femme de vingt-cinq à vingt-six 5 ans, au teint brun, au regard de feu, voilé sous une paupière languissante ; elle portait le costume pittoresque des pêcheuses catalanes avec son corset rouge et noir et ses aiguilles d'or piquées dans les cheveux ; elle regardait la mer, et sa silhouette élégante se détachait sur le double azur des flots et du ciel.

10 Il faisait sombre dans la chambre, sans quoi Albert eût pu voir la pâleur livide qui s'étendit sur les joues du comte, et surprendre le frisson nerveux qui effleura ses épaules et sa poitrine.

Il se fit un instant de silence, pendant lequel Monte-Cristo 15 demeura l'œil obstinément fixé sur cette peinture.

« Vous avez là une belle maîtresse, vicomte[1], dit Monte-Cristo d'une voix parfaitement calme ; et ce costume, costume de bal sans doute, lui sied[2] vraiment à ravir.

– Ah ! monsieur, dit Albert, voilà une méprise que je ne vous 20 pardonnerais pas, si à côté de ce portrait vous en eussiez vu quelque autre. Vous ne connaissez pas ma mère, monsieur ; c'est elle que vous voyez dans ce cadre ; elle se fit peindre ainsi, il y a six ou huit ans. Ce costume est un costume de fantaisie, à ce qu'il paraît, et la ressemblance est si grande, 25 que je crois encore voir ma mère telle qu'elle était en 1830. La comtesse fit faire ce portrait pendant une absence du comte. Sans doute elle croyait lui préparer pour son retour une gracieuse surprise ; mais, chose bizarre, ce portrait déplut à mon père ; et la valeur de la peinture, qui est, comme vous le

1. Il s'agit d'Albert de Morcef.

2. Du verbe *seoir* : convenir.

30 voyez, une des belles toiles de Léopold Robert, ne put le faire passer sur l'antipathie dans laquelle il l'avait prise. Il est vrai de dire entre nous, mon cher comte, que M. de Morcerf est un des pairs les plus assidus au Luxembourg, un général renommé pour la théorie, mais un amateur d'art des plus
35 médiocres ; il n'en est pas de même de ma mère, qui peint d'une façon remarquable, et qui, estimant trop une pareille œuvre pour s'en séparer tout à fait, me l'a donnée pour que chez moi elle fût moins exposée à déplaire à M. de Morcerf, dont je vous ferai voir à son tour le portrait peint par Gros.
40 Pardonnez-moi si je vous parle ainsi ménage et famille ; mais, comme je vais avoir l'honneur de vous conduire chez le comte, je vous dis cela pour qu'il ne vous échappe pas de vanter ce portrait devant lui. Au reste, il a une funeste influence ; car il est bien rare que ma mère vienne chez moi sans le regarder,
45 et plus rare encore qu'elle le regarde sans pleurer. Le nuage qu'amena l'apparition de cette peinture dans l'hôtel est du reste le seul qui se soit élevé entre le comte et la comtesse, qui, quoique mariés depuis plus de vingt ans, sont encore unis comme au premier jour. »

50 […] Albert appela son valet de chambre, et lui ordonna d'aller prévenir M. et madame de Morcerf de l'arrivée prochaine du comte de Monte-Cristo.

[…]

« Mon père, dit le jeune homme, j'ai l'honneur de vous présenter monsieur le comte de Monte-Cristo, ce généreux
55 ami que j'ai eu le bonheur de rencontrer dans les circonstances difficiles que vous savez.

– Monsieur est le bienvenu parmi nous », dit le comte de Morcerf en saluant Monte-Cristo avec un sourire, « et il a rendu à notre maison, en lui conservant son unique héritier, un service
60 qui sollicitera éternellement notre reconnaissance. »

Et en disant ces paroles le comte de Morcerf indiquait un fauteuil à Monte-Cristo, en même temps que lui-même s'asseyait en face de la fenêtre.

Quant à Monte-Cristo, tout en prenant le fauteuil désigné par le comte de Morcerf, il s'arrangea de manière à demeurer caché dans l'ombre des grands rideaux de velours, et à lire de là sur les traits empreints de fatigue et de soucis du comte toute une histoire de secrètes douleurs écrites dans chacune de ses rides venues avec le temps.

« Madame la comtesse, dit Morcerf, était à sa toilette lorsque le vicomte l'a fait prévenir de la visite qu'elle allait avoir le bonheur de recevoir ; elle va descendre, et dans dix minutes elle sera au salon. »

[...]

Monte Cristo s'entretient un moment avec Morcef.

« Si je n'eusse craint de fatiguer monsieur le comte », dit le général, évidemment charmé des manières de Monte-Cristo, « je l'eusse emmené à la Chambre ; il y a aujourd'hui séance[3] curieuse pour quiconque ne connaît pas nos sénateurs modernes.

– Je vous serai fort reconnaissant, monsieur, si vous voulez bien me renouveler cette offre une autre fois ; mais aujourd'hui l'on m'a flatté de l'espoir d'être présenté à madame la comtesse, et j'attendrai.

– Ah ! voici ma mère ! » s'écria le vicomte.

En effet, Monte-Cristo, en se retournant vivement, vit madame de Morcerf à l'entrée du salon, au seuil de la porte opposée à celle par laquelle était entré son mari : immobile et pâle, elle laissa, lorsque Monte-Cristo se retourna de son côté, tomber son bras qui, on ne sait pourquoi, s'était appuyé

3. Le comte de Morcef est membre d'une des assemblées de la monarchie française.

sur le chambranle[4] doré ; elle était là depuis quelques secondes, et avait entendu les dernières paroles prononcées par le visiteur ultramontain[5].

Celui-ci se leva et salua profondément la comtesse, qui s'inclina à son tour, muette et cérémonieuse.

« Eh, mon Dieu ! madame, demanda le comte, qu'avez-vous donc ? serait-ce par hasard la chaleur de ce salon qui vous fait mal ?

– Souffrez-vous, ma mère ? » s'écria le vicomte en s'élançant au-devant de Mercédès.

Elle les remercia tous deux avec un sourire.

« Non, dit-elle, mais j'ai éprouvé quelque émotion en voyant pour la première fois celui sans l'intervention duquel nous serions en ce moment dans les larmes et dans le deuil. Monsieur, continua la comtesse en s'avançant avec la majesté d'une reine, je vous dois la vie de mon fils, et pour ce bienfait je vous bénis. Maintenant je vous rends grâce pour le plaisir que vous me faites en me procurant l'occasion de vous remercier comme je vous ai béni, c'est-à-dire du fond du cœur. »

Le comte s'inclina encore, mais plus profondément que la première fois ; il était plus pâle encore que Mercédès.

« Madame, dit-il, monsieur le comte et vous me récompensez trop généreusement d'une action bien simple. Sauver un homme, épargner un tourment à un père, ménager la sensibilité d'une femme, ce n'est point faire une bonne œuvre, c'est faire acte d'humanité. »

À ces mots, prononcés avec une douceur et une politesse exquises, madame de Morcerf répondit avec un accent profond :

« Il est bien heureux pour mon fils, monsieur, de vous avoir pour ami, et je remercie Dieu qui a fait les choses ainsi. »

4. Encadrement d'une porte.

5. Italien (venant de l'autre côté des Alpes).

Et Mercédès leva ses beaux yeux au ciel avec une gratitude si infinie, que le comte crut y voir trembler deux larmes.

M. de Morcerf s'approcha d'elle.

« Madame, dit-il, j'ai déjà fait mes excuses à monsieur le comte d'être obligé de le quitter, et vous les lui renouvellerez, je vous prie. La séance ouvre à deux heures, il en est trois, et je dois parler.

– Allez, monsieur, je tâcherai de faire oublier votre absence à notre hôte, dit la comtesse avec le même accent de sensibilité. Monsieur le comte, continua-t-elle en se retournant vers Monte-Cristo, nous fera-t-il l'honneur de passer le reste de la journée avec nous ?

– Merci, madame, et vous me voyez, croyez-le bien, on ne peut plus reconnaissant de votre offre, mais je suis descendu ce matin à votre porte, de ma voiture de voyage. Comment suis-je installé à Paris, je l'ignore ; où le suis-je, je le sais à peine. C'est une inquiétude légère, je le sais, mais appréciable cependant.

– Nous aurons ce plaisir une autre fois, au moins, vous nous le promettez ? » demanda la comtesse.

Monte-Cristo s'inclina sans répondre, mais le geste pouvait passer pour un assentiment.

[...]

Albert raccompagne Monte-Cristo.

Et il s'élança dans sa voiture, qui se referma derrière lui, et partit au galop, mais pas si rapidement que le comte n'aperçut le mouvement imperceptible qui fit trembler le rideau du salon où il avait laissé madame de Morcerf.

Lorsque Albert rentra chez sa mère, il trouva la comtesse au boudoir[6], plongée dans un grand fauteuil de velours : toute

6. Petit salon.

la chambre, noyée d'ombre, ne laissait apercevoir que la paillette étincelante attachée çà et là au ventre de quelque potiche ou à l'angle de quelque cadre d'or.

150 Albert ne put voir le visage de la comtesse perdu dans un nuage de gaze qu'elle avait roulée autour de ses cheveux comme une auréole de vapeur ; mais il lui sembla que sa voix était altérée[7] : il distingua aussi, parmi les parfums des roses et des héliotropes de la jardinière, la trace âpre et mordante des sels 155 de vinaigre ; sur une des coupes ciselées de la cheminée, en effet, le flacon de la comtesse, sorti de sa gaine de chagrin[8], attira l'attention inquiète du jeune homme.

« Souffrez-vous, ma mère ? s'écria-t-il en entrant, et vous seriez-vous trouvée mal pendant mon absence ?

160 – Moi ? non pas, Albert ; mais, vous comprenez, ces roses, ces tubéreuses et ces fleurs d'oranger dégagent pendant ces premières chaleurs, auxquelles on n'est pas habitué, de si violents parfums.

– Alors, ma mère, dit Morcerf en portant la main à la sonnette, 165 il faut les faire porter dans votre antichambre. Vous êtes vraiment indisposée ; déjà tantôt, quand vous êtes entrée, vous étiez fort pâle.

– J'étais pâle, dites-vous, Albert ?

– D'une pâleur qui vous sied à merveille, ma mère, mais qui 170 ne nous a pas moins effrayés pour cela, mon père et moi.

– Votre père vous en a-t-il parlé ? demanda vivement Mercédès.

– Non, madame, mais c'est à vous-même, souvenez-vous, qu'il a fait cette observation.

– Je ne me souviens pas », dit la comtesse.

175 Un valet entra : il venait au bruit de la sonnette tirée par Albert.

7. Troublée, émue.

8. Cuir.

« Portez ces fleurs dans l'antichambre ou dans le cabinet de toilette, dit le vicomte ; elles font mal à madame la comtesse. »

Le valet obéit.

180 Il y eut un assez long silence, et qui dura pendant tout le temps que se fit le déménagement.

« Qu'est-ce donc que ce nom de Monte-Cristo ? » demanda la comtesse quand le domestique fut sorti emportant le dernier vase de fleurs, « est-ce un nom de famille, un nom de terre, 185 un titre simple ?

– C'est, je crois, un titre, ma mère, et voilà tout. Le comte a acheté une île dans l'archipel toscan, et a, d'après ce qu'il a dit lui-même ce matin, fondé une commanderie[9]. Vous savez que cela se fait ainsi pour Saint-Étienne de Florence, pour 190 Saint-Georges-Constantinien de Parme, et même pour l'ordre de Malte. Au reste, il n'a aucune prétention à la noblesse et s'appelle un comte de hasard, quoique l'opinion générale de Rome soit que le comte est un très grand seigneur.

– Ses manières sont excellentes, dit la comtesse, du moins 195 d'après ce que j'ai pu en juger par les courts instants pendant lesquels il est resté ici.

– Oh ! parfaites, ma mère, si parfaites même qu'elles surpassent de beaucoup tout ce que j'ai connu de plus aristocratique dans les trois noblesses les plus fières de l'Europe, c'est-à-dire 200 dans la noblesse anglaise, dans la noblesse espagnole et dans la noblesse allemande. »

La comtesse réfléchit un instant, puis après cette courte hésitation elle reprit :

« Vous avez vu, mon cher Albert, c'est une question de mère 205 que je vous adresse là, vous le comprenez, vous avez vu M. de Monte-Cristo dans son intérieur ; vous avez de la perspicacité,

9. Établissement appartenant à un ordre militaire et religieux.

vous avez l'habitude du monde, plus de tact qu'on n'en a d'ordinaire à votre âge ; croyez-vous que le comte soit ce qu'il paraît réellement être ?

210 – Et que paraît-il ?

– Vous l'avez dit vous-même à l'instant, un grand seigneur.

– Je vous ai dit, ma mère, qu'on le tenait pour tel.

– Mais qu'en pensez-vous, vous, Albert ?

215 – Je n'ai pas, je vous l'avouerai, d'opinion bien arrêtée sur lui ; je le crois Maltais.

– Je ne vous interroge pas sur son origine ; je vous interroge sur sa personne.

– Ah ! sur sa personne, c'est autre chose ; et j'ai vu tant de 220 choses étranges de lui, que si vous voulez que je vous dise ce que je pense, je vous répondrai que je le regarderais volontiers comme un des hommes de Byron[10], que le malheur a marqué d'un sceau fatal[11] ; quelque Manfred, quelque Lara, quelque Werner[12] ; comme un de ces débris enfin de quelque vieille 225 famille qui, déshérités de leur fortune paternelle, en ont trouvé une par la force de leur génie aventureux qui les a mis au-dessus des lois de la société.

– Vous dites ?...

– Je dis que Monte-Cristo est une île au milieu de la 230 Méditerranée, sans habitants, sans garnison, repaire de contrebandiers de toutes nations, de pirates de tous pays. Qui sait si ces dignes industriels ne payent pas à leur seigneur un droit d'asile ?

– C'est possible, dit la comtesse rêveuse.

10. Célèbre écrivain romantique anglais.
11. Qui apporte la ruine, la mort.
12. Manfred, Lara et Werner sont les noms de trois grands personnages romantiques de l'œuvre de Byron.

235 – Mais qu'importe, reprit le jeune homme, contrebandier ou non, vous en conviendrez, ma mère, puisque vous l'avez vu, M. le comte de Monte-Cristo est un homme remarquable et qui aura les plus grands succès dans les salons de Paris. Et tenez, ce matin même, chez moi, il a commencé son entrée dans le monde
240 en frappant de stupéfaction jusqu'à Château-Renaud[13].

– Et quel âge peut avoir le comte ? » demanda Mercédès, attachant visiblement une grande importance à cette question.

« Il a trente-cinq à trente-six ans, ma mère.

245 – Si jeune ! c'est impossible », dit Mercédès répondant en même temps à ce que lui disait Albert et à ce que lui disait sa propre pensée.

« C'est la vérité, cependant. Trois ou quatre fois il m'a dit, et certes sans préméditation, à telle époque cinq ans, à telle
250 autre j'avais dix ans, à telle douze ; moi, que la curiosité tenait éveillé sur ces détails, je rapprochais les dates, et jamais je ne l'ai trouvé en défaut. L'âge de cet homme singulier, qui n'a pas d'âge, est donc, j'en suis sûr, de trente-cinq ans. Au surplus, rappelez-vous, ma mère, combien son œil est vif, combien ses
255 cheveux sont noirs et combien son front, quoique pâle, est exempt[14] de rides ; c'est une nature non seulement vigoureuse, mais encore jeune. »

La comtesse baissa la tête comme sous un flot trop lourd d'amères pensées.

260 « Et cet homme s'est pris d'amitié pour vous, Albert » demanda-t-elle avec un frissonnement nerveux.

« Je le crois, madame.

– Et vous… l'aimez-vous aussi ?

13. Jeune homme de la haute société parisienne, ami d'Albert.

14. Préservé d'un désagrément.

– Il me plaît, madame, quoi qu'en dise Franz d'Épinay, qui
265 voulait le faire passer à mes yeux pour un homme revenant de l'autre monde. »

La comtesse fit un mouvement de terreur.

« Albert, dit-elle d'une voix altérée, je vous ai toujours mis en garde contre les nouvelles connaissances. Maintenant vous
270 êtes homme, et vous pourriez me donner des conseils à moi-même ; cependant je vous répète : soyez prudent, Albert.

– Encore faudrait-il, chère mère, pour que le conseil me fût profitable, que je susse d'avance de quoi me méfier. Le comte ne joue jamais, le comte ne boit que de l'eau dorée par une
275 goutte de vin d'Espagne ; le comte s'est annoncé si riche que, sans se faire rire au nez, il ne pourrait m'emprunter d'argent : que voulez-vous que je craigne de la part du comte ?

– Vous avez raison, dit la comtesse, et mes terreurs sont folles, ayant pour objet surtout un homme qui vous a sauvé
280 la vie. À propos, votre père l'a-t-il bien reçu, Albert ? Il est important que nous soyons plus que convenables avec le comte. M. de Morcerf est parfois occupé, ses affaires le rendent soucieux, il se pourrait que, sans le vouloir…

– Mon père a été parfait, madame, interrompit Albert ; je
285 dirai plus : il a paru infiniment flatté de deux ou trois compliments des plus adroits que le comte lui a glissés avec autant de bonheur que d'à-propos, comme s'il l'eût connu depuis trente ans. Chacune de ces petites flèches louangeuses a dû toucher mon père, ajouta Albert en riant, de sorte qu'ils se
290 sont quittés les meilleurs amis du monde, et que M. de Morcerf voulait même l'emmener à la Chambre pour lui faire entendre son discours. »

La comtesse ne répondit pas ; elle était absorbée dans une rêverie si profonde que ses yeux s'étaient fermés peu à peu.

[…]

Questions

Ai-je bien lu ?

1 Quel est le nouveau nom d'Edmond Dantès ?
2 Quand a-t-il vu Mercédès pour la dernière fois ?
3 Qui Mercédès a-t-elle épousé ? Quel titre a-t-elle acquis ?
4 **a.** Pour quelle raison Monte-Cristo est-il amené à revoir Mercédès ?
b. Comment celle-ci réagit-elle à sa vue ? Sait-on si elle l'a reconnu ?

Repérer et analyser

Une scène romanesque

Scène de présentation

5 **a.** Dans quel lieu la scène des lignes 53-140 se déroule-t-elle ?
b. Qui sont les personnages présents ?

...et scène de retrouvailles

6 **a.** En quoi cette scène de présentation est-elle également une scène de retrouvailles ? Quel personnage le sait ?
b. Quels sont les deux personnages qui l'ignorent ?
c. Pour quel personnage y a-t-il ambiguïté ? Quel effet le narrateur cherche-t-il à produire sur le lecteur en laissant planer le doute ?

Le parcours de Dantès

Le parcours amoureux

7 **a.** À quel moment le portrait de Mercédès a-t-il été peint ?
b. Décrivez la jeune femme. Que regarde-t-elle ?
c. En quoi le portrait de Mercédès (l. 1-18) a-t-il pu toucher Dantès ? Pourquoi feint-il de prendre Mercédès pour la maîtresse d'Albert ?
d. Pourquoi selon vous le comte de Morcef n'aime-t-il pas ce portrait ?
8 **a.** Comment Monte-Cristo réagit-il lorsqu'il voit et salue Mercédès ? S'aperçoit-il du trouble de celle-ci ?
b. Comment comprend-il, selon vous, l'expression « du fond du cœur » (l. 107) ? Appuyez-vous sur sa réaction.
c. Monte-Cristo reste-t-il longtemps avec Mercédès ?

9 En quoi la scène avec Mercédès est-elle une épreuve importante dans le parcours amoureux du héros ?

L'être et le paraître

10 Comment Monte-Cristo se comporte-t-il dans la haute société parisienne ? Joue-t-il bien son rôle ?

11 Quel est l'âge réel de Monte-Cristo (l'action se déroule en 1838) ? Quels sont ses traits physiques ? Paraît-il son âge ?

12 **a.** Pourquoi le narrateur le désigne-t-il par l'expression « le visiteur ultramontain » ? Quel point de vue utilise-t-il ?

b. Montrez en citant le texte que Monte-Cristo se présente comme un personnage insaisissable, sans adresse, sans attache.

13 En quoi le comte de Monte-Cristo fascine-t-il Albert ? Quelle image le jeune homme donne-t-il de lui ? du rapport qu'il peut avoir avec l'île de Monte-Cristo ?

14 Que dit de lui son ami Franz d'Épinay (l. 264-294) ?

La comtesse de Morcef

15 Quels signes traduisent le trouble de Mercédès face à Monte-Cristo et après son départ ?

La périphrase
C'est une figure de style qui consiste à remplacer un terme par une expression de même sens qui souligne une qualité ou une caractéristique, par exemple « la ville lumière » pour désigner Paris.

16 Par quelle périphrase Mercédès désigne-t-elle le comte (l. 100-107) ? Pourquoi selon vous l'emploi de cette périphrase ?

17 **a.** Quelles différentes questions Mercédès pose-t-elle à son fils concernant Monte-Cristo ? Que cherche-t-elle à savoir ?

b. Pourquoi croit-elle difficilement que Monte-Cristo a trente-six ans ?

18 **a.** « La comtesse fit un mouvement de terreur » (l. 267). Quel propos d'Albert provoque en elle cette réaction ?

b. Quel conseil donne-t-elle à son fils ? Que peut-elle craindre pour lui ?

c. Pourquoi s'inquiète-t-elle de savoir si son mari a bien reçu le comte ?

Étudier la langue

Vocabulaire : les homonymes

Les homonymes ou homophones sont des mots qui ont la même prononciation mais diffèrent par l'orthographe et le sens.

19 « Un des hommes de Byron que le malheur a marqués d'un sceau fatal » (l. 222-223). Complétez les phrases suivantes par des homonymes de *sceau* (le mot *sceau* y figure aussi).

a. L'enfant joue sur la plage avec son ....
b. L'épreuve de .... en hauteur a lieu demain.
c. J'ai été assez .... pour le croire.
d. Je vous confie cela sous le .... du secret.

La périphrase

20 Associez chaque périphrase à ce qu'elle désigne.

le vainqueur d'Austerlitz •	• Venise
le Roi-Soleil •	• la Corse
l'oiseau de Vénus •	• Louis XIV
la cité phocéenne •	• Napoléon
l'île de beauté •	• la colombe
la cité des Doges •	• Marseille

Écrire

Écrire une lettre

21 Le soir, Mercédès écrit à Monte-Cristo une lettre qu'elle ne lui enverra sans doute pas... Imaginez cette lettre.

Consignes d'écriture :

– respectez les codes de la lettre (présence des pronoms de la 1re et de la 2e personne) ;
– imaginez ce que Mercédès peut dire à Monte-Cristo (elle pense – ou elle est sûre – qu'il n'est autre que Dantès, elle lui fait part de ses sentiments) ;
– évoquez son mariage et l'amour qu'elle porte à son fils.

Texte 9 – Bertuccio témoin du meurtre

« Je fus réveillé par un coup de pistolet »

XLIV. La vendetta

Monte-Cristo a pris à son service un corse nommé Bertuccio, qui ignore le passé de son maître mais qui a eu affaire à deux de ses ennemis, Villefort et Caderousse. En 1817, par vengeance contre Villefort coupable d'une injustice envers sa famille, Bertuccio le poignarde dans le jardin d'une maison à Auteuil, près de Paris, alors que Villefort s'apprête à enterrer vivant un nouveau-né, son fils illégitime. Bertuccio croit avoir tué Villefort et décide de recueillir et élever ce pauvre enfant.

Bertuccio raconte encore que des années plus tard, en 1829, le soir du 3 juin, poursuivi par la douane pour des activités de contrebande, Bertuccio se dissimule par hasard sous l'escalier de l'auberge des Caderousse. C'est précisément le jour où Caderousse revient à l'auberge accompagné d'un bijoutier, du nom de Joannès, qui se propose de lui acheter le diamant que le couple a reçu de l'abbé Busoni (alias Monte-Cristo). Bertuccio raconte à Monte-Cristo tout ce qu'il a vu et entendu de sa cachette ce soir-là…

[…]

« "Hé ! la Carconte[1], dit-il, ce digne homme de prêtre ne nous avait pas trompés ; le diamant était bon."

Une exclamation joyeuse se fit entendre, et presque aussitôt l'escalier craqua sous un pas alourdi par la faiblesse et la
5 maladie.

1. Femme de Caderousse.

"Qu'est-ce que tu dis ?" demanda la femme plus pâle qu'une morte.

"Je dis que le diamant était bon, que voilà monsieur, un des premiers bijoutiers de Paris, qui est prêt à nous en donner
10 cinquante mille francs." [...]

"C'est-à-dire, reprit le bijoutier, que j'en ai offert quarante mille francs.

– Quarante mille ! s'écria la Carconte ; nous ne le donnerons certainement pas pour ce prix-là. L'abbé nous a dit qu'il valait
15 cinquante mille francs, et sans la monture encore.

– Et comment se nommait cet abbé ? demanda l'infatigable questionneur.

– L'abbé Busoni, répondit la femme.

– C'était donc un étranger ?

20 – C'était un Italien des environs de Mantoue, je crois.

– Montrez-moi ce diamant, reprit le bijoutier, que je le revoie une seconde fois ; souvent on juge mal les pierres à une première vue."

Caderousse tira de sa poche un petit étui de chagrin[2] noir,
25 l'ouvrit et le passa au bijoutier. À la vue du diamant, qui était gros comme une petite noisette, je me le rappelle comme si je le voyais encore, les yeux de la Carconte étincelèrent de cupidité[3]. » [...]

La vente se fait finalement. La nuit est venue, le bijoutier prend congé du couple.

« Il prit sa canne qu'il avait posée contre un vieux bahut,
30 et sortit. Au moment où il ouvrit la porte, une telle bouffée de vent entra qu'elle faillit éteindre la lampe.

"Oh ! dit-il, il va faire un joli temps, et deux lieues de pays à faire avec ce temps-là !

2. Cuir.

3. Désir immodéré de richesses.

– Restez, dit Caderousse, vous coucherez ici.

35 – Oui, restez, dit la Carconte d'une voix tremblante, nous aurons bien soin de vous.

– Non pas, il faut que j'aille coucher à Beaucaire. Adieu."

Caderousse alla lentement jusqu'au seuil.

"Il ne fait ni ciel ni terre, dit le bijoutier déjà hors de la 40 maison. Faut-il prendre à droite ou à gauche ?

– À droite, dit Caderousse ; il n'y a pas à s'y tromper, la route est bordée d'arbres de chaque côté.

– Bon, j'y suis", dit la voix presque perdue dans le lointain.

"Ferme donc la porte, dit la Carconte, je n'aime pas les 45 portes ouvertes quand il tonne.

– Et quand il y a de l'argent dans la maison, n'est-ce pas ?" dit Caderousse en donnant un double tour à la serrure.

Il rentra, alla à l'armoire, retira le sac et le portefeuille, et tous deux se mirent à recompter pour la troisième fois leur 50 or et leurs billets. Je n'ai jamais vu expression pareille à ces deux visages dont cette maigre lampe éclairait la cupidité. La femme surtout était hideuse ; le tremblement fiévreux qui l'animait habituellement avait redoublé. Son visage de pâle était devenu livide ; ses yeux caves[4] flamboyaient.

55 "Pourquoi donc, demanda-t-elle d'une voix sourde, lui avais-tu offert de coucher ici ?

– Mais, répondit Caderousse en tressaillant, pour... pour qu'il n'eût pas la peine de retourner à Beaucaire.

– Ah !" dit la femme avec une expression impossible à rendre, 60 "je croyais que c'était pour autre chose, moi.

– Femme ! femme ! s'écria Caderousse, pourquoi as-tu de pareilles idées, et pourquoi les ayant ne les gardes-tu pas pour toi ? [...] Femme, tu offenses le bon Dieu. Tiens, écoute..."

4. Enfoncés.

En effet, on entendit un effroyable coup de tonnerre en même temps qu'un éclair bleuâtre enflammait toute la salle, et la foudre, décroissant lentement, sembla s'éloigner comme à regret de la maison maudite.

"Jésus !" dit la Carconte en se signant.

Au même instant, et au milieu de ce silence de terreur qui suit ordinairement les coups de tonnerre, on entendit frapper à la porte.

Caderousse et sa femme tressaillirent et se regardèrent épouvantés.

"Qui va là ?" s'écria Caderousse en se levant et en réunissant en un seul tas l'or et les billets épars sur la table et qu'il couvrit de ses deux mains.

"Moi ! dit une voix.

– Qui, vous ?

– Et pardieu ! Joannès le bijoutier.

– Eh bien, que disais-tu donc, reprit la Carconte avec un effroyable sourire, que j'offensais le bon Dieu !... Voilà le bon Dieu qui nous le renvoie." »

[...]

XLV. La pluie de sang

Bertuccio raconte que les Caderousse font dîner le bijoutier et lui offrent une chambre à l'étage.

« [...] Comme j'étais écrasé de fatigue, que je comptais profiter moi-même du premier répit que la tempête donnerait aux éléments, je résolus de dormir quelques heures et de m'éloigner au milieu de la nuit.

J'entendais dans la pièce au-dessus le bijoutier, qui prenait de son côté toutes ses dispositions pour passer la meilleure

nuit possible. Bientôt son lit craqua sous lui ; il venait de se
90 coucher.

Je sentais mes yeux qui se fermaient malgré moi, et comme je n'avais conçu aucun soupçon, je ne tentai point de lutter contre le sommeil [...].

J'étais au plus profond de mon sommeil, lorsque je fus réveillé
95 par un coup de pistolet, suivi d'un cri terrible. Quelques pas chancelants retentirent sur le plancher de la chambre, et une masse inerte vint s'abattre dans l'escalier, juste au-dessus de ma tête.

Je n'étais pas encore bien maître de moi. J'entendais des gémissements, puis des cris étouffés comme ceux qui accom-
100 pagnent une lutte.

Un dernier cri, plus prolongé que les autres et qui dégénéra en gémissements, vint me tirer complètement de ma léthargie[5].

Je me soulevai sur un bras, j'ouvris les yeux, qui ne virent rien dans les ténèbres, et je portai la main à mon front, sur
105 lequel il me semblait que dégouttait[6] à travers les planches de l'escalier une pluie tiède et abondante.

Le plus profond silence avait succédé à ce bruit affreux. J'entendis les pas d'un homme qui marchait au-dessus de ma tête ; ses pas firent craquer l'escalier. L'homme descendit dans la salle inférieure,
110 s'approcha de la cheminée et alluma une chandelle.

Cet homme, c'était Caderousse ; il avait le visage pâle, et sa chemise était tout ensanglantée.

La chandelle allumée, il remonta rapidement l'escalier, et j'entendis de nouveau ses pas rapides et inquiets.

115 Un instant après il redescendit. Il tenait à la main l'écrin ; il s'assura que le diamant était bien dedans, chercha un instant dans laquelle de ses poches il le mettrait ; puis, sans doute, ne considérant point sa poche comme une cachette assez sûre, il le roula dans son mouchoir rouge, qu'il tourna autour de son cou.

5. Engourdissement complet.

6. Coulait goutte à goutte.

120 Puis il courut à l'armoire, en tira ses billets et son or, mit les uns dans le gousset[7] de son pantalon, l'autre dans la poche de sa veste, prit deux ou trois chemises, et, s'élançant vers la porte, il disparut dans l'obscurité. Alors tout devint clair et lucide pour moi ; je me reprochai ce qui venait d'arriver, comme 125 si j'eusse été le vrai coupable. Il me sembla entendre des gémissements : le malheureux bijoutier pouvait n'être pas mort ; peut-être était-il en mon pouvoir, en lui portant secours, de réparer une partie du mal non pas que j'avais fait, mais que j'avais laissé faire. J'appuyai mes épaules contre une de ces 130 planches mal jointes qui séparaient l'espèce de tambour dans lequel j'étais couché de la salle inférieure ; les planches cédèrent, et je me trouvai dans la maison.

Je courus à la chandelle, et je m'élançai dans l'escalier ; un corps le barrait en travers, c'était le cadavre de la Carconte. 135 Le coup de pistolet que j'avais entendu avait été tiré sur elle : elle avait la gorge traversée de part en part, et outre sa double blessure qui coulait à flots, elle vomissait le sang par la bouche. Elle était tout à fait morte. J'enjambai par-dessus son corps, et je passai.

140 La chambre offrait l'aspect du plus affreux désordre. Deux ou trois meubles étaient renversés ; les draps, auxquels le malheureux bijoutier s'était cramponné, traînaient par la chambre : lui-même était couché à terre, la tête appuyée contre le mur, nageant dans une mare de sang qui s'échappait de 145 trois larges blessures reçues dans la poitrine.

Dans la quatrième était resté un long couteau de cuisine, dont on ne voyait que le manche.

Je marchai sur le second pistolet qui n'était point parti, la poudre était probablement mouillée.

7. Petite poche de gilet.

150 Je m'approchai du bijoutier ; il n'était pas mort effectivement : au bruit que je fis, à l'ébranlement du plancher surtout, il rouvrit des yeux hagards, parvint à les fixer un instant sur moi, remua les lèvres comme s'il voulait parler, et expira.

Cet affreux spectacle m'avait rendu presque insensé ; du 155 moment où je ne pouvais plus porter de secours à personne je n'éprouvais plus qu'un besoin, celui de fuir. Je me précipitai dans l'escalier, en enfonçant mes mains dans mes cheveux et en poussant un rugissement de terreur.

Dans la salle inférieure, il y avait cinq ou six douaniers et 160 deux ou trois gendarmes, toute une troupe armée.

On s'empara de moi ; je n'essayais même pas de faire résistance, je n'étais plus le maître de mes sens. J'essayai de parler, je poussai quelques cris inarticulés, voilà tout.

Je vis que les douaniers et les gendarmes me montraient du 165 doigt ; j'abaissai les yeux sur moi-même, j'étais tout couvert de sang. Cette pluie tiède que j'avais sentie tomber sur moi à travers les planches de l'escalier, c'était le sang de la Carconte.

Je montrai du doigt l'endroit où j'étais caché.

170 "Que veut-il dire ?" demanda un gendarme.

Un douanier alla voir.

"Il veut dire qu'il est passé par là", répondit-il.

Et il montra le trou par lequel j'avais passé effectivement.

Alors, je compris qu'on me prenait pour l'assassin. »

[...]

Bertuccio est effectivement arrêté. Sa seule chance, pense-t-il, est de retrouver l'abbé Busoni.

175 « Deux mois s'écoulèrent pendant lesquels, je dois le dire à la louange de mon juge, toutes les recherches furent faites pour retrouver celui que je lui demandais. J'avais déjà perdu tout espoir. Caderousse n'avait point été pris. J'allais être jugé à la

première session, lorsque le 8 septembre, c'est-à-dire trois mois
180 et cinq jours après l'événement, l'abbé Busoni, sur lequel je n'espérais plus, se présenta à la geôle, disant qu'il avait appris qu'un prisonnier désirait lui parler. Il avait su, disait-il, la chose à Marseille, et il s'empressait de se rendre à mon désir.

Vous comprenez avec quelle ardeur je le reçus ; je lui racontai
185 tout ce dont j'avais été témoin, j'abordai avec inquiétude l'histoire du diamant ; contre mon attente elle était vraie de point en point ; contre mon attente encore, il ajouta une foi entière à tout ce que je lui dis. [...] »

Bertuccio raconte que, par la suite, Caderousse fut arrêté ; il avoua tout et fut condamné aux galères à perpétuité.

« Et ce fut alors, dit Monte-Cristo, que vous vous présentâtes
190 chez moi porteur d'une lettre de l'abbé Busoni ?

– Oui, Excellence, il avait pris à moi un intérêt visible.

"Votre état de contrebandier vous perdra, me dit-il ; si vous sortez d'ici, quittez-le.

– Mais mon père, demandai-je, comment voulez-vous que
195 je vive et que je fasse vivre ma pauvre sœur ?

– Un de mes pénitents[8], me répondit-il, a une grande estime pour moi, et m'a chargé de lui chercher un homme de confiance. Voulez-vous être cet homme ? je vous adresserai à lui.

– Ô mon père ! m'écriai-je, que de bonté !

200 – Mais vous me jurez que je n'aurai jamais à me repentir."

J'étendis la main pour faire serment.

"C'est inutile, dit-il, je connais et j'aime les Corses, voici ma recommandation."

Et il écrivit les quelques lignes que je vous remis, et sur
205 lesquelles Votre Excellence eut la bonté de me prendre à son service.

[...]

8. Personnes qui confessent leurs péchés.

« Entrez donc, cher monsieur », Caderousse, la Carconte et le bijoutier, illustration pour *Le Comte de Monte-Cristo*, XIXe siècle, collection particulière.

Questions

Ai-je bien lu ?

1 **a.** Qui est Bertuccio ?
b. Où se cache-t-il ? Pourquoi ?

2 **a.** Que venait faire le bijoutier chez les Caderousse ?
b. Pourquoi passe-t-il la nuit chez eux et pourquoi le couple Caderousse s'en réjouit-il ?

3 **a.** De quels événements Bertuccio a-t-il été le témoin ?
b. Qui sont les victimes ? Qui est l'auteur des meurtres ?

4 **a.** Pourquoi Bertuccio est-il arrêté et emprisonné ?
b. Qui vient le voir en prison ?

5 De qui est-il devenu le serviteur ?

Repérer et analyser

La narration

Narrateur, destinataire et récit encadré

Dans un récit, le narrateur (**narrateur premier**) peut céder la parole à un personnage qui raconte une histoire à la 1re personne. Ce personnage devient alors lui-même **narrateur**, on l'appelle narrateur second. On appelle **récit encadré** le récit mené par le narrateur second.

6 **a.** Quelles marques typographiques signalent le récit encadré ?
b. Qui est le narrateur second ?
c. À quelle personne mène-t-il le récit ? À qui le raconte-t-il ?

Les événements racontés et le point de vue

7 Rappelez dans quel lieu et à quel moment de la journée se déroulent les événements racontés.

8 **a.** Montrez que la scène est vécue à travers des perceptions auditives (l. 94-132). Pour répondre, relevez le champ lexical du bruit.
b. « Il me semblait que dégouttait à travers les planches de l'escalier une pluie tiède et abondante » : le lecteur en sait-il plus ou autant que le personnage ?
c. Selon quel point de vue le récit est-il fait ? Quel est l'intérêt du choix de ce point de vue pour le lecteur ?

9 **a.** Quelle est la première victime découverte par Bertuccio ? Comment a-t-elle été tuée ?
b. Pourquoi Bertuccio est-il surpris ? Qu'avait-il imaginé ?
c. Quelle est la seconde victime ? Comment a-t-elle à son tour été tuée ?
10 Quels sont les sentiments et émotions éprouvés par Bertuccio à partir du moment où il découvre le corps du « malheureux bijoutier » jusqu'à sa fuite dans l'escalier ?

Les effets de dramatisation

Le roman noir met en scène des morts violentes et se complaît à décrire des scènes macabres (flots de sang, cadavres...).

11 À quel moment Bertuccio résout-il l'énigme de la « pluie tiède et abondante » (l. 106) qu'il a reçue sur le front ?
12 Quels sont les élément particulièrement dramatiques qui font basculer le récit vers l'horreur ? Appuyez-vous sur le champ lexical de la violence, du sang, de la mort. Quel est l'effet produit sur le lecteur ?

Les époux Caderousse

13 **a.** Quelle image le narrateur donne-t-il du couple Caderousse ? Montrez que le mari et la femme sont complices.
b. Qui est le plus pervers, Caderousse ou la Carconte ? Justifiez votre réponse.

Le parcours de Monte-Cristo

14 En quoi l'épisode du crime se rattache-t-il au parcours de Monte-Cristo et à son projet de vengeance ? Pour répondre :
– dites quel rôle indirect y a joué Monte-Cristo ;
– rappelez quelle a été la part de responsabilité de Caderousse dans le destin de Dantès ; en quoi mérite-t-il à présent lui aussi un châtiment ?
15 Quel rôle l'abbé Busoni a-t-il joué auprès de Bertuccio ?

Écrire

Écrire un dialogue

18 Bertuccio essaie d'expliquer aux gendarmes que ce n'est pas lui qui a commis le meurtre. Imaginez ses explications.

Consignes d'écriture :

– commencez par : « Mais, m'écriai-je, puisque je vous répète que ce n'est pas moi. » ;

– poursuivez par le récit de Bertuccio et la reconstitution des faits : sa cachette sous l'escalier de l'auberge pour échapper à un douanier, l'arrivée du bijoutier, la vente du diamant, la tempête, le retour du bijoutier...

– vous terminerez par une réplique des gendarmes : « Tu conteras ta petite histoire aux juges de Nîmes. En attendant, suis-nous. »

Étudier la langue

Vocabulaire : le lexique du bruit

16 Associez chaque bruit (liste 1) à sa cause (liste 2).

Liste 1 : a. crépitement. b. craquement. c. cliquetis. d. froissement. e. mugissement. f. bruissement. g. crissement. h. clapotis.

Liste 2 : 1. papier. 2. vent. 3. freins. 4. vent dans les feuilles. 5. feu. 6. océan. 7. vaguelette. 8. clés. 9. bois sec.

Grammaire : la valeur des temps

Dans un récit au passé, le passé simple est utilisé pour exprimer les actions de premier plan et l'imparfait les actions de second plan (durée, description, répétition...) ; le plus-que-parfait exprime l'antériorité (une action passée qui s'est produite avant une autre action passée).

17 **a.** Identifiez les verbes au passé simple, à l'imparfait, au plus-que-parfait de l'indicatif et indiquez les valeurs de ces temps.

b. Quelle phrase comporte un verbe au présent de vérité générale ?

– « J'entendis les pas d'un homme qui marchait au-dessus de ma tête ; ses pas firent craquer l'escalier. L'homme descendit dans la salle inférieure, s'approcha de la cheminée et alluma une chandelle. »

– « J'entendais des gémissements, puis des cris étouffés comme ceux qui accompagnent une lutte. »

– « La chambre offrait l'aspect du plus affreux désordre. »

– « Le coup de pistolet que j'avais entendu avait été tiré sur elle. »

Texte 10 – Monte-Cristo s'installe avec Haydée

« C'était la beauté grecque dans toute la perfection de son type »

XLIX. Haydée

Monte-Cristo s'est installé dans une riche demeure des Champs-Élysées en compagnie d'une mystérieuse princesse grecque, Haydée, fille du pacha de Janina Ali-Pacha, que servait autrefois Fernand. Vendue comme esclave après l'assassinat de son père par les Turcs, la jeune fille est achetée par Monte-Cristo et le suit dans ses aventures…

[…]

La jeune Grecque était, comme nous l'avons dit, dans un appartement entièrement séparé de l'appartement du comte. Cet appartement était tout entier meublé à la manière orientale ; c'est-à-dire que les parquets étaient couverts d'épais
5 tapis de Turquie, que des étoffes de brocart[1] retombaient le long des murailles, et que, dans chaque pièce, un large divan régnait tout autour de la chambre avec des piles de coussins qui se déplaçaient à la volonté de ceux qui en usaient.

Haydée avait trois femmes françaises et une femme grecque.
10 Les trois femmes françaises se tenaient dans la première pièce, prêtes à accourir au bruit d'une petite sonnette d'or et à obéir aux ordres de l'esclave romaïque[2], laquelle savait assez de français pour transmettre les volontés de sa maîtresse à ses

1. Riche tissu de soie brodé d'or et d'argent. 2. Grecque.

trois caméristes[3], auxquelles Monte-Cristo avait recommandé d'avoir pour Haydée les égards que l'on aurait pour une reine.

La jeune fille était dans la pièce la plus reculée de son appartement, c'est-à-dire dans une espèce de boudoir[4] rond, éclairé seulement par le haut, et dans lequel le jour ne pénétrait qu'à travers des carreaux de verre rose. Elle était couchée à terre sur des coussins de satin bleu brochés d'argent, à demi renversée en arrière sur le divan, encadrant sa tête avec son bras droit mollement arrondi, tandis que, du gauche, elle fixait à travers ses lèvres le tube de corail dans lequel était enchâssé le tuyau flexible d'un narguilé[5], qui ne laissait arriver la vapeur à sa bouche que parfumée par l'eau de benjoin[6], à travers laquelle sa douce aspiration la forçait de passer.

Sa pose, toute naturelle pour une femme d'Orient, eût été pour une Française d'une coquetterie peut-être un peu affectée[7].

Quant à sa toilette, c'était celle des femmes épirotes[8], c'est-à-dire un caleçon de satin blanc broché de fleurs roses, et qui laissait à découvert deux pieds d'enfant qu'on eût crus de marbre de Paros[9], si on ne les eût vus se jouer avec deux petites sandales à la pointe recourbée, brodées d'or et de perles ; une veste à longues raies bleues et blanches, à larges manches fendues pour les bras, avec des boutonnières d'argent et des boutons de perles ; enfin une espèce de corset laissant, par sa coupe ouverte en cœur, voir le cou et tout le haut de la poitrine, et se boutonnant au-dessous du sein par trois boutons de diamant. Quant au bas du corset et au haut du caleçon, ils

3. Femmes de chambre.
4. Petit salon.
5. Pipe d'Orient.
6. Substance aromatique végétale utilisée en Orient.
7. Manquant de naturel.
8. Originaires d'Épire, région de Grèce sur laquelle régnait le père d'Haydée.
9. Île de la mer Égée, célèbre pour son marbre dans l'Antiquité.

étaient perdus dans une des ceintures aux vives couleurs et aux longues franges soyeuses qui font l'ambition de nos élégantes Parisiennes.

45 La tête était coiffée d'une petite calotte[10] d'or brodée de perles, inclinée sur le côté, et au-dessous de la calotte, du côté où elle inclinait, une belle rose naturelle de couleur pourpre ressortait mêlée à des cheveux si noirs qu'ils paraissaient bleus.

50 Quant à la beauté de ce visage, c'était la beauté grecque dans toute la perfection de son type, avec ses grands yeux noirs veloutés, son nez droit, ses lèvres de corail et ses dents de perles.

Puis, sur ce charmant ensemble, la fleur de la jeunesse était 55 répandue avec tout son éclat et tout son parfum ; Haydée pouvait avoir dix-neuf ou vingt ans.

Monte-Cristo appela la suivante grecque, et fit demander à Haydée la permission d'entrer auprès d'elle.

Pour toute réponse, Haydée fit signe à la suivante de relever 60 la tapisserie qui pendait devant la porte, dont le chambranle[11] carré encadra la jeune fille couchée comme un charmant tableau. Monte-Cristo s'avança.

Haydée se souleva sur le coude qui tenait le narguilé, et tendant au comte sa main en même temps qu'elle l'accueillait 65 avec un sourire :

« Pourquoi », dit-elle dans la langue sonore des filles de Sparte et d'Athènes, « pourquoi me fais-tu demander la permission d'entrer chez moi ? N'es-tu plus mon maître, ne suis-je plus ton esclave ? »

70 Monte-Cristo sourit à son tour.

« Haydée, dit-il, vous savez...

10. Petit bonnet rond qui couvre le sommet de la tête.

11. Encadrement.

– Pourquoi ne me dis-tu pas *tu* comme d'habitude ? interrompit la jeune Grecque ; ai-je donc commis quelque faute ? En ce cas il faut me punir, mais non pas me dire *vous*.

75 – Haydée, reprit le comte, tu sais que nous sommes en France, et par conséquent que tu es libre.

– Libre de quoi faire ? demanda la jeune fille.

– Libre de me quitter.

– Te quitter !... et pourquoi te quitterais-je ?

80 – Que sais-je, moi ? Nous allons voir le monde.

– Je ne veux voir personne.

– Et si parmi les beaux jeunes gens que tu rencontreras, tu en trouvais quelqu'un qui te plût, je ne serais pas assez injuste...

85 – Je n'ai jamais vu d'hommes plus beaux que toi, et je n'ai jamais aimé que mon père et toi.

– Pauvre enfant, dit Monte-Cristo, c'est que tu n'as guère parlé qu'à ton père et à moi.

– Eh bien ! qu'ai-je besoin de parler à d'autres ? Mon père
90 m'appelait *sa joie* ; toi, tu m'appelles *ton amour*, et tous deux vous m'appelez *votre enfant*.

– Tu te rappelles ton père, Haydée ? »

La jeune fille sourit.

« Il est là et là, dit-elle en mettant la main sur ses yeux et
95 sur son cœur.

– Et moi, où suis-je ? demanda en souriant Monte-Cristo.

– Toi, dit-elle, tu es partout. »

Monte-Cristo prit la main d'Haydée pour la baiser ; mais la naïve enfant retira sa main et présenta son front.

100 « Maintenant, Haydée, lui dit-il, tu sais que tu es libre, que tu es maîtresse, que tu es reine ; tu peux garder ton costume ou le quitter à ta fantaisie ; tu resteras ici quand tu voudras rester, tu sortiras quand tu voudras sortir ; il y aura toujours

Haydée, dessin de Jules Champagne, 1846.

une voiture attelée pour toi ; Ali et Myrto t'accompagneront
105 partout et seront à tes ordres ; seulement, une seule chose, je te prie.

– Dis.

– Garde le secret sur ta naissance, ne dis pas un mot de ton passé ; ne prononce dans aucune occasion le nom de ton
110 illustre père ni celui de ta pauvre mère.

– Je te l'ai déjà dit, seigneur, je ne verrai personne.

– Écoute, Haydée ; peut-être cette réclusion tout orientale sera-t-elle impossible à Paris : continue d'apprendre la vie de nos pays du Nord comme tu as fait à Rome, à Florence, à
115 Milan et à Madrid ; cela te servira toujours, que tu continues à vivre ici ou que tu retournes en Orient. »

La jeune fille leva sur le comte ses grands yeux humides et répondit :

« Ou que nous retournions en Orient, veux-tu dire, n'est-ce
120 pas, mon seigneur ?

– Oui, ma fille, dit Monte-Cristo ; tu sais bien que ce n'est jamais moi qui te quitterai. Ce n'est point l'arbre qui quitte la fleur, c'est la fleur qui quitte l'arbre.

– Je ne te quitterai jamais, seigneur, dit Haydée, car je suis
125 sûre que je ne pourrais pas vivre sans toi. »

[...]

Questions

Ai-je bien lu ?

1 **a.** De qui Haydée est-elle la fille ?
b. Quel est son pays d'origine ?
2 **a.** Que fait-elle chez Monte-Cristo ?
b. Quels sentiments éprouve-t-elle pour lui ?

Repérer et analyser

Le portrait d'Haydée

L'aspect général et le point de vue

3 Dans quelle pose Haydée est-elle décrite ?
4 Le portrait est-il fait du point de vue du narrateur omniscient ou du point de vue d'un personnage ?

L'organisation du portrait et la caractérisation

5 **a.** Comment le portrait est-il organisé ? Pour répondre, faites la liste des éléments successivement décrits.
b. Montrez que le narrateur conclut sur l'âge d'Haydée.
6 **a.** Quelle part est accordée aux vêtements dans ce portrait ?
b. Quelles sont les différentes matières qui les constituent ? Quelle est la caractéristique commune à ces matières ?
7 Relevez la comparaison et les métaphores qui caractérisent les pieds (l. 33-34), les lèvres (l. 52), les dents (l. 52-53). Quelle image le narrateur donne-t-il de la jeune fille ?

Une description picturale

8 En quoi le portrait d'Haydée s'apparente-t-il à un tableau ? Pour répondre :
- relevez une comparaison significative ;
- relevez les notations de forme, de lumière et de couleur. S'agit-il de couleurs vives ou ternes ? Quels sont les effets de contraste ?

Le thème de l'Orient : l'orientalisme

On entend par orientalisme un certain goût pour l'Orient qui s'est développé au XIXe siècle à la suite de la campagne d'Égypte, des luttes pour l'indépendance de la Grèce, de la conquête de l'Algérie. Le mot *Orient* évoque la richesse, le luxe, les splendeurs de la civilisation, le mystère...

9 **a.** Relevez les éléments qui se réfèrent à l'orientalisme.
b. Quelle idée le narrateur a-t-il de l'Orient ?

Le parcours du héros

L'arrivée d'Haydée

10 **a.** Comment Haydée s'est-elle retrouvée chez Monte-Cristo ?
b. Monte-Cristo la considère-t-il comme une femme libre ou une esclave ?
11 Montrez que les relations entre Haydée et Monte-Cristo sont ambiguës :
– quels rôles Monte-Cristo joue-t-il auprès de la jeune fille ?
– comment Haydée considère-t-elle Monte-Cristo ?
12 Quel rôle Haydée pourrait-elle jouer dans le parcours amoureux de Monte-Cristo ? Pourrait-elle selon vous lui faire oublier Mercédès ?

Le projet de vengeance

13 **a.** Qui est le père d'Haydée ?
b. Lequel des trois personnages (Danglars, Villefort, Morcef) a-t-il été en relation avec lui ?
14 **a.** Quel secret Monte-Cristo demande-t-il à la jeune fille de garder ?
b. Quelle question le lecteur est-il en mesure de se poser concernant le projet de vengeance de Monte-Cristo ?

Étudier la langue

Vocabulaire : les métaphores du portrait

15 Retrouvez les métaphores couramment employées pour désigner :
a. une peau très douce → une peau de p..............
b. un cœur très dur → un cœur de p..............
c. une taille très fine → une taille de g..............
d. un cou très gros → un cou de t..............
e. un œil très perçant → un œil de l..............

Vocabulaire : les antonymes

16 Associez à chaque expression l'adjectif antonyme (contraire).

un visage émacié •	• clairsemés
un regard éteint •	• joufflu
des cheveux fournis •	• vif
une tenue débraillée •	• blême
un teint mat •	• lisse
un visage ridé •	• élégante

Écrire

Faire un portrait mélioratif

17 Décrivez une personne qui vous a ébloui par sa beauté ou par le rayonnement qui se dégage d'elle (acteur/actrice, chanteur/chanteuse ou toute autre personne que vous avez pu voir sur écran ou rencontrer dans la vie).

Consignes d'écriture :

– précisez les circonstances ou le cadre de cette rencontre (devant votre écran de télévision, sur un magazine, au collège, en vacances....) ;
– faites de cette personne un portrait organisé (par ex. : allure générale, visage, attitude...). Choisissez quelques éléments précis ;
– concluez par les sentiments qu'elle vous a inspirés ou vous inspire ;
– veillez à utiliser une ou deux comparaisons, du vocabulaire mélioratif, et n'abusez pas des verbes *être* et *avoir* (*il/elle est/a*) ;

Voici quelques mots que vous pouvez utiliser :
– la silhouette, l'allure : mince, élancée, souple, robuste ;
– les yeux : clairs, noirs, bruns, marrons, noisette, verts, bleus, pers (entre vert et bleu), en amande, pétillants, perçants, brillants, rieurs...
– le regard : vif, malicieux, pétillant, doux...
– le teint : clair, mat, hâlé, bronzé, de pêche...
– le nez : droit, fin, petit, retroussé, en trompette...
– les lèvres : fines, pulpeuses...
– la chevelure/les cheveux : blonds, blondis par le soleil, châtains, bruns, bouclés, frisés, ondulés, lisses, raides, soyeux, brillants...
– la tenue : élégante, simple, soignée, classique, discrète, à la mode.

Texte 11 – Le dîner dans la maison d'Auteuil

« Enfin on arriva dans la fameuse chambre »

LXIII. Le dîner

Monte-Cristo a acheté la maison d'Auteuil, inhabitée depuis dix ans, et dans laquelle des années auparavant Mme Danglars, alors maîtresse de Villefort, a accouché d'un fils illégitime. Villefort avait prétendu que l'enfant était mort-né et avait voulu l'enterrer vivant, mais Bertuccio l'avait sauvé par hasard, ainsi qu'il l'a raconté à Monte-Cristo (voir texte 9 p. 189).

Monte-Cristo, en quelques jours, a fait de cette maison inhabitée et lugubre un domaine luxueux. Il organise une somptueuse soirée et invite ses nouvelles connaissances parisiennes, notamment les Villefort, les Danglars, Debray, nouvel amant de Mme Danglars, et Maximilien Morrel, fils de son ancien patron. Le jeune homme est amoureux de Valentine, la fille de Villefort, qui l'aime en retour mais est promise à un autre. Le comte propose à ses invités de visiter la maison, il leur parle d'une mystérieuse chambre qui lui a paru particulièrement sinistre et qu'il a laissée en l'état. Cette chambre est celle dans laquelle Mme Danglars a secrètement accouché…

[…] Puis enfin on arriva dans la fameuse chambre.

Elle n'avait rien de particulier, si ce n'est que, quoique le jour tombât, elle n'était point éclairée et qu'elle était dans la vétusté[1], quand toutes les autres chambres avaient revêtu une parure neuve.

1. État de ce qui est abîmé par le temps.

5 Ces deux causes suffisaient, en effet, pour lui donner une teinte lugubre.

« Hou ! s'écria madame de Villefort, c'est effrayant, en effet. »

Madame Danglars essaya de balbutier quelques mots qu'on n'entendit pas.

10 Plusieurs observations se croisèrent, dont le résultat fut qu'en effet la chambre de damas[2] rouge avait un aspect sinistre.

« N'est-ce pas ? dit Monte-Cristo. Voyez donc comme ce lit est bizarrement placé, quelle sombre et sanglante tenture ! 15 et ces deux portraits au pastel, que l'humidité a fait pâlir, ne semblent-ils pas dire, avec leurs lèvres blêmes et leurs yeux effarés : "J'ai vu !" »

Villefort devint livide, madame Danglars tomba sur une chaise longue placée près de la cheminée.

20 « Oh ! dit madame de Villefort en souriant, avez-vous bien le courage de vous asseoir sur cette chaise où peut-être le crime a été commis ! »

Madame Danglars se leva vivement.

« Et puis, dit Monte-Cristo, ce n'est pas tout.

25 – Qu'y a-t-il donc encore ? » demanda Debray, à qui l'émotion de madame Danglars n'échappait point.

« Ah ! oui, qu'y a-t-il encore ? demanda Danglars, car jusqu'à présent j'avoue que je n'y vois pas grand-chose ; et vous, monsieur Cavalcanti[3] ?

30 – Ah ! dit celui-ci, nous avons à Pise la tour d'Ugolin, à Ferrare la prison du Tasse, et à Rimini la chambre de Francesca et de Paolo.

2. Étoffe de soie avec des motifs tissés.

3. Les Cavalcanti (père et fils) sont des personnages auxquels Monte-Cristo a donné de l'argent pour qu'ils paraissent issus de la noblesse italienne et pour qu'ils jouent le rôle de père et de fils, le « père » étant censé avoir retrouvé son « fils » enlevé par des bohémiens.

– Oui ; mais vous n'avez pas ce petit escalier », dit Monte-Cristo en ouvrant une porte perdue dans la tenture ; « regardez-le-moi, et dites ce que vous en pensez.

– Quelle sinistre cambrure[4] d'escalier ! dit Château-Renaud[5] en riant.

– Le fait est, dit Debray, que je ne sais si c'est le vin de Chio qui porte à la mélancolie, mais certainement je vois cette maison tout en noir. »

Quant à Morrel, depuis qu'il avait été question de la dot de Valentine, il était demeuré triste et n'avait pas prononcé un mot.

« Vous figurez-vous, dit Monte-Cristo, un Othello[6] ou un abbé de Ganges[7] quelconque, descendant pas à pas, par une nuit sombre et orageuse, cet escalier avec quelque lugubre fardeau qu'il a hâte de dérober à la vue des hommes, sinon au regard de Dieu ! »

Madame Danglars s'évanouit à moitié au bras de Villefort, qui fut lui-même obligé de s'adosser à la muraille.

« Ah ! mon Dieu ! madame, s'écria Debray, qu'avez-vous donc ? comme vous pâlissez !

– Ce qu'elle a ? dit madame de Villefort, c'est bien simple ; elle a que M. de Monte-Cristo nous raconte des histoires épouvantables, dans l'intention sans doute de nous faire mourir de peur.

– Mais oui, dit Villefort. En effet, comte, vous épouvantez ces dames.

– Qu'avez-vous donc ? répéta tout bas Debray à madame Danglars.

– Rien, rien, dit celle-ci en faisant un effort ; j'ai besoin d'air, voilà tout.

4. Courbure.
5. Aristocrate ami d'Albert de Morcef.
6. Héros d'une pièce de Shakespeare, coupable d'un crime par jalousie.
7. Aristocrate qui assassina, à l'aide de ses deux frères, sa belle-sœur, riche héritière.

– Voulez-vous descendre au jardin ? » demanda Debray, en offrant son bras à madame Danglars et en s'avançant vers l'escalier dérobé[8].

65 « Non, dit-elle, non ; j'aime encore mieux rester ici.

– En vérité, madame, dit Monte-Cristo, est-ce que cette terreur est sérieuse ?

– Non, monsieur, dit madame Danglars ; mais vous avez une façon de supposer les choses qui donne à l'illusion l'aspect 70 de la réalité.

– Oh ! mon Dieu, oui, dit Monte-Cristo en souriant, et tout cela est une affaire d'imagination ; car aussi bien, pourquoi ne pas plutôt se représenter cette chambre comme une bonne et honnête chambre de mère de famille ? ce lit avec ses tentures 75 couleur de pourpre, comme un lit visité par la déesse Lucine[9] et cet escalier mystérieux comme le passage par où, doucement et pour ne pas troubler le sommeil réparateur de l'accouchée, passe le médecin ou la nourrice, ou le père lui-même emportant l'enfant qui dort ?... »

80 Cette fois madame Danglars, au lieu de se rassurer à cette douce peinture, poussa un gémissement et s'évanouit tout à fait.

« Madame Danglars se trouve mal, balbutia Villefort ; peut-être faudrait-il la transporter à sa voiture.

– Oh ! mon Dieu ! dit Monte-Cristo, et moi qui ai oublié 85 mon flacon !

– J'ai le mien », dit madame de Villefort.

Et elle passa à Monte-Cristo un flacon plein d'une liqueur rouge pareille à celle dont le comte avait essayé sur Édouard[10] la bienfaisante influence.

8. Qui permet de sortir d'une maison ou d'y entrer sans être vu.
9. Déesse latine des accouchements.
10. Âgé de huit ans, c'est le fils de Villefort et de sa deuxième épouse. Monte-Cristo a transmis à Mme de Villefort les recettes de potions et poisons héritées de Faria. Il a sauvé Édouard d'un malaise suite à un accident de calèche.

90 « Ah !... » dit Monte-Cristo en le prenant des mains de madame de Villefort.

« Oui, murmura celle-ci, sur vos indications, j'ai essayé.

– Et vous avez réussi ?

– Je le crois. »

95 On avait transporté madame Danglars dans la chambre à côté. Monte-Cristo laissa tomber sur ses lèvres une goutte de la liqueur rouge, elle revint à elle.

« Oh ! dit-elle, quel rêve affreux ! »

Villefort lui serra fortement le poignet pour lui faire 100 comprendre qu'elle n'avait pas rêvé.

On chercha M. Danglars ; mais, peu disposé aux impressions poétiques, il était descendu au jardin, et causait, avec M. Cavalcanti père, d'un projet de chemin de fer de Livourne à Florence.

105 Monte-Cristo semblait désespéré ; il prit le bras de madame Danglars et la conduisit au jardin, où l'on retrouva M. Danglars prenant le café entre MM. Cavalcanti père et fils.

« En vérité, madame, lui dit-il, est-ce que je vous ai fort effrayée ?

110 – Non, monsieur, mais, vous savez, les choses nous impressionnent selon la disposition d'esprit où nous nous trouvons. »

Villefort s'efforça de rire.

« Et alors vous comprenez, dit-il, il suffit d'une supposition, d'une chimère...

115 – Eh bien ! dit Monte-Cristo, vous m'en croirez si vous voulez, j'ai la conviction qu'un crime a été commis dans cette maison.

– Prenez garde, dit madame de Villefort, nous avons ici le procureur du roi[11].

11. Il s'agit de Villefort.

– Ma foi, répondit Monte-Cristo, puisque cela se rencontre ainsi, j'en profiterai pour faire ma déclaration.

– Votre déclaration ? dit Villefort.

– Oui, et en face de témoins.

– Tout cela est fort intéressant, dit Debray ; et s'il y a réellement crime, nous allons faire admirablement la digestion.

– Il y a crime, dit Monte-Cristo. Venez par ici, messieurs ; venez, monsieur de Villefort ; pour que la déclaration soit valable, elle doit être faite aux autorités compétentes. »

Monte-Cristo prit le bras de Villefort, et en même temps qu'il serrait sous le sien celui de madame Danglars, il traîna le procureur du roi jusque sous le platane, où l'ombre était la plus épaisse.

Tous les autres convives suivaient.

« Tenez, dit Monte-Cristo, ici, à cette place même (et il frappait la terre du pied), ici, pour rajeunir ces arbres déjà vieux, j'ai fait creuser et mettre du terreau ; eh bien, mes travailleurs, en creusant, ont déterré un coffre ou plutôt des ferrures de coffre, au milieu desquelles était le squelette d'un enfant nouveau-né. Ce n'est pas de la fantasmagorie[12] cela, j'espère ? »

Monte-Cristo sentit se raidir le bras de madame Danglars et frissonner le poignet de Villefort.

« Un enfant nouveau-né ? répéta Debray ; diable ! ceci devient sérieux, ce me semble.

– Eh bien ! dit Château-Renaud, je ne me trompais donc pas quand je prétendais tout à l'heure que les maisons avaient une âme et un visage comme les hommes, et qu'elles portaient sur leur physionomie un reflet de leurs entrailles. La maison était triste parce qu'elle avait des remords ; elle avait des remords parce qu'elle cachait un crime.

12. Illusion.

150 – Oh ! qui dit que c'est un crime ? reprit Villefort, tentant un dernier effort.

– Comment ! un enfant enterré vivant dans un jardin, ce n'est pas un crime ? s'écria Monte-Cristo. Comment appelez-vous donc cette action-là, monsieur le procureur du roi ?

155 – Mais qui dit qu'il a été enterré vivant ?

– Pourquoi l'enterrer là, s'il était mort ? Ce jardin n'a jamais été un cimetière.

– Que fait-on aux infanticides[13] dans ce pays-ci ? demanda naïvement le major Cavalcanti.

160 – Oh ! mon Dieu ! on leur coupe tout bonnement le cou, répondit Danglars.

– Ah ! on leur coupe le cou, fit Cavalcanti.

– Je le crois… N'est-ce pas, monsieur de Villefort ? demanda Monte-Cristo.

165 – Oui, monsieur le comte », répondit celui-ci avec un accent qui n'avait plus rien d'humain.

Monte-Cristo vit que c'était tout ce que pouvaient supporter les deux personnes pour lesquelles il avait préparé cette scène ; et ne voulant pas la pousser trop loin :

170 « Mais le café, messieurs, dit-il, il me semble que nous l'oublions. »

[…]

13. Personnes coupables d'assassiner des enfants.

Questions

Ai-je bien lu ?

1 Dans quel lieu l'épisode se déroule-t-il ?

2 **a.** Qui sont les principaux personnages présents ? Dans quelles circonstances sont-ils réunis ?

b. Parmi eux, quels sont les deux ennemis de Monte-Cristo ?

c. Avec qui madame Danglars a-t-elle eu une liaison secrète dans le passé ? Avec qui en a-t-elle une à présent ?

3 Où Monte-Cristo conduit-il ses convives ? Dans quelle intention ?

Repérer et analyser

Le cadre

4 Délimitez les deux scènes qui se succèdent dans cet extrait : dans quels lieux se déroulent-elles respectivement ?

5 Qu'à de particulier la chambre de damas rouge ?

6 **a.** Relevez les mots et expressions caractérisant cette chambre dans les passages narratifs et dans les paroles des personnages. Quelle atmosphère s'en dégage ?

b. Quel effet produit-elle sur les convives ?

La mise en marche de la vengeance de Monte-Cristo

7 Pourquoi Monte-Cristo n'a-t-il pas restauré la chambre ?

8 Montrez que Monte-Cristo joue avec ses victimes.

– À qui s'adresse-t-il apparemment au cours de cette soirée ? À qui ses paroles sont-elles vraiment destinées ?

– Quelle hypothèse formule-t-il sur ce qui s'est passé dans la maison ? Que déclare-t-il avoir trouvé dans le jardin ? Est-ce vrai ?

– Quelles paroles sont propres à toucher une mère et un juge (l. 71-79 et 152-164) ?

Madame Danglars et Villefort

9 Quelles sont les réactions de Villefort et de Mme Danglars au cours de la soirée ? Faites un relevé précis.

10 Quel personnage est troublé par le comportement de Mme Danglars ? Pour quelle raison y est-il plus attentif que les autres invités ?

11 Mme Danglars et Villefort peuvent-ils penser que Monte-Cristo a découvert leur secret ?

Étudier la langue

Grammaire : les pronoms

12 Identifiez la classe des pronoms en gras (personnel, possessif, démonstratif) et dites qui ils désignent ou quel mot (ou quelle proposition) ils remplacent.

« Oh ! mon Dieu ! dit Monte-Cristo, et **moi** qui ai oublié mon flacon !

– J'ai **le mien** », dit madame de Villefort.

Et **elle** passa à Monte-Cristo un flacon plein d'une liqueur rouge pareille à **celle** dont le comte avait essayé sur Édouard la bienfaisante influence.

« Ah !... dit Monte-Cristo en **le** prenant des mains de madame de Villefort.

– Oui, murmura **celle-ci**, sur vos indications, **j**'ai essayé.

– Et **vous** avez réussi ?

– Je **le** crois. »

Écrire et mettre en scène

13 Mettez-vous par groupe et transposez cette scène de roman en scène de théâtre.

Consignes d'écriture et de mise en scène :

– recherchez le texte de Dumas sur Internet (Wikisource) puis recopiez-le sur un fichier Word ;

– disposez le texte en respectant les codes du genre théâtral : noms des personnages suivis des répliques, présence de didascalies (indications de mise en scène, gestes...) à partir des passages narratifs.

Texte 12 – La mort de Caderousse

« Rien ne peut te sauver, Caderousse »

LXXXII. L'effraction

Monte-Cristo, déguisé en l'abbé Busoni et en lord Wilmore, un riche anglais, a fait s'évader du bagne Caderousse, condamné pour les meurtres de sa femme et du bijoutier (voir texte 9 p. 189), ainsi que son compagnon de cellule Benedetto, le fils illégitime de Villefort et de Mme Danglars. Benedetto, recueilli par Bertuccio (voir chapeau du texte 9 p. 189) et devenu un dangereux criminel, se fait passer pour le riche Andrea Cavalcanti, par les soins de Monte-Cristo qui pousse Danglars à lui donner sa fille en mariage. Caderousse, voyant que son compagnon de bagne est si haut placé, l'oblige à lui donner régulièrement de quoi subsister.

Monte-Cristo tend un piège à Caderousse : il fait en sorte qu'il cambriole sa demeure parisienne avec la complicité de Benedetto. Au cours du cambriolage, Caderousse est découvert par l'abbé Busoni, alias Monte-Cristo…

[…] Monte-Cristo tira d'une armoire une bougie tout allumée, et au moment où le voleur était le plus occupé à sa serrure, il ouvrit doucement la porte, ayant soin que la lumière qu'il tenait à la main donnât tout entière sur son visage.

5 La porte tourna si doucement que le voleur n'entendit pas le bruit. Mais, à son grand étonnement, il vit tout à coup la chambre s'éclairer.

Il se retourna.

« Eh ! bonsoir, cher monsieur Caderousse, dit Monte-Cristo ;
10 que diable venez-vous donc faire ici à une pareille heure ?

– L'abbé Busoni ! » s'écria Caderousse.

Et ne sachant comment cette étrange apparition était venue jusqu'à lui, puisqu'il avait fermé les portes, il laissa tomber son trousseau de fausses clefs, et resta immobile et comme
15 frappé de stupeur.

Le comte alla se placer entre Caderousse et la fenêtre, coupant ainsi au voleur terrifié son seul moyen de retraite.

« L'abbé Busoni ! » répéta Caderousse en fixant sur le comte des yeux hagards.

20 « Eh bien ! sans doute, l'abbé Busoni, reprit Monte-Cristo, lui-même en personne, et je suis bien aise que vous me reconnaissiez, mon cher monsieur Caderousse ; cela prouve que nous avons bonne mémoire, car, si je ne me trompe, voilà tantôt dix ans que nous ne nous sommes vus. »

25 Ce calme, cette ironie, cette puissance, frappèrent l'esprit de Caderousse d'une terreur vertigineuse.

« L'abbé, l'abbé ! » murmura-t-il en crispant ses poings et en faisant claquer ses dents.

« Nous voulons donc voler le comte de Monte-Cristo ?
30 continua le prétendu abbé.

– Monsieur l'abbé », murmura Caderousse cherchant à gagner la fenêtre que lui interceptait impitoyablement le comte, « monsieur l'abbé, je ne sais... je vous prie de croire... je vous jure...

35 – Un carreau coupé, continua le comte, une lanterne sourde, un trousseau de rossignols[1], un secrétaire[2] à demi forcé, c'est clair cependant. »

1. Instrument pour crocheter les portes.

2. Meuble à tiroir, destiné à ranger des papiers.

Caderousse s'étranglait avec sa cravate, il cherchait un angle où se cacher, un trou par où disparaître.

40 « Allons, dit le comte, je vois que vous êtes toujours le même, monsieur l'assassin.

– Monsieur l'abbé, puisque vous savez tout, vous savez que ce n'est pas moi, que c'est la Carconte ; ç'a été reconnu au procès, puisqu'ils ne m'ont condamné qu'aux galères.

45 – Vous avez donc fini votre temps, que je vous retrouve en train de vous y faire ramener ?

– Non, monsieur l'abbé, j'ai été délivré par quelqu'un. […] Un Anglais.

– Comment s'appelait-il ?

50 – Lord Wilmore.

– Je le connais ; je saurai donc si vous mentez.

– Monsieur l'abbé, je dis la vérité pure.

– Cet Anglais vous protégeait donc ?

– Non pas moi, mais un jeune Corse qui était mon compa-
55 gnon de chaîne.

– Comment se nommait ce jeune Corse ?

– Benedetto.

– C'est un nom de baptême.

– Il n'en avait pas d'autre, c'était un enfant trouvé.

60 – Alors ce jeune homme s'est évadé avec vous ?

– Oui. […]

– Et qu'est devenu ce Benedetto ?

– Je n'en sais rien. […]

– Vous mentez ! » dit l'abbé Busoni, avec un accent d'irré-
65 sistible autorité.

« Monsieur l'abbé !…

– Vous mentez ! cet homme est encore votre ami, et vous vous servez de lui comme d'un complice peut-être ?

– Oh ! monsieur l'abbé !…

70 – Depuis que vous avez quitté Toulon, comment avez-vous vécu ? Répondez.

– Comme j'ai pu.

– Vous mentez ! » reprit une troisième fois l'abbé avec un accent plus impératif encore.

75 Caderousse, terrifié, regarda le comte.

« Vous avez vécu, reprit celui-ci, de l'argent qu'il vous a donné.

– Eh bien ! c'est vrai, dit Caderousse ; Benedetto est devenu un fils de grand seigneur. [...] Il s'appelle Andrea Cavalcanti.

80 – Alors c'est ce jeune homme que mon ami le comte de Monte-Cristo reçoit chez lui, et qui va épouser mademoiselle Danglars ?

– Justement.

– Et vous souffrez cela, misérable ! vous qui connaissez sa 85 vie et sa flétrissure[3] ?

– Pourquoi voulez-vous que j'empêche un camarade de réussir ? dit Caderousse.

– C'est juste, ce n'est pas à vous de prévenir M. Danglars, c'est à moi.

90 – Ne faites pas cela, monsieur l'abbé !...

– Et pourquoi ?

– Parce que c'est notre pain que vous nous feriez perdre.

– Et vous croyez que, pour conserver le pain à des misérables comme vous, je me ferai le fauteur[4] de leur ruse, le complice 95 de leurs crimes ?

– Monsieur l'abbé ! dit Caderousse en se rapprochant encore.

– Je dirai tout.

– À qui ?

3. Bassesse.

4. Personne qui favorise.

100 – À M. Danglars.

– Tron-de-l'air[5] ! » s'écria Caderousse en tirant un couteau tout ouvert de son gilet, et en frappant le comte au milieu de la poitrine, « tu ne diras rien, l'abbé ! »

Au grand étonnement de Caderousse, le poignard, au lieu 105 de pénétrer dans la poitrine du comte, rebroussa émoussé[6].

En même temps le comte saisit de la main gauche le poignet de l'assassin, et le tordit avec une telle force que le couteau tomba de ses doigts roidis, et que Caderousse poussa un cri de douleur.

110 Mais le comte, sans s'arrêter à ce cri, continua de tordre le poignet du bandit jusqu'à ce que, le bras disloqué, il tombât d'abord à genoux, puis ensuite la face contre terre.

Le comte appuya son pied sur sa tête et dit :

« Je ne sais qui me retient de te briser le crâne, scélérat !

115 – Ah ! grâce ! grâce ! » cria Caderousse.

Le comte retira son pied.

« Relève-toi ! » dit-il.

Caderousse se releva.

[…]

« Prends cette plume et ce papier, et écris ce que je vais te 120 dicter.

– Je ne sais pas écrire, monsieur l'abbé.

– Tu mens ; prend cette plume et écris ! »

Caderousse, subjugué par cette puissance supérieure, s'assit et écrivit :

125 *Monsieur, l'homme que vous recevez chez vous et à qui vous destinez votre fille, est un ancien forçat, échappé avec moi du bague de Toulon ; il portait le n° 59 et moi le n° 58.*

5. Juron provençal.

6. Rendu moins coupant.

Il se nommait Benedetto ; mais il ignore lui-même son véritable nom, n'ayant jamais connu ses parents.

130 « Signe ! continua le comte.

– Mais vous voulez donc me perdre ?

– Si je voulais te perdre imbécile, je te traînerais jusqu'au premier corps-de-garde ; d'ailleurs, à l'heure où le billet sera rendu à son adresse, il est probable que tu n'auras plus rien 135 à craindre ; signe donc. »

Caderousse signa.

« L'adresse : *À monsieur le baron Danglars, banquier, rue de la Chaussée-d'Antin.* »

Caderousse écrivit l'adresse.

140 L'abbé prit le billet.

« Maintenant, dit-il, c'est bien, va-t'en.

– Par où ?

– Par où tu es venu. [...] Si tu rentres chez toi sain et sauf, quitte Paris, quitte la France, et partout où tu seras, tant que 145 tu te conduiras honnêtement, je te ferai passer une petite pension ; car si tu rentres chez toi sain et sauf, eh bien !...

– Eh bien ? demanda Caderousse en frémissant.

– Eh bien ! je croirai que Dieu t'a pardonné, et je te pardonnerai aussi. »

[...]

Caderousse enjambe la fenêtre, traverse le jardin et se fait poignarder par Benedetto qui l'attendait dans la rue, de l'autre côté du mur. Monte-Cristo a assisté à la scène. Avec son domestique Ali, il arrive auprès de Caderousse, toujours sous les traits de l'abbé Busoni et le transporte dans la maison.

LXXXIII. La main de Dieu

Monte-Cristo demande à Ali d'aller chercher le procureur Villefort et un médecin. Il reste seul avec Caderousse. Ce dernier ouvre les yeux, il accuse Benedetto de lui avoir tendu un piège et demande à « l'abbé » d'écrire un acte d'accusation contre lui. L'abbé lui dit à ce moment qu'il a vu toute la scène de la fenêtre…

[…]

150 « Vous avez donc vu tout cela, vous ?

– Rappelez-vous mes paroles : "Si tu rentres chez toi sain et sauf, je croirai que Dieu t'a pardonné, et je te pardonnerai aussi."

– Et vous ne m'avez pas averti ? s'écria Caderousse en essayant de se soulever sur son coude ; vous saviez que j'allais être tué 155 en sortant d'ici, et vous ne m'avez pas averti !

– Non, car dans la main de Benedetto je voyais la justice de Dieu, et j'aurais cru commettre un sacrilège en m'opposant aux intentions de la Providence.

– La justice de Dieu ! ne m'en parlez pas, monsieur l'abbé ; 160 s'il y avait une justice de Dieu, vous savez mieux que personne qu'il y a des gens qui seraient punis et qui ne le sont pas.

– Patience ! dit l'abbé d'un ton qui fit frémir le moribond, patience ! »

[…]

Caderousse s'affaiblissait à vue d'œil.

165 « À boire, dit-il ; j'ai soif… je brûle ! »

Monte-Cristo lui donna un verre d'eau.

« Scélérat de Benedetto, dit Caderousse en rendant le verre : il échappera cependant, lui !

– Personne n'échappera, c'est moi qui te le dis, Caderousse… 170 Benedetto sera puni !

– Alors vous serez puni, vous aussi, dit Caderousse ; car vous n'avez pas fait votre devoir de prêtre… vous deviez empêcher Benedetto de me tuer.

– Moi ! dit le comte avec un sourire qui glaça d'effroi le mourant, moi empêcher Benedetto de te tuer, au moment où tu venais de briser ton couteau contre la cotte de mailles qui me couvrait la poitrine !... Oui, peut-être si je t'eusse trouvé humble et repentant, j'eusse empêché Benedetto de te tuer, mais je t'ai trouvé orgueilleux et sanguinaire, et j'ai laissé s'accomplir la volonté de Dieu !

– Je ne crois pas à Dieu ! hurla Caderousse, tu n'y crois pas non plus... tu mens... tu mens !...

– Tais-toi, dit l'abbé, car tu fais jaillir hors de ton corps les dernières gouttes de ton sang... Ah ! tu ne crois pas en Dieu, et tu meurs frappé par Dieu !... Ah ! tu ne crois pas en Dieu, et Dieu qui cependant ne demande qu'une prière, qu'un mot, qu'une larme pour pardonner... Dieu qui pouvait diriger le poignard de l'assassin de manière à ce que tu expirasses sur le coup... Dieu t'a donné un quart d'heure pour te repentir... Rentre donc en toi-même, malheureux, et repens-toi !

– Non, dit Caderousse, non, je ne me repens pas ; il n'y a pas de Dieu, il n'y a pas de Providence, il n'y a que du hasard.

– Il y a une Providence, il y a un Dieu, dit Monte-Cristo, et la preuve, c'est que tu es là gisant, désespéré, reniant Dieu, et que moi, je suis debout devant toi, riche, heureux, sain et sauf, et joignant les mains devant ce Dieu auquel tu essayes de ne pas croire, et auquel cependant tu crois au fond du cœur.

– Mais qui donc êtes-vous, alors ? demanda Caderousse en fixant ses yeux mourants sur le comte.

– Regarde-moi bien, dit Monte-Cristo en prenant la bougie et l'approchant de son visage.

– Eh bien ! l'abbé... l'abbé Busoni... »

Monte-Cristo enleva la perruque qui le défigurait, et laissa retomber les beaux cheveux noirs qui encadraient si harmonieusement son pâle visage.

« Oh ! dit Caderousse épouvanté, si ce n'étaient ces cheveux noirs, je dirais que vous êtes l'Anglais, je dirais que vous êtes lord Wilmore.

– Je ne suis ni l'abbé Busoni ni lord Wilmore, dit Monte-
210 Cristo : regarde mieux, regarde plus loin, regarde dans tes premiers souvenirs. »

Il y avait dans cette parole du comte une vibration magnétique dont les sens épuisés du misérable furent ravivés une dernière fois.

215 « Oh ! en effet, dit-il, il me semble que je vous ai vu, que je vous ai connu autrefois.

– Oui, Caderousse, oui, tu m'as vu, oui, tu m'as connu.

– Mais qui donc êtes-vous, alors ? et pourquoi, si vous m'avez vu, si vous m'avez connu, pourquoi me laissez-vous
220 mourir ?

– Parce que rien ne peut te sauver, Caderousse, parce que tes blessures sont mortelles. Si tu avais pu être sauvé, j'aurais vu là une dernière miséricorde du Seigneur, et j'eusse encore, je te le jure par la tombe de mon père, essayé de te rendre à
225 la vie et au repentir.

– Par la tombe de ton père ! » dit Caderousse, ranimé par une suprême étincelle et se soulevant pour voir de plus près l'homme qui venait de lui faire ce serment sacré à tous les hommes : « Eh ! qui es-tu donc ? »

230 Le comte n'avait pas cessé de suivre le progrès de l'agonie. Il comprit que cet élan de vie était le dernier ; il s'approcha du moribond, et le couvrant d'un regard calme et triste à la fois :

« Je suis..., lui dit-il à l'oreille, je suis... »

235 Et ses lèvres, à peine ouvertes, donnèrent passage à un nom prononcé si bas, que le comte semblait craindre de l'entendre lui-même.

Caderousse, qui s'était soulevé sur ses genoux, étendit les bras, fit un effort pour se reculer, puis joignant les mains et les levant avec un suprême effort :

« Ô mon Dieu, mon Dieu, dit-il, pardon de vous avoir renié ; vous existez bien, vous êtes bien le père des hommes au ciel et le juge des hommes sur la terre. Mon Dieu, Seigneur, je vous ai longtemps méconnu ! mon Dieu, Seigneur, pardonnez-moi ! mon Dieu, Seigneur, recevez-moi ! »

Et Caderousse, fermant les yeux, tomba renversé en arrière avec un dernier cri et avec un dernier soupir.

Le sang s'arrêta aussitôt aux lèvres de ses larges blessures.

Il était mort.

« *Un !* » dit mystérieusement le comte, les yeux fixés sur le cadavre déjà défiguré par cette horrible mort.

[...]

« Dieu t'a donné un quart d'heure pour te repentir », Monte-Cristo et Caderousse mourant, illustration pour *Le Comte de Monte-Cristo*, XIXe siècle, collection particulière.

Questions

Ai-je bien lu ?

1 **a.** Où la scène se déroule-t-elle ?
b. Quel méfait Caderousse était-il en train de commettre lorsqu'il a été surpris par Monte-Cristo ?
c. Qui a organisé ce méfait ?
2 À qui Caderousse croit-il avoir affaire ?
3 **a.** Qui a poignardé Caderousse ? Dans quelles circonstances et pour quelle raison ?
b. Pourquoi Monte-Cristo n'est-il pas intervenu ?
4 Quelle révélation l'abbé Busoni fait-il à Caderousse juste avant qu'il ne meure ?

Repérer et analyser

Des scènes romanesques

Le voleur pris sur le fait

5 **a.** Relevez les notations d'éclairage, de bruit, ainsi que la gestuelle des personnages (l. 1-17). Quel effet le narrateur cherche-t-il à produire ?
b. En quoi la scène a-t-elle un caractère théâtral ?
6 Quelles sont les réactions de Caderousse lorsqu'il se trouve face à l'abbé Busoni (l. 5-39). Citez des termes précis (émotions, manifestations physiques), prenez en compte ses paroles (jusqu'à la l. 34).
7 À quel moment Caderousse agresse-t-il Monte-Cristo ? De quelle façon ? Comment Monte-Cristo le neutralise-t-il ?

L'agonie et la mort

8 **a.** Relevez le champ lexical de l'agonie et de la mort. L'agonie a-t-elle été longue ?
b. Relevez la phrase qui décrit la mort de Caderousse ainsi que l'expression qui caractérise le cadavre à la fin du chapitre.
c. En quoi la scène est-elle à la fois réaliste et pathétique ? Quel effet produit-elle sur le lecteur ?

Le parcours de Monte-Cristo

La réalisation de la vengeance

9 **a.** Quand Caderousse a-t-il déjà rencontré l'abbé Busoni ?

b. De quels meurtres Monte-Cristo accuse-t-il Caderousse ?

10 Montrez que c'est Monte-Cristo qui mène le dialogue (l. 40-149).

a. Connaît-il les réponses aux questions qu'il pose à Caderousse ?

b. Sur quel ton s'adresse-t-il à lui et par quels termes le désigne-t-il (l. 40-95) ?

11 Que lui fait-il écrire ? À qui ? Pourquoi Caderousse refuse-t-il ?

12 **a.** Pourquoi Monte-Cristo ne révèle-t-il pas tout de suite à Caderousse son identité ? Montrez qu'il joue avec sa victime.

b. Pourquoi, selon vous, le nom est-il chuchoté à l'oreille ? Quel effet la révélation de ce nom produit-elle sur Caderousse ?

c. En quoi Monte-Cristo a-t-il accompli sa vengeance ?

Monte Cristo comme figure de Dieu

13 **a.** Pourquoi Monte-Cristo choisit-il d'assister aux derniers moments de Caderousse sous les traits de l'abbé Busoni ?

b. Pourquoi Monte-Cristo n'exécute-t-il pas Caderousse lui-même ?

Monte-Cristo vengeur et justicier

Un justicier est une personne qui applique ou fait régner les droits et les principes moraux en vigueur dans un pays. Un vengeur punit son offenseur sans s'occuper des droits de la justice.

14 **a.** Relevez les paroles de Monte-Cristo qui prouvent qu'il a l'impression de servir la justice de Dieu.

b. Montrez en même temps qu'il y a confusion chez lui entre vengeance personnelle et justice divine.

Une programmation de la vengeance

15 **a.** « Patience ! dit l'abbé » (l. 162) : comment le lecteur interprète-t-il cette réponse ?

b. « Personne n'échappera... sera puni ! » : quel est le sens exact de ces paroles pour Monte-Cristo ? Caderousse les comprend-il ?

16 **a.** Comment comprenez-vous l'exclamation « *Un !* » (l. 251) prononcée par le comte ?

b. De quels autres personnages doit-il encore se venger ?

Étudier la langue

Vocabulaire : autour des mots *secrétaire*, *secret*

Secrétaire vient du latin *secretus*, « séparé », « à part » (du verbe *secernere*, « séparer »).

17 Donnez le sens des mots et expressions suivants.

a. un(e) secrétaire médical(e)
b. un secrétaire d'État
c. le secrétariat du collège
d. un agent secret
e. un secret professionnel
f. un secret de Polichinelle

Grammaire : l'expression de l'ordre

18 **a.** Identifiez le mode, le temps et la personne des verbes suivants : « Répondez » (l. 71) ; « Relève-toi » (l. 117) ; « Prends cette plume » (l. 119) ; « écris » (l. 119) ; « Signe » (l. 130) ; « Va-t-en » (l. 141).

b. Réécrivez le verbe *répondre* à la 2e personne du singulier et à la 1re du pluriel, puis les autres verbes aux 1re et 2e personnes du pluriel.

Écrire

Du discours direct au discours indirect

Le narrateur peut rapporter les paroles des personnages :
– soit au **discours direct** en les citant, telles qu'elles ont été prononcées ;
– soit au **discours indirect** en les intégrant à la narration à l'aide d'un **verbe de parole** (*dire, répondre, demander*...) suivi d'une subordonnée conjonctive avec ***que*** (*il dit que*...) ou d'une subordonnée interrogative indirecte introduite par ***si, quand, où***...

19 Réécrivez les répliques suivantes au discours indirect en faisant les modifications qui s'imposent.

« Je le connais ; je saurai donc si vous mentez.
– Monsieur l'abbé, je dis la vérité pure.
– Cet Anglais vous protégeait donc ?
– Non pas moi, mais un jeune Corse qui était mon compagnon de chaîne. »

Consignes de réécriture :
– utilisez les verbes introducteurs suivants : *Monte-Cristo déclara...* (réplique 1) ; *Caderousse lui répondit...* (réplique 2) ; *Monte-Cristo lui demanda...* (réplique 3) ; *Caderousse lui dit...* (réplique 4) ;
– supprimez les tirets et changez les pronoms et les temps des verbes.

Texte 13 – Monte-Cristo se venge du comte de Morcef

« Un coup de feu retentit »

LXXXIX. La nuit

Monte-Cristo ruine la réputation du comte de Morcerf de façon indirecte : il a suggéré à Danglars, qui doit donner sa fille à Albert de Morcef, d'enquêter sur le passé de Fernand, alors qu'il était au service d'Ali-Pacha, à Janina. Après l'enquête de Danglars, la vérité éclate dans L'Impartial, le journal de son ami Beauchamp : le comte Fernand de Morcef, seize ans auparavant, sous le nom de Fernand Mondego, a livré son maître Ali-Pacha aux Turcs et a vendu comme esclaves sa femme et sa fille Haydée. La jeune fille témoigne publiquement de ce crime honteux. Albert de Morcerf qui a appris de Danglars que Monte-Cristo était à l'origine de l'enquête, provoque alors ce dernier en duel pour venger l'honneur perdu de son père. Monte-Cristo prépare ses pistolets…

[…]

Il en était à emboîter l'arme dans sa main, et à chercher le point de mire[1] sur une petite plaque de tôle qui lui servait de cible, lorsque la porte de son cabinet s'ouvrit et que Baptistin entra.

Mais, avant même qu'il eût ouvert la bouche, le comte
5 aperçut dans la porte, demeurée ouverte, une femme voilée, debout, dans la pénombre de la pièce voisine, et qui avait suivi Baptistin.

Elle avait aperçu le comte le pistolet à la main, elle voyait deux épées sur une table, elle s'élança.

1. Point à viser.

10 Baptistin consultait son maître du regard. Le comte fit un signe, Baptistin sortit et referma la porte derrière lui.

« Qui êtes-vous, madame ? » dit le comte à la femme voilée.

L'inconnue jeta un regard autour d'elle pour s'assurer qu'elle était bien seule, puis s'inclinant comme si elle eût voulu s'agenouiller, et joignant les mains avec l'accent du désespoir : 15

« Edmond, dit-elle, vous ne tuerez pas mon fils ! »

Le comte fit un pas en arrière, jeta un faible cri et laissa tomber l'arme qu'il tenait.

« Quel nom avez-vous prononcé là, madame de Morcerf ? 20 dit-il.

– Le vôtre ! s'écria-t-elle en rejetant son voile, le vôtre que seule, peut-être, je n'ai pas oublié. Edmond, ce n'est pas madame de Morcerf qui vient à vous, c'est Mercédès.

– Mercédès est morte, madame, dit Monte-Cristo, et je ne 25 connais plus personne de ce nom.

– Mercédès vit, monsieur, et Mercédès se souvient, car seule elle vous a reconnu lorsqu'elle vous a vu, et même sans vous voir, à votre voix, Edmond, au seul accent de votre voix ; et depuis ce temps elle vous suit pas à pas, elle vous surveille, 30 elle vous redoute, et elle n'a pas eu besoin, elle, de chercher la main d'où partait le coup qui frappait M. de Morcerf.

– Fernand, voulez-vous dire, madame, reprit Monte-Cristo avec une ironie amère ; puisque nous sommes en train de nous rappeler nos noms, rappelons-nous-les tous. »

35 Et Monte-Cristo avait prononcé ce nom de Fernand avec une telle expression de haine, que Mercédès sentit le frisson de l'effroi courir par tout son corps.

« Vous voyez bien, Edmond, que je ne me suis pas trompée ! s'écria Mercédès, et que j'ai raison de vous dire : Épargnez 40 mon fils ! »

– Et qui vous a dit, madame, que j'en voulais à votre fils ?

– Personne, mon Dieu ! mais une mère est douée de la double vue. J'ai tout deviné ; je l'ai suivi ce soir à l'Opéra, et, cachée dans une baignoire[2], j'ai tout vu.

45 – Alors, si vous avez tout vu, madame, vous avez vu que le fils de Fernand m'a insulté publiquement ? dit Monte-Cristo avec un calme terrible.

– Oh ! par pitié !

– Vous avez vu, continua le comte, qu'il m'eût jeté son gant 50 à la figure si un de mes amis, M. Morrel, ne lui eût arrêté le bras.

– Écoutez-moi. Mon fils vous a deviné aussi, lui ; il vous attribue les malheurs qui frappent son père.

– Madame, dit Monte-Cristo, vous confondez : ce ne sont 55 point des malheurs, c'est un châtiment. Ce n'est pas moi qui frappe M. de Morcerf, c'est la Providence qui le punit.

– Et pourquoi vous substituez-vous à la Providence ? s'écria Mercédès. Pourquoi vous souvenez-vous quand elle oublie ? Que vous importent, à vous, Edmond, Janina et son vizir ? Quel 60 tort vous a fait Fernand Mondego en trahissant Ali-Tebelin ?

– Aussi, madame, répondit Monte-Cristo, tout ceci est-il une affaire entre le capitaine franc[3] et la fille de Vasiliki[4]. Cela ne me regarde point, vous avez raison, et si j'ai juré de me venger, ce n'est ni du capitaine franc, ni du comte de Morcerf : 65 c'est du pêcheur Fernand, mari de la Catalane Mercédès.

– Ah ! monsieur ! s'écria la comtesse, quelle terrible vengeance pour une faute que la fatalité m'a fait commettre ! Car la coupable, c'est moi, Edmond, et si vous avez à vous venger de quelqu'un, c'est de moi, qui ai manqué de force contre 70 votre absence et mon isolement.

2. Dans une salle de spectacle, loge du rez-de-chaussée.

3. Il s'agit de Fernand.

4. Haydée.

– Mais, s'écria Monte-Cristo, pourquoi étais-je absent ? pourquoi étiez-vous isolée ?

– Parce qu'on vous a arrêté, Edmond, parce que vous étiez prisonnier.

75 – Et pourquoi étais-je arrêté ? pourquoi étais-je prisonnier ?

– Je l'ignore, dit Mercédès.

– Oui, vous l'ignorez, madame, je l'espère du moins. Eh bien ! je vais vous le dire, moi. J'étais arrêté, j'étais prisonnier,
80 parce que sous la tonnelle de la Réserve, la veille même du jour où je devais vous épouser, un homme, nommé Danglars, avait écrit cette lettre que le pêcheur Fernand se chargea lui-même de mettre à la poste. »

Et Monte-Cristo, allant à un secrétaire, fit jaillir un tiroir
85 où il prit un papier qui avait perdu sa couleur première, et dont l'encre était devenue couleur de rouille, qu'il mit sous les yeux de Mercédès.

C'était la lettre de Danglars au procureur du roi, que, le jour où il avait payé les deux cent mille francs à M. de Boville[5],
90 le comte de Monte-Cristo, déguisé en mandataire de la maison Thomson et French, avait soustraite au dossier d'Edmond Dantès.

Mercedes lut avec effroi les lignes suivantes :

Monsieur le procureur du roi est prévenu, par un ami du
95 *trône et de la religion, que le nommé Edmond Dantès second du navire* Le Pharaon, *arrivé ce matin de Smyrne, après avoir touché à Naples et à Porto-Ferrajo, a été chargé par Murat d'une lettre pour l'usurpateur, et, par l'usurpateur, d'une lettre pour le comité bonapartiste de Paris.*

5. Voir chapeau du texte 7 p. 000.

100 *On aura la preuve de ce crime en l'arrêtant, car on trouvera cette lettre, ou sur lui, ou chez son père, ou dans sa cabine à bord du* Pharaon.

« Oh ! mon Dieu ! fit Mercédès en passant la main sur son front mouillé de sueur ; et cette lettre…

105 – Je l'ai achetée deux cent mille francs, madame, dit Monte-Cristo ; mais c'est bon marché encore, puisqu'elle me permet aujourd'hui de me disculper à vos yeux.

– Et le résultat de cette lettre ?

– Vous le savez, madame, a été mon arrestation ; mais ce 110 que vous ne savez pas, madame, c'est le temps qu'elle a duré, cette arrestation. Ce que vous ne savez pas, c'est que je suis resté quatorze ans à un quart de lieue de vous, dans un cachot du château d'If. Ce que vous ne savez pas, c'est que chaque jour de ces quatorze ans j'ai renouvelé le vœu de vengeance 115 que j'avais fait le premier jour, et cependant j'ignorais que vous aviez épousé Fernand, mon dénonciateur, et que mon père était mort, et mort de faim !

– Juste Dieu ! s'écria Mercédès chancelante.

– Mais voilà ce que j'ai su en sortant de prison, quatorze 120 ans après y être entré, et voilà ce qui fait que sur Mercédès vivante et sur mon père mort, j'ai juré de me venger de Fernand, et… et je me venge.

– Et vous êtes sûr que le malheureux Fernand a fait cela ?

– Sur mon âme, madame, et il l'a fait comme je vous le dis ; 125 d'ailleurs ce n'est pas beaucoup plus odieux que d'avoir, Français d'adoption, passé aux Anglais ! Espagnol de naissance avoir combattu, contre les Espagnols ; stipendiaire[6] d'Ali, trahi et assassiné Ali. En face de pareilles choses, qu'était-ce que la lettre que vous venez de lire ? une mystification[7] galante

6. Militaire au service de quelqu'un.

7. Tromperie.

que doit pardonner, je l'avoue et le comprends, la femme qui a épousé cet homme, mais que ne pardonne pas l'amant qui devait l'épouser. Eh bien ! les Français ne se sont pas vengés du traître, les Espagnols n'ont pas fusillé le traître, Ali, couché dans sa tombe, a laissé impuni le traître ; mais moi, trahi, assassiné, jeté aussi dans une tombe, je suis sorti de cette tombe par la grâce de Dieu, je dois à Dieu de me venger ; il m'envoie pour cela, et me voici. »

La pauvre femme laissa retomber sa tête entre ses mains ; ses jambes plièrent sous elle, et elle tomba à genoux.

« Pardonnez, Edmond, dit-elle, pardonnez pour moi, qui vous aime encore ! »

La dignité de l'épouse arrêta l'élan de l'amante et de la mère. Son front s'inclina presque à toucher le tapis.

Le comte s'élança au-devant d'elle et la releva.

Alors, assise sur un fauteuil, elle put, à travers ses larmes, regarder le mâle visage de Monte-Cristo, sur lequel la douleur et la haine imprimaient encore un caractère menaçant.

« Que je n'écrase pas cette race maudite ! murmura-t-il ; que je désobéisse à Dieu, qui m'a suscité pour sa punition ! impossible, madame, impossible !

– Edmond, dit la pauvre mère, essayant de tous les moyens ; mon Dieu ! quand je vous appelle Edmond, pourquoi ne m'appelez-vous pas Mercédès ?

– Mercédès, répéta Monte-Cristo, Mercédès ! Eh bien ! oui, vous avez raison, ce nom m'est doux encore à prononcer, et voilà la première fois, depuis bien longtemps, qu'il retentit si clairement au sortir de mes lèvres. Oh ! Mercédès, votre nom, je l'ai prononcé avec les soupirs de la mélancolie, avec les gémissements de la douleur, avec le râle du désespoir ; je l'ai prononcé, glacé par le froid, accroupi sur la paille de mon cachot ; je l'ai prononcé, dévoré par la chaleur, en me roulant sur les dalles de ma prison, Mercédès, il faut que je me venge, car quatorze ans j'ai souffert, quatorze ans j'ai pleuré, j'ai maudit ; maintenant, je vous le dis, Mercédès, il faut que je 165 me venge ! »

Et le comte, tremblant de céder aux prières de celle qu'il avait tant aimée, appelait ses souvenirs au secours de sa haine.

« Vengez-vous, Edmond ! s'écria la pauvre mère, mais vengez-vous sur les coupables ; vengez-vous sur lui, vengez-vous sur 170 moi, mais ne vous vengez pas sur mon fils !

– Il est écrit dans le Livre saint, répondit Monte-Cristo : Les fautes des pères retomberont sur les enfants jusqu'à la troisième et quatrième génération.[8] » Puisque Dieu a dicté ces propres paroles à son prophète, pourquoi serais-je meilleur que Dieu ?

175 – Parce que Dieu a le temps et l'éternité, ces deux choses qui échappent aux hommes. »

Monte-Cristo poussa un soupir qui ressemblait à un rugissement, et saisit ses beaux cheveux à pleines mains.

« Edmond, continua Mercédès, les bras tendus vers le comte, 180 Edmond, depuis que je vous connais j'ai adoré votre nom, j'ai respecté votre mémoire. Edmond, mon ami, ne me forcez pas à ternir cette image noble et pure reflétée sans cesse dans le miroir de mon cœur. Edmond, si vous saviez toutes les prières que j'ai adressées pour vous à Dieu, tant que je vous ai espéré vivant et 185 depuis que je vous ai cru mort, oui, mort, hélas ! Je croyais votre cadavre enseveli au fond de quelque sombre tour ; je croyais votre corps précipité au fond de quelqu'un de ces abîmes où les geôliers laissent rouler les prisonniers morts, et je pleurais ! Moi, que pouvais-je pour vous, Edmond, sinon prier ou pleurer ? 190 Écoutez-moi ; pendant dix ans j'ai fait chaque nuit le même rêve. On a dit que vous aviez voulu fuir, que vous aviez pris la place

8. Citation de la Bible (*Exode*, XXXIV).

d'un prisonnier, que vous vous étiez glissé dans le suaire[9] d'un mort, et qu'alors on avait lancé le cadavre vivant du haut en bas du château d'If ; et que le cri que vous aviez poussé en vous
195 brisant sur les rochers avait seul révélé la substitution à vos ensevelisseurs, devenus vos bourreaux. Eh bien ! Edmond, je vous le jure sur la tête de ce fils pour lequel je vous implore, Edmond, pendant dix ans j'ai vu chaque nuit des hommes qui balançaient quelque chose d'informe et d'inconnu au haut d'un
200 rocher ; pendant dix ans j'ai, chaque nuit, entendu un cri terrible qui m'a réveillée frissonnante et glacée. Et moi aussi, Edmond, oh ! croyez-moi, toute criminelle que je fus, oh ! oui, moi aussi, j'ai bien souffert.

– Avez-vous senti mourir votre père en votre absence ? s'écria
205 Monte-Cristo enfonçant ses mains dans ses cheveux ; avez-vous vu la femme que vous aimiez tendre sa main à votre rival, tandis que vous râliez au fond du gouffre ?...

– Non, interrompit Mercédès ; mais j'ai vu celui que j'aimais prêt à devenir le meurtrier de mon fils ! »

210 Mercédès prononça ces paroles avec une douleur si puissante, avec un accent si désespéré, qu'à ces paroles et à cet accent un sanglot déchira la gorge du comte.

Le lion était dompté ; le vengeur était vaincu.

« Que demandez-vous ? dit-il ; que votre fils vive ? eh bien !
215 il vivra ! »

Mercédès jeta un cri qui fit jaillir deux larmes des paupières de Monte-Cristo, mais ces deux larmes disparurent presque aussitôt, car sans doute Dieu avait envoyé quelque ange pour les recueillir, bien autrement précieuses qu'elles étaient aux yeux du Seigneur
220 que les plus riches perles de Guzarate et d'Ophir[10].

9. Pièce de toile dans laquelle on ensevelit un mort.

10. Guzarate est une province de l'Inde, réputée pour ses matières précieuses ; Ophir est un pays célèbre dans la Bible, réputé pour ses mines d'or.

« Oh ! s'écria-t-elle en saisissant la main du comte et en la portant à ses lèvres, oh ! merci, merci, Edmond ! te voilà bien tel que je t'ai toujours rêvé, tel que je t'ai toujours aimé. Oh ! maintenant je puis le dire.

– D'autant mieux, répondit Monte-Cristo, que le pauvre Edmond n'aura pas longtemps à être aimé par vous. La mort va rentrer dans la tombe, le fantôme va rentrer dans la nuit.

– Que dites-vous, Edmond ?

– Je dis que puisque vous l'ordonnez, Mercédès, il faut mourir.

– Mourir ! et qu'est-ce qui dit cela ? Qui parle de mourir ? d'où vous reviennent ces idées de mort ?

– Vous ne supposez pas qu'outragé publiquement, en face de toute une salle, en présence de vos amis et de ceux de votre fils, provoqué par un enfant qui se glorifiera de mon pardon comme d'une victoire ; vous ne supposez pas, dis-je, que j'aie un instant le désir de vivre. Ce que j'ai le plus aimé après vous, Mercédès, c'est moi-même, c'est-à-dire ma dignité, c'est-à-dire cette force qui me rendait supérieur aux autres hommes ; cette force, c'était ma vie. D'un mot vous la brisez. Je meurs.

– Mais ce duel n'aura pas lieu, Edmond, puisque vous pardonnez.

– Il aura lieu, madame, dit solennellement Monte-Cristo ; seulement, au lieu du sang de votre fils que devait boire la terre, ce sera le mien qui coulera. »

Mercédès poussa un grand cri et s'élança vers Monte-Cristo ; mais tout à coup elle s'arrêta.

« Edmond, dit-elle, il y a un Dieu au-dessus de nous, puisque vous vivez, puisque je vous ai revu, et je me fie à lui du plus profond de mon cœur. En attendant son appui, je me repose sur votre parole. Vous avez dit que mon fils vivrait ; il vivra, n'est-ce pas ?

– Il vivra, oui, madame », dit Monte-Cristo, étonné que, sans autre exclamation, sans autre surprise, Mercédès eût 255 accepté l'héroïque sacrifice qu'il lui faisait.

Mercédès tendit la main au comte.

[...]

« Edmond, dit Mercédès, je n'ai plus qu'un mot à vous dire. »

Le comte sourit amèrement.

« Edmond, continua-t-elle, vous verrez que si mon front 260 est pâli, que si mes yeux sont éteints, que si ma beauté est perdue, que si Mercédès enfin ne ressemble plus à elle-même pour les traits du visage, vous verrez que c'est toujours le même cœur !... Adieu donc, Edmond ; je n'ai plus rien à demander au ciel... Je vous ai revu aussi noble et aussi grand 265 qu'autrefois. Adieu, Edmond... adieu et merci ! »

Mais le comte ne répondit pas.

Mercédès ouvrit la porte du cabinet, et elle avait disparu avant qu'il ne fût revenu de la rêverie douloureuse et profonde où sa vengeance perdue l'avait plongé.

270 Une heure sonnait à l'horloge des Invalides quand la voiture qui emportait madame de Morcerf, en roulant sur le pavé des Champs-Élysées, fit relever la tête au comte de Monte-Cristo.

« Insensé, dit-il, le jour où j'avais résolu de me venger, de ne pas m'être arraché le cœur ! »

XC. La rencontre

Le duel va avoir lieu au bois de Vincennes. Albert et le comte s'avancent l'un vers l'autre.

[...]

275 À trois pas l'un de l'autre, Albert et le comte s'arrêtèrent.

« Messieurs, dit Albert, approchez-vous ; je désire que pas un mot de ce que je vais avoir l'honneur de dire à M. le comte de Monte-Cristo ne soit perdu ; car ce que je vais avoir l'honneur de lui dire doit être répété par vous à qui voudra l'entendre, si étrange que mon discours vous paraisse.

– J'attends, monsieur, dit le comte.

– Monsieur, dit Albert d'une voix tremblante d'abord, mais qui s'assura de plus en plus ; monsieur, je vous reprochais d'avoir divulgué la conduite de M. de Morcerf en Épire ; car, si coupable que fût M. le comte de Morcerf, je ne croyais pas que ce fût vous qui eussiez le droit de le punir. Mais aujourd'hui, monsieur, je sais que ce droit vous est acquis. Ce n'est point la trahison de Fernand Mondego envers Ali-Pacha qui me rend si prompt à vous excuser, c'est la trahison du pêcheur Fernand envers vous, ce sont les malheurs inouïs qui ont été la suite de cette trahison. Aussi je le dis, aussi je le proclame tout haut : oui, monsieur, vous avez eu raison de vous venger de mon père, et moi, son fils, je vous remercie de n'avoir pas fait plus ! »

La foudre, tombée au milieu des spectateurs de cette scène inattendue, ne les eût pas plus étonnés que cette déclaration d'Albert.

Quant à Monte-Cristo, ses yeux étaient lentement levés au ciel avec une expression de reconnaissance infinie, et il ne pouvait assez admirer comment cette nature fougueuse d'Albert, dont il avait assez connu le courage au milieu des bandits romains[11], s'était tout à coup pliée à cette subite humiliation. Aussi reconnut-il l'influence de Mercédès, et comprit-il comment ce noble cœur ne s'était pas opposé au sacrifice qu'elle savait d'avance devoir être inutile.

« Maintenant, monsieur, dit Albert, si vous trouvez que les excuses que je viens de vous faire sont suffisantes, votre main, je vous prie. Après le mérite si rare de l'infaillibilité[12] qui

11. Monte-Cristo avait fait enlever Albert par son ami Luigi Vampa (voir chapeau du texte 8 p. 175).

12. Fait de ne pas être sujet à l'erreur.

semble être le vôtre, le premier de tous les mérites, à mon avis, est de savoir avouer ses torts. Mais cet aveu me regarde seul.
310 J'agissais bien selon les hommes, mais vous, vous agissiez bien selon Dieu. Un ange seul pouvait sauver l'un de nous de la mort et l'ange est descendu du ciel, sinon pour faire de nous deux amis, hélas ! la fatalité rend la chose impossible, mais tout au moins deux hommes qui s'estiment. »

315 Monte-Cristo, l'œil humide, la poitrine haletante, la bouche entrouverte, tendit à Albert une main que celui-ci saisit et pressa avec un sentiment qui ressemblait à un respectueux effroi.

[...] Le front penché, les bras inertes, écrasé sous le poids de vingt-quatre ans de souvenirs, il ne songeait ni à Albert,
320 ni à Beauchamp, ni à Château-Renaud, ni à personne de ceux qui se trouvaient là : il songeait à cette courageuse femme qui était venue lui demander la vie de son fils, à qui il avait offert la sienne et qui venait de la sauver par l'aveu terrible d'un secret de famille, capable de tuer à jamais chez ce jeune homme
325 le sentiment de la piété filiale.

« Toujours la Providence ! murmura-t-il : ah ! c'est d'aujourd'hui seulement que je suis bien certain d'être l'envoyé de Dieu ! »

XCII. Le suicide

Monte-Cristo rentre chez lui, après les excuses d'Albert. Le comte de Morcef se présente alors à lui.

[...]

« Vous avez eu ce matin une rencontre avec mon fils, monsieur ? dit le général.

30 – Vous savez cela ? répondit le comte.

– Et je sais aussi que mon fils avait de bonnes raisons pour désirer se battre contre vous et faire tout ce qu'il pourrait pour vous tuer.

– En effet, monsieur, il en avait de fort bonnes ! mais vous
335 voyez que, malgré ces raisons-là, il ne m'a pas tué et, même qu'il ne s'est pas battu.

– Et cependant il vous regardait comme la cause du déshonneur de son père, comme la cause de la ruine effroyable qui, en ce moment-ci, accable ma maison.

340 – C'est vrai, monsieur, dit Monte-Cristo avec son calme terrible : cause secondaire, par exemple, et non principale.

– Sans doute vous lui avez fait quelque excuse ou donné quelque explication ?

– Je ne lui ai donné aucune explication, et c'est lui qui m'a
345 fait des excuses.

– Mais à quoi attribuez-vous cette conduite ?

– À la conviction probablement qu'il y avait dans tout ceci un homme plus coupable que moi.

– Et quel était cet homme ?

350 – Son père.

– Soit, dit le comte en pâlissant ; mais vous savez que le coupable n'aime pas à s'entendre convaincre de culpabilité.

– Je sais… Aussi je m'attendais à ce qui arrive en ce moment.

– Vous vous attendiez à ce que mon fils fût un lâche ! s'écria
355 le comte.

– M. Albert de Morcerf n'est point un lâche, dit Monte-Cristo.

– Un homme qui tient à la main une épée, un homme qui, à la portée de cette épée, tient un ennemi mortel ; cet homme,
360 s'il ne se bat pas, est un lâche ! Que n'est-il ici pour que je le lui dise !

– Monsieur, répondit froidement Monte-Cristo, je ne présume pas que vous soyez venu me trouver pour me conter vos petites affaires de famille. Allez dire cela à M. Albert, peut-être saura-
365 t-il que vous répondre.

– Oh ! non, non, répliqua le général avec un sourire aussitôt disparu qu'éclos, non, vous avez raison, je ne suis pas venu pour cela ! Je suis venu pour vous dire que moi aussi je vous regarde comme mon ennemi ! Je suis venu pour vous dire que 370 je vous hais d'instinct ! qu'il me semble que je vous ai toujours connu, toujours haï ! Et qu'enfin, puisque les jeunes gens de ce siècle ne se battent plus, c'est à nous de nous battre… Est-ce votre avis, monsieur ?

– Parfaitement. Aussi, quand je vous ai dit que j'avais prévu 375 ce qui m'arrivait, c'est de l'honneur de votre visite que je voulais parler.

– Tant mieux… vos préparatifs sont faits, alors ?

– Ils le sont toujours, monsieur.

– Vous savez que nous nous battrons jusqu'à la mort de 380 l'un de nous deux ? dit le général, les dents serrées par la rage.

– Jusqu'à la mort de l'un de nous deux », répéta le comte de Monte-Cristo en faisant un léger mouvement de tête de haut en bas.

385 « Partons alors, nous n'avons pas besoin de témoins.

– En effet, dit Monte-Cristo, c'est inutile, nous nous connaissons si bien !

– Au contraire, dit le comte, c'est que nous ne nous connaissons pas.

390 – Bah ! dit Monte-Cristo avec le même flegme désespérant, voyons un peu. N'êtes-vous pas le soldat Fernand qui a déserté la veille de la bataille de Waterloo ? N'êtes-vous pas le lieutenant Fernand qui a servi de guide et d'espion à l'armée française en Espagne ? N'êtes-vous pas le colonel Fernand 395 qui a trahi, vendu, assassiné son bienfaiteur Ali ? Et tous ces Fernand-là réunis n'ont-ils pas fait le lieutenant-général comte de Morcerf, pair de France ?

– Oh ! » s'écria le général, frappé par ces paroles comme par un fer rouge ; « oh ! misérable, qui me reproche ma honte au moment peut-être où tu vas me tuer, non, je n'ai point dit que je t'étais inconnu ; je sais bien, démon, que tu as pénétré dans la nuit du passé, et que tu y as lu, à la lueur de quel flambeau, je l'ignore, chaque page de ma vie ! mais peut-être y a-t-il encore plus d'honneur en moi, dans mon opprobre[13], qu'en toi sous tes dehors pompeux[14]. Non, non, je te suis connu, je le sais, mais c'est toi que je ne connais pas, aventurier cousu d'or et de pierreries ! Tu t'es fait appeler à Paris le comte de Monte-Cristo ; en Italie, Simbad le Marin ; à Malte, que sais-je ? moi, je l'ai oublié. Mais c'est ton nom réel que je te demande, c'est ton vrai nom que je veux savoir, au milieu de tes cent noms, afin que je le prononce sur le terrain du combat au moment où je t'enfoncerai mon épée dans le cœur. »

Le comte de Monte-Cristo pâlit d'une façon terrible ; son œil fauve s'embrasa d'un feu dévorant ; il fit un bond vers le cabinet attenant à sa chambre, et en moins d'une seconde, arrachant sa cravate, sa redingote et son gilet, il endossa une petite veste de marin et se coiffa d'un chapeau de matelot, sous lequel se déroulèrent ses longs cheveux noirs.

Il revint ainsi, effrayant, implacable[15], marchant les bras croisés au-devant du général, qui n'avait rien compris à sa disparition, qui l'attendait, et qui, sentant ses dents claquer et ses jambes se dérober sous lui, recula d'un pas et ne s'arrêta qu'en trouvant sur une table un point d'appui pour sa main crispée.

« Fernand ! lui cria-t-il, de mes cent noms, je n'aurais besoin de t'en dire qu'un seul pour te foudroyer ; mais ce nom, tu le

13. Honte.
14. Glorieux en apparence.
15. Impitoyable.

devines, n'est-ce pas ? ou plutôt tu te le rappelles ? car, malgré tous mes chagrins, toutes mes tortures, je te montre aujourd'hui un visage que le bonheur de la vengeance rajeunit, un visage 430 que tu dois avoir vu bien souvent dans tes rêves depuis ton mariage... avec Mercédès, ma fiancée ! »

Le général, la tête renversée en arrière, les mains étendues, le regard fixe, dévora en silence ce terrible spectacle ; puis, allant chercher la muraille comme point d'appui, il s'y glissa 435 lentement jusqu'à la porte par laquelle il sortit à reculons, en laissant échapper ce seul cri lugubre, lamentable, déchirant :

« Edmond Dantès ! »

Puis, avec des soupirs qui n'avaient rien d'humain, il se 440 traîna jusqu'au péristyle[16] de la maison, traversa la cour en homme ivre, et tomba dans les bras de son valet de chambre en murmurant seulement d'une voix inintelligible :

« À l'hôtel[17] ! à l'hôtel ! »

En chemin, l'air frais et la honte que lui causait l'attention 445 de ses gens le remirent en état d'assembler ses idées ; mais le trajet fut court, et, à mesure qu'il se rapprochait de chez lui, le comte sentait se renouveler toutes ses douleurs.

À quelques pas de la maison, le comte fit arrêter et descendit. La porte de l'hôtel était toute grande ouverte ; un fiacre, tout 450 surpris d'être appelé dans cette magnifique demeure, stationnait au milieu de la cour ; le comte regarda ce fiacre avec effroi, mais sans oser interroger personne, et s'élança dans son appartement.

Deux personnes descendaient l'escalier, il n'eut que le temps 455 de se jeter dans un cabinet pour les éviter.

16. Cour intérieure entourée de colonnades.

17. Le comte de Morcef habite dans un hôtel particulier à Paris, rue du Helder.

C'était Mercédès, appuyée au bras de son fils, qui tous deux quittaient l'hôtel.

Ils passèrent à deux lignes du malheureux, qui, caché derrière la portière de damas[18], fut effleuré en quelque sorte par la 460 robe de soie de Mercédès, et qui sentit à son visage la tiède haleine de ces paroles prononcées par son fils :

« Du courage, ma mère ! Venez, venez, nous ne sommes plus ici chez nous. »

Les paroles s'éteignirent, les pas s'éloignèrent.

465 Le général se redressa, suspendu par ses mains crispées au rideau de damas ; il comprimait le plus horrible sanglot qui pût jamais sortir de la poitrine d'un père, abandonné à la fois par sa femme et par son fils...

Bientôt il entendit claquer la portière en fer du fiacre, puis 470 la voix du cocher, puis le roulement de la lourde machine ébranla les vitres ; alors il s'élança dans sa chambre à coucher pour voir encore une fois tout ce qu'il avait aimé dans le monde ; mais le fiacre partit sans que la tête de Mercédès ou celle d'Albert eût paru à la portière, pour donner à la maison 475 solitaire, pour donner au père et à l'époux abandonné le dernier regard, l'adieu et le regret, c'est-à-dire le pardon.

Aussi, au moment même où les roues du fiacre ébranlèrent le pavé de la voûte, un coup de feu retentit, et une fumée sombre sortit par une des vitres de cette fenêtre de la chambre 480 à coucher, brisée par la force de l'explosion.

18. Porte recouverte de tissu précieux.

Questions

Ai-je bien lu ?

1 **a.** Pourquoi Albert provoque-t-il Monte-Cristo en duel ?
b. Quel personnage intervient auprès de Monte-Cristo pour éviter ce duel (ch. LXXXIX) ?

2 Le duel a-t-il eu lieu ? Pourquoi (ch. LXC) ?

3 **a.** Pourquoi Fernand/Morcef vient-il voir Monte-Cristo ?
b. Quelle révélation Monte-Cristo lui fait-il ?
c. Quel acte Morcef commet-il en rentrant chez lui (ch. LXCII) ?

Repérer et analyser

Les scènes romanesques

4 Quatre scènes se succèdent dans l'extrait proposé. Résumez-les à partir du tableau suivant que vous recopierez et compléterez.

	Titre du chapitre	Lieu	Moment de la journée	Principaux personnages	Événement
Ch. LXXXIX					
Ch. LXC					
Ch. LXCII – scène 1 – scène 2					

Le parcours de Dantès

Le face-à-face avec Mercédès

5 Par quels termes le narrateur désigne-t-il Mercédès au cours de la scène ? Comment expliquez-vous le choix de ces différentes désignations ?

6 Comment Mercédès montre-t-elle à Monte-Cristo qu'elle l'a reconnu ?

7 Quelles révélations Monte-Cristo fait-il à Mercédès :
– sur les raisons et les conditions de son arrestation ;
– sur les agissements de Fernand ?

L'anaphore
Figure de style qui consiste à répéter un mot ou groupe de mots en début de vers ou de phrase, l'anaphore vise à créer un effet d'insistance.

8 Que dit encore Monte-Cristo à Mercédès des souffrances qu'il a vécues et de la force de son amour ? Relevez les anaphores des lignes 109-117 et 154-165.

9 **a.** Relevez les expressions par lesquelles Monte-Cristo justifie son désir de vengeance et la mission divine dont il se sent investi.
b. Contre qui Mercédès l'appelle-t-elle à exercer sa vengeance (l. 66-70) ?
c. Dans quelle réplique lui fait-elle comprendre qu'il confond la justice de Dieu et celle des hommes ?
10 **a.** Montrez que pour fléchir Monte-Cristo Mercédès supplie, déclare son amour et évoque sa fidélité et sa souffrance.
b. De quels gestes accompagne-t-elle ses paroles ?
c. Par quelle dernière réplique réussit-elle à fléchir Monte-Cristo ?
d. Quel pronom Mercédès utilise-t-elle alors pour s'adresser à Edmond (l. 221-224) ?
11 Relevez les réactions de Monte-Cristo au cours de cette scène. Réussit-il à cacher son trouble ?

Le duel manqué

12 **a.** Quel coup de théâtre permet d'éviter le duel ?
b. Relevez la comparaison qui souligne la force de ce coup de théâtre (l. 294-296).
13 **a.** Relisez les lignes 297-327. Monte-Cristo comprend-il qui est à l'origine de ce coup de théâtre ?
b. Comment Monte-Cristo laisse-t-il percer son émotion ?
c. Quels sentiments éprouve-t-il alors ? À qui songe-t-il ?

La réalisation de la seconde vengeance

14 Pour quelle raison Monte-Cristo a-t-il particulièrement à cœur de se venger de Morcef ?

15 Montrez que Monte-Cristo joue avec sa victime. Pour répondre :
– dites si Morcef comprend le sens des paroles : « C'est inutile, nous nous connaissons si bien » (l. 386-387) ;
– relevez le bilan que fait Monte-Cristo du parcours de Morcef ; quelle anaphore utilise-t-il (l. 390-397) ?

16 **a.** Par quelle comparaison le narrateur décrit-il l'état de Morcef suite à ces paroles ?
b. Analysez les réactions de Morcef (l. 398-412) : par quel pronom désigne-t-il soudainement Monte-Cristo ?
c. Qu'insinue-t-il sur l'identité et le passé de Monte-Cristo ? Par quels termes le désigne-t-il ?

17 Comment Monte-Cristo retarde-t-il la révélation de son identité ?

Dantès et la loi du talion

Dans la première partie du roman, tous les liens (filiaux, amoureux et sociaux) de Dantès ont été tranchés par des personnages qui ont construit les leurs.
Dantès va appliquer la loi du talion, châtiment qui consiste à infliger au coupable le traitement qu'il a fait subir à autrui (« œil pour œil, dent pour dent »).

18 **a.** Montrez que Monte-Cristo frappe Morcef sentimentalement, familialement, socialement.
b. De quels intermédiaires s'est-il servi ?

La dimension théâtrale du roman

19 Quelle est la part du dialogue dans l'ensemble de l'extrait ?

20 **a.** Montrez que l'arrivée et le départ de Mercédès (ch. LXXXXIX) sont orchestrés comme une entrée en scène et une sortie de scène.
b. Quelle est l'importance de la gestuelle dans l'ensemble de ce chapitre ? Donnez des exemples.

21 **a.** Montrez que, dans le chapitre LXCII, Monte-Cristo met en scène la révélation de sa véritable identité et agit en comédien. Quel effet cherche-t-il à produire chez Morcerf ?
b. Cette mise en scène fonctionne-t-elle ? Justifiez votre réponse.

La force du nom

22 **a.** Par quel nom Mercédès appelle-t-elle le comte de Monte-Cristo au tout début de son entrevue avec lui ? Comment Monte-Cristo réagit-il ?
b. « Ce n'est point madame de Morcef qui vient à vous, c'est Mercédès » : quelle est la réplique de Monte-Cristo à cette déclaration ? En quoi est-elle violente ?
c. Pourquoi Monte-Cristo corrige-t-il Mercédès lorsqu'elle évoque M. de Morcef (l. 31) ?

23 Relisez la réplique de Morcef (l. 398-402).
a. Quels sont les noms d'emprunts de Monte-Cristo cités par Morcef ?
b. Combien de fois Morcef pose-t-il à Monte-Cristo la question de son nom ?

24 **a.** Comment Monte-Cristo répond-il à sa question ?
b. Qui finalement prononce le nom d'« Edmond Dantès » ? Avec quelle conséquence ?

La mort du comte de Morcef

25 **a.** Où le comte est-il caché ?
b. « Deux personnes descendaient l'escalier... C'était Mercédès... » (l. 454-456) ; « Les paroles s'éteignirent, les pas s'éloignèrent » (l. 464). Quel point de vue le narrateur adopte-t-il dans ces passages ?
c. Quelles sont les dernières paroles que le comte entend ?
d. Quels sentiments éprouve-t-il ? Quels gestes et attitudes traduisent ces sentiments ?

Étudier la langue

Vocabulaire : la famille des mots *coupable*, *culpabilité*

26 « Vous savez que le coupable n'aime pas à s'entendre convaincre de culpabilité » (l. 351-352). Complétez les phrases avec un mot de la famille de *coupable*.
a. Le juge l'a in............... de vol.
b. Son innocence a été prouvée, il a été d................ .
d. Se sentir coupable, c'est éprouver un sentiment de c............... .
e. Se sentir responsable, c'est c............... .
f. Battre sa..............., c'est se repentir, s'avouer coupable.

Grammaire : les connecteurs

Les connecteurs sont des mots qui organisent la progression d'un texte et permettent de relier des phrases ou des propositions. Ils sont placés au début de la phrase ou de la proposition.
On distingue les connecteurs **spatiaux** (*en haut, à droite...*), **temporels** (*d'abord, puis...*), **logiques** (de cause : *car, en effet...* ; de conséquence : *aussi, donc...* ; d'opposition : *mais, cependant...*).

27 **a.** Relevez dans les lignes 469-480 quatre connecteurs de temps et deux connecteurs logiques. Pour ces derniers, précisez leur valeur (cause...).
b. Montrez que les actions s'enchaînent rapidement. Quelle en est la conséquence ? Quel dernier événement la déclenche ?

Écrire

Écrire une suite

28 Mercédès vient de quitter le comte de Monte-Cristo (ch. LXXXIX). Imaginez le dialogue entre elle et son fils, qui se prépare à combattre en duel contre le comte.
Consignes d'écriture :
– votre suite s'intercale entre les chapitres LXXXIX et LXC ;
– elle s'appuie sur l'échange entre Monte-Cristo et Mercédès. Celle-ci est troublée par ce qu'elle vient d'apprendre, heureuse de la décision de Monte-Cristo d'épargner son fils mais malheureuse car celui-ci le fait au prix de sa vie ;
– choisissez les désignations des personnages (Edmond/le comte... ; madame de Morcef/Mercédès/la mère éplorée....) en fonction du dialogue ;
– commencez par : *Un quart d'heure après, madame de Morcef (ou Mercédès) arriva à son hôtel rue du Helder...* (le dialogue a lieu tard dans la nuit, la veille du duel).

Texte 14 – Tentative d'empoisonnement

« Non, vous ne mourrez pas »

Monte-Cristo a influencé Danglars pour qu'il donne sa fille Eugénie en mariage au faux riche prince italien Andrea Cavalcanti. Or cet Andrea Cavalcanti n'est autre que Benedetto, le fils illégitime de Villefort, que ce dernier avait cru enterrer vivant (voir texte 11 p. 210). Monte-Cristo s'arrange pour que le scandale éclate le jour du mariage : des gendarmes surgissent, ils recherchent Andrea Cavalcanti, assassin du « nommé Caderousse, son ancien compagnon de chaîne ». Or « Andrea » a eu le temps de s'échapper…

Au même moment, Villefort doit faire face à un drame familial : un mystérieux criminel s'acharne sur sa famille, empoisonnant tour à tour les parents de sa première femme, M. et Mme de Saint Méran ainsi que Barrois, le domestique de Noirtier, son vieux père paralysé. Et voilà qu'il s'attaque maintenant à Valentine, fille que Villefort a eue avec sa première épouse. Il se trouve que Monte-Cristo n'est pas étranger à l'affaire : il a fourni à la seconde épouse de Villefort, sous une fausse identité, la recette d'un redoutable poison, qui, pris à petite dose peut être curatif : la jeune madame de Villefort avait prétendu en avoir besoin pour calmer ses spasmes et sa nervosité. Monte-Cristo, bien qu'il haisse Villefort et sa famille, décide d'empêcher Valentine de mourir, car il vient d'apprendre qu'elle est aimée de Maximilien Morrel, le fils de son ami l'armateur.

Depuis quelques jours, Valentine va très mal ; le médecin de famille a des soupçons, il apprend de Noirtier que le poison est à l'origine des morts qui s'abattent sur la maison ; lui-même, pour immuniser sa petite-fille, lui a fait prendre jour après jour un contrepoison. La jeune fille résiste, mais s'affaiblit. En pleine nuit, dans sa chambre, elle est en proie au délire…

C. L'apparition

[...]

De la mèche de la veilleuse s'élançaient mille et mille rayonnements tous empreints de significations étranges, quand tout à coup, à son reflet tremblant, Valentine crut voir sa bibliothèque, placée à côté de la cheminée, dans un renfoncement du mur, s'ouvrir lentement, sans que les gonds sur lesquels elle semblait rouler produisissent le moindre bruit.

Dans un autre moment, Valentine eût saisi sa sonnette et eût tiré[1] le cordonnet de soie en appelant au secours ; mais rien ne l'étonnait plus dans la situation où elle se trouvait. Elle avait la conscience que toutes ces visions qui l'entouraient étaient les filles de son délire, et cette conviction[2] lui était venue de ce que, le matin, aucune trace n'était restée jamais de tous ces fantômes de la nuit, qui disparaissaient avec le jour.

Derrière la porte parut une figure humaine.

Valentine était, grâce à sa fièvre, trop familiarisée avec ces sortes d'apparitions pour s'épouvanter ; elle ouvrit seulement de grands yeux, espérant reconnaître Morrel.

La figure continua de s'avancer vers son lit, puis elle s'arrêta, et parut écouter avec une attention profonde.

En ce moment, un reflet de la veilleuse se joua sur le visage du nocturne visiteur.

« Ce n'est pas lui ! » murmura-t-elle.

Et elle attendit, convaincue qu'elle rêvait, que cet homme, comme cela arrive dans les songes, disparût ou se changeât en quelque autre personne.

Seulement elle toucha son pouls, et, le sentant battre violemment, elle se souvint que le meilleur moyen de faire disparaître

1. *Eût saisi* et *eût tiré* sont des subjonctifs à valeur de conditionnel (*aurait saisi*, *aurait tiré*).

2. Certitude.

ces visions importunes[3] était de boire : la fraîcheur de la boisson, composée d'ailleurs dans le but de calmer les agitations dont Valentine s'était plainte au docteur, apportait, en faisant tomber la fièvre, un renouvellement des sensations du cerveau ; quand elle avait bu, pour un moment elle souffrait moins.

Valentine étendit donc la main afin de prendre son verre sur la coupe de cristal où il reposait ; mais tandis qu'elle allongeait hors du lit son bras frissonnant, l'apparition fit encore, et plus vivement que jamais, deux pas vers le lit, et arriva si près de la jeune fille qu'elle entendit son souffle et qu'elle crut sentir la pression de sa main.

Cette fois l'illusion ou plutôt la réalité dépassait tout ce que Valentine avait éprouvé jusque-là ; elle commença à se croire bien éveillée et bien vivante ; elle eut la conscience qu'elle jouissait de toute sa raison, et elle frémit.

La pression que Valentine avait ressentie avait pour but de lui arrêter le bras.

Valentine le retira lentement à elle.

Alors cette figure, dont le regard ne pouvait se détacher, et qui d'ailleurs paraissait plutôt protectrice que menaçante, cette figure prit le verre, s'approcha de la veilleuse et regarda le breuvage, comme si elle eût voulu en juger la transparence et la limpidité.

Mais cette première épreuve ne suffit pas.

Cet homme, ou plutôt ce fantôme, car il marchait si doucement que le tapis étouffait le bruit de ses pas, cet homme puisa dans le verre une cuillerée du breuvage et l'avala. Valentine regardait ce qui se passait devant ses yeux avec un profond sentiment de stupeur.

Elle croyait bien que tout cela était près de disparaître pour faire place à un autre tableau ; mais l'homme, au lieu de

3. Gênantes.

s'évanouir comme une ombre, se rapprocha d'elle, et tendant
60 le verre à Valentine, d'une voix pleine d'émotion :

« Maintenant, dit-il, buvez !... »

Valentine tressaillit.

C'était la première fois qu'une de ses visions lui parlait avec ce timbre vivant.

65 Elle ouvrit la bouche pour pousser un cri.

L'homme posa un doigt sur ses lèvres.

« M. le comte de Monte-Cristo ! » murmura-t-elle.

À l'effroi qui se peignit dans les yeux de la jeune fille, au tremblement de ses mains, au geste rapide qu'elle fit pour se
70 blottir sous ses draps, on pouvait reconnaître la dernière lutte du doute contre la conviction ; cependant, la présence de Monte-Cristo chez elle à une pareille heure, son entrée mystérieuse, fantastique, inexplicable, par un mur, semblaient des impossibilités à la raison ébranlée de Valentine.

75 « N'appelez pas, ne vous effrayez pas, dit le comte n'ayez pas même au fond du cœur l'éclair d'un soupçon ou l'ombre d'une inquiétude ; l'homme que vous voyez devant vous (car cette fois vous avez raison, Valentine, et ce n'est point une illusion), l'homme que vous voyez devant vous est le plus
80 tendre père et le plus respectueux ami que vous puissiez rêver. [...] Depuis quatre nuits, je veille sur vous, je vous protège, je vous conserve à notre ami Maximilien. »

Un flot de sang joyeux monta rapidement aux joues de la malade ; car le nom que venait de prononcer le comte lui
85 enlevait le reste de défiance[4] qu'il lui avait inspirée.

« Maximilien !... » répéta Valentine, tant ce nom lui paraissait doux à prononcer ; « Maximilien ! il vous a donc tout avoué ?

– Tout. Il m'a dit que votre vie était la sienne, et je lui ai promis que vous vivriez.

4. Méfiance.

90 – Vous lui avez promis que je vivrais ?

– Oui.

– En effet, monsieur, vous venez de parler de vigilance[5] et de protection. Êtes-vous donc médecin ?

– Oui, et le meilleur que le ciel puisse vous envoyer en ce
95 moment, croyez-moi.

– Vous dites que vous avez veillé ? demanda Valentine inquiète ; où cela ? je ne vous ai pas vu. »

Le comte étendit la main dans la direction de la bibliothèque.

100 « J'étais caché derrière cette porte, dit-il, cette porte donne dans la maison voisine que j'ai louée. »

Valentine, par un mouvement de fierté pudique[6], détourna les yeux, et avec une souveraine terreur :

« Monsieur, dit-elle, ce que vous avez fait est d'une démence[7]
105 sans exemple, et cette protection que vous m'avez accordée ressemble fort à une insulte.

– Valentine, dit-il, pendant cette longue veille, voici les seules choses que j'ai vues, quels gens venaient chez vous, quels aliments on vous préparait, quelles boissons on vous a servies ;
110 puis, quand ces boissons me paraissaient dangereuses, j'entrais comme je viens d'entrer, je vidais votre verre, et je substituais au poison un breuvage bienfaisant, qui, au lieu de la mort qui vous était préparée, faisait circuler la vie dans vos veines.

– Le poison ! la mort ! » s'écria Valentine, se croyant de
115 nouveau sous l'empire de quelque fiévreuse hallucination ; « que dites-vous donc là, monsieur ?

– Chut ! mon enfant, dit Monte-Cristo en portant de nouveau son doigt à ses lèvres, j'ai dit le poison ; oui, j'ai dit la mort, et je répète la mort, mais buvez d'abord ceci. (Le comte tira

5. Surveillance attentive.
6. Gênée.
7. Folie.

120 de sa poche un flacon contenant une liqueur rouge dont il versa quelques gouttes dans le verre.) Et quand vous aurez bu, ne prenez plus rien de la nuit. »

Valentine avança la main ; mais à peine eut-elle touché le verre, qu'elle la retira avec effroi.

125 Monte-Cristo prit le verre, en but la moitié, et le présenta à Valentine, qui avala en souriant le reste de la liqueur qu'il contenait.

« Oh ! oui, dit-elle, je reconnais le goût de mes breuvages nocturnes, de cette eau qui rendait un peu de fraîcheur à ma 130 poitrine, un peu de calme à mon cerveau. Merci, monsieur, merci.

– Voilà comment vous avez vécu quatre nuits, Valentine, dit le comte. Mais moi, comment vivais-je ? Oh ! les cruelles heures que vous m'avez fait passer ! Oh ! les effroyables tortures 135 que vous m'avez fait subir, quand je voyais verser dans votre verre le poison mortel, quand je tremblais que vous n'eussiez le temps de le boire avant que j'eusse celui de le répandre dans la cheminée !

– Vous dites, monsieur, reprit Valentine au comble de la 140 terreur, que vous avez subi mille tortures en voyant verser dans mon verre le poison mortel ? Mais si vous avez vu verser le poison dans mon verre, vous avez dû voir la personne qui le versait ?

– Oui. »

145 Valentine se souleva sur son séant[8], et ramenant sur sa poitrine plus pâle que la neige la batiste[9] brodée, encore moite de la sueur froide du délire, à laquelle commençait à se mêler la sueur plus glacée encore de la terreur.

« Vous l'avez vue ? répéta la jeune fille.

8. S'assit.

9. Toile de lin très fine.

150 – Oui », dit une seconde fois le comte.

« Ce que vous me dites est horrible, monsieur, ce que vous voulez me faire croire a quelque chose d'infernal. Quoi ! dans la maison de mon père, quoi ! dans ma chambre, quoi ! sur mon lit de souffrance on continue de m'assassiner ? Oh ! 155 retirez-vous, monsieur, vous tentez ma conscience, vous blasphémez[10] la bonté divine, c'est impossible, cela ne se peut pas.

– Êtes-vous donc la première que cette main frappe, Valentine ? n'avez-vous pas vu tomber autour de vous M. de 160 Saint-Méran, madame de Saint-Méran, Barrois ? n'auriez-vous pas vu tomber M. Noirtier, si le traitement qu'il suit depuis près de trois ans ne l'avait protégé en combattant le poison par l'habitude du poison ?

– Oh ! mon Dieu ! dit Valentine, c'est pour cela que, depuis 165 près d'un mois, bon-papa exige que je partage toutes ses boissons ?

– Et ces boissons, s'écria Monte-Cristo, ont un goût amer comme celui d'une écorce d'orange à moitié séchée, n'est-ce pas ?

170 – Oui, mon Dieu, oui !

– Oh ! cela m'explique tout, dit Monte-Cristo ; lui aussi sait qu'on empoisonne ici, et peut-être qui empoisonne.

Il vous a prémunie[11], vous son enfant bien-aimée, contre la substance mortelle, et la substance mortelle est venue 175 s'émousser[12] contre ce commencement d'habitude ; voilà comment vous vivez encore, ce que je ne m'expliquais pas, après avoir été empoisonnée il y a quatre jours avec un poison qui d'ordinaire ne pardonne pas.

– Mais quel est donc l'assassin, le meurtrier ?

10. Vous outragez.
11. Protégée contre un danger.
12. Perdre de son efficacité.

– À votre tour je vous demanderai : N'avez-vous donc jamais vu entrer quelqu'un la nuit dans votre chambre ?

– Si fait. Souvent j'ai cru voir passer comme des ombres, ces ombres s'approcher, s'éloigner, disparaître ; mais je les prenais pour des visions de ma fièvre, et tout à l'heure, quand vous êtes entré vous-même, eh bien ! j'ai cru longtemps ou que j'avais le délire, ou que je rêvais.

– Ainsi, vous ne connaissez pas la personne qui en veut à votre vie ?

– Non, dit Valentine, pourquoi quelqu'un désirerait-il ma mort ?

– Vous allez la connaître alors, dit Monte-Cristo en prêtant l'oreille.

– Comment cela ? demanda Valentine, en regardant avec terreur autour d'elle.

– Parce que ce soir vous n'avez plus ni fièvre ni délire, parce que ce soir vous êtes bien éveillée, parce que voilà minuit qui sonne et que c'est l'heure des assassins.

– Mon Dieu ! mon Dieu ! » dit Valentine en essuyant avec sa main la sueur qui perlait à son front.

En effet, minuit sonnait lentement et tristement, on eût dit que chaque coup du marteau de bronze frappait sur le cœur de la jeune fille.

« Valentine, continua le comte, appelez toutes vos forces à votre secours, comprimez votre cœur dans votre poitrine, arrêtez votre voix dans votre gorge, feignez le sommeil, et vous verrez, vous verrez ! »

Valentine saisit la main du comte.

« Il me semble que j'entends du bruit, dit-elle, retirez-vous !

– Adieu, ou plutôt au revoir », répondit le comte.

Puis, avec un sourire si triste et si paternel que le cœur de la jeune fille en fut pénétré de reconnaissance, il regagna sur la pointe du pied la porte de la bibliothèque.

Mais, se retournant avant que de la refermer sur lui :

« Pas un geste, dit-il, pas un mot, qu'on vous croie endormie, sans quoi peut-être vous tuerait-on avant que j'eusse le temps
215 d'accourir. »

Et, sur cette effrayante injonction, le comte disparut derrière la porte qui se referma silencieusement sur lui.

CI. Locuste

Valentine resta seule ; deux autres pendules, en retard sur celle de Saint-Philippe-du-Roule, sonnèrent encore minuit à
220 des distances différentes.

Puis, à part le bruissement de quelques voitures lointaines, tout retomba dans le silence.

Alors toute l'attention de Valentine se concentra sur la pendule de sa chambre, dont le balancier marquait les secondes.

225 Elle se mit à compter ces secondes et remarqua qu'elles étaient du double plus lentes que les battements de son cœur. Et cependant elle doutait encore ; l'inoffensive Valentine ne pouvait se figurer que quelqu'un désirât sa mort ; pourquoi ? dans quel but ? quel mal avait-elle fait qui pût lui susciter un ennemi ?

230 Il n'y avait pas de crainte qu'elle s'endormît.

Une seule idée, une idée terrible tenait son esprit tendu : c'est qu'il existait une personne au monde qui avait tenté de l'assassiner et qui allait le tenter encore.

Si cette fois cette personne, lassée de voir l'inefficacité du
235 poison, allait, comme l'avait dit Monte-Cristo, avoir recours au fer ! si le comte n'allait pas avoir le temps d'accourir ! si elle touchait à son dernier moment ! si elle ne devait plus revoir Morrel !

À cette pensée qui la couvrait à la fois d'une pâleur livide
240 et d'une sueur glacée, Valentine était prête à saisir le cordon de sa sonnette et à appeler au secours.

Mais il lui semblait, à travers la porte de la bibliothèque, voir étinceler l'œil du comte, cet œil qui pesait sur son souvenir, et qui, lorsqu'elle y songeait, l'écrasait d'une telle honte, qu'elle se demandait si jamais la reconnaissance parviendrait à effacer ce pénible effet de l'indiscrète amitié du comte.

Vingt minutes, vingt éternités s'écoulèrent ainsi, puis dix autres minutes encore ; enfin la pendule, criant une seconde à l'avance, finit par frapper un coup sur le timbre sonore.

En ce moment même, un grattement imperceptible de l'ongle contre le bois de la bibliothèque apprit à Valentine que le comte veillait et lui recommandait de veiller.

En effet, du côté opposé, c'est-à-dire vers la chambre d'Édouard, il sembla à Valentine qu'elle entendait crier le parquet ; elle prêta l'oreille, retenant sa respiration presque étouffée ; le bouton de la serrure grinça, et la porte tourna sur ses gonds.

Valentine s'était soulevée sur son coude, elle n'eut que le temps de se laisser retomber sur son lit et de cacher ses yeux sous son bras.

Puis, tremblante, agitée, le cœur serré d'un indicible effroi, elle attendit.

Quelqu'un s'approcha du lit et effleura les rideaux.

Valentine rassembla toutes ses forces et laissa entendre le murmure régulier de la respiration qui annonce un sommeil tranquille.

« Valentine ! » dit tout bas une voix.

La jeune fille frissonna jusqu'au fond du cœur, mais ne répondit point.

« Valentine ! » répéta la même voix.

Même silence : Valentine avait promis de ne point se réveiller.

Puis tout demeura immobile.

Seulement Valentine entendit le bruit presque insensible d'une liqueur tombant dans le verre qu'elle venait de vider.

Alors elle osa sous le rempart de son bras étendu, entrouvrir
275 sa paupière.

Elle vit alors une femme en peignoir blanc, qui vidait dans son verre une liqueur préparée d'avance dans une fiole[13].

Pendant ce court instant, Valentine retint peut-être sa respiration ou fit sans doute quelque mouvement, car la femme,
280 inquiète, s'arrêta et se pencha sur son lit pour mieux voir si elle dormait réellement : c'était madame de Villefort.

Valentine, en reconnaissant sa belle-mère, fut saisie d'un frisson aigu qui imprima un mouvement à son lit.

Madame de Villefort s'effaça aussitôt le long du mur, et là,
285 abritée derrière le rideau du lit, muette, attentive, elle épia jusqu'au moindre mouvement de Valentine.

Celle-ci se rappela les terribles paroles de Monte-Cristo ; il lui avait semblé, dans la main qui ne tenait pas la fiole, voir briller une espèce de couteau long et affilé. Alors Valentine,
290 appelant toute la puissance de sa volonté à son secours, s'efforça de fermer les yeux ; mais cette fonction du plus craintif de nos sens, cette fonction si simple d'ordinaire, devenait en ce moment presque impossible à accomplir, tant l'avide curiosité faisait d'efforts pour repousser cette paupière et attirer
295 la vérité.

Cependant, assurée, par le silence dans lequel avait recommencé à se faire entendre le bruit égal de la respiration de Valentine, que celle-ci dormait, madame de Villefort étendit de nouveau le bras, et en demeurant à demi dissimulée par
300 les rideaux rassemblés au chevet du lit, elle acheva de vider dans le verre de Valentine le contenu de sa fiole.

Puis elle se retira, sans que le moindre bruit avertît Valentine qu'elle était partie.

13. Petite bouteille de verre à col étroit utilisée en pharmacie.

Elle avait vu disparaître le bras, voilà tout : ce bras frais et
305 arrondi d'une femme de vingt-cinq ans, jeune et belle, et qui versait la mort.

Il est impossible d'exprimer ce que Valentine avait éprouvé pendant cette minute et demie que madame de Villefort était restée dans sa chambre.

310 Le grattement de l'ongle contre la bibliothèque tira la jeune fille de cet état de torpeur dans lequel elle était ensevelie, et qui ressemblait à de l'engourdissement.

Elle souleva la tête avec effort.

La porte, toujours silencieuse, roula une second fois sur ses
315 gonds, et le comte de Monte-Cristo reparut.

« Eh bien ! demanda le comte, doutez-vous encore ?

– Ô mon Dieu ! murmura la jeune fille.

– Vous avez vu ?

– Hélas !

320 – Vous avez reconnu ? »

Valentine poussa un gémissement.

« Oui, dit-elle, mais je n'y puis croire.

– Vous aimez mieux mourir alors, et faire mourir Maximilien !...

325 – Mon Dieu, mon Dieu ! répéta la jeune fille presque égarée ; mais ne puis-je donc pas quitter la maison, me sauver ?...

– Valentine, la main qui vous poursuit vous atteindra partout : à force d'or, on séduira vos domestiques, et la mort s'offrira à vous, déguisée sous tous les aspects, dans l'eau que vous boirez
330 à la source, dans le fruit que vous cueillerez à l'arbre.

– Mais n'avez-vous donc pas dit que la précaution de bon-papa m'avait prémunie[14] contre le poison ?

– Contre un poison, et encore non pas employé à forte dose ; on changera de poison ou l'on augmentera la dose. »

14. Protégée contre un danger.

335 Il prit le verre et y trempa ses lèvres.

« Et tenez, dit-il, c'est déjà fait. Ce n'est plus avec de la brucine[15] qu'on vous empoisonne, c'est avec un simple narcotique[16]. Je reconnais le goût de l'alcool dans lequel on l'a fait dissoudre. Si vous aviez bu ce que madame de Villefort vient de verser dans 340 ce verre, Valentine, Valentine, vous étiez perdue.

– Mais, mon Dieu ! s'écria la jeune fille, pourquoi donc me poursuit-elle ainsi ?

– Comment ! vous êtes si douce, si bonne, si peu croyante au mal que vous n'avez pas compris, Valentine ?

345 – Non, dit la jeune fille ; je ne lui ai jamais fait de mal.

– Mais vous êtes riche, Valentine ; mais vous avez deux cent mille livres de rente, et ces deux cent mille francs de rente, vous les enlevez à son fils.

– Comment cela ? Ma fortune n'est point la sienne et me 350 vient de mes parents.

– Sans doute, et voilà pourquoi M. et madame de Saint-Méran sont morts : c'était pour que vous héritassiez de vos parents ; voilà pourquoi du jour où il vous a fait son héritière, M. Noirtier avait été condamné ; voilà pourquoi, à votre tour, vous devez 355 mourir, Valentine ; c'est afin que votre père hérite de vous, et que votre frère, devenu fils unique, hérite de votre père.

– Édouard ! pauvre enfant, et c'est pour lui qu'on commet tous ces crimes ?

– Ah ! vous comprenez, enfin.

[...]

360 – Oh ! monsieur, s'écria la douce jeune fille en fondant en larmes, je vois bien, s'il en est ainsi, que je suis condamnée à mourir.

– Non, Valentine, non, car j'ai prévu tous les complots ; non, car notre ennemie est vaincue, puisqu'elle est devinée ; non, vous

15. Substance toxique mais qui prise à petite dose peut avoir un usage médical.

16. Substance qui assoupit, engourdit la sensibilité.

vivrez, Valentine, vous vivrez pour aimer et être aimée, vous
365 vivrez pour être heureuse et rendre un noble cœur heureux ; mais pour vivre, Valentine, il faut avoir bien confiance en moi.

– Ordonnez, monsieur, que faut-il faire ?

– Il faut prendre aveuglément ce que je vous donnerai.

– Oh ! Dieu m'est témoin, s'écria Valentine, que si j'étais
370 seule, j'aimerais mieux me laisser mourir !

– Vous ne vous confierez à personne, pas même à votre père.

– Mon père n'est pas de cet affreux complot, n'est-ce pas, monsieur ? dit Valentine en joignant les mains.

– Non, et cependant votre père, l'homme habitué aux accu-
375 sations juridiques, votre père doit se douter que toutes ces morts qui s'abattent sur sa maison ne sont point naturelles. Votre père, c'est lui qui aurait dû veiller sur vous, c'est lui qui devrait être à cette heure à la place que j'occupe ; c'est lui qui devrait déjà avoir vidé ce verre ; c'est lui qui devrait déjà s'être
380 dressé contre l'assassin. Spectre contre spectre », murmura-t-il, en achevant tout haut sa phrase.

« Monsieur, dit Valentine, je ferai tout pour vivre, car il existe deux êtres au monde qui m'aiment à en mourir si je mourais : mon grand-père et Maximilien.

385 – Je veillerai sur eux comme j'ai veillé sur vous.

– Eh bien ! monsieur, disposez de moi », dit Valentine. Puis, à voix basse : « Ô mon Dieu ! mon Dieu ! dit-elle, que va-t-il m'arriver ?

– Quelque chose qui vous arrive, Valentine, ne vous épou-
390 vantez point ; si vous souffrez, si vous perdez la vue, l'ouïe, le tact[17], ne craignez rien ; si vous vous réveillez sans savoir où vous êtes, n'ayez pas peur, dussiez-vous[18], en vous éveillant, vous trouver dans quelque caveau sépulcral ou clouée dans

17. Le toucher.

18. Même si vous deviez.

quelque bière[19] ; rappelez soudain votre esprit, et dites-vous :
395 En ce moment, un ami, un père, un homme qui veut mon bonheur et celui de Maximilien, cet homme veille sur moi.

– Hélas ! hélas ! quelle terrible extrémité.

– Valentine, aimez-vous mieux dénoncer votre belle-mère ?

– J'aimerais mieux mourir cent fois ! oh ! oui, mourir !

400 – Non, vous ne mourrez pas, et quelque chose qui vous arrive[20], vous me le promettez, vous ne vous plaindrez pas, vous espérerez ?

– Je penserai à Maximilien.

– Vous êtes ma fille bien-aimée, Valentine ; seul, je puis vous
405 sauver, et je vous sauverai.

[...] croyez en mon dévouement, comme vous croyez en la bonté de Dieu et dans l'amour de Maximilien. »

Valentine attacha sur lui un regard plein de reconnaissance, et demeura docile comme un enfant sous ses voiles.

410 Alors le comte tira de la poche de son gilet le drageoir[21] en émeraude, souleva son couvercle d'or, et versa dans la main droite de Valentine une petite pastille ronde de la grosseur d'un pois.

Valentine la prit avec l'autre main, et regarda le comte atten-
415 tivement : il y avait sur les traits de cet intrépide protecteur un reflet de la majesté et de la puissance divines. Il était évident que Valentine l'interrogeait du regard.

« Oui », répondit celui-ci.

Valentine porta la pastille à sa bouche et l'avala.

420 « Et maintenant, au revoir, mon enfant, dit-il, je vais essayer de dormir, car vous êtes sauvée.

– Allez, dit Valentine, quelque chose qui m'arrive, je vous promets de n'avoir pas peur. »

19. Cercueil.
20. Quelle que soit la chose qui vous arrive.
21. Boîte à dragées.

Valentine et Madame de Villefort, illustration pour *Le Comte de Monte-Cristo*, XIXe siècle, collection particulière.

Monte-Cristo tint longtemps ses yeux fixés sur la jeune fille, qui s'endormit peu à peu, vaincue par la puissance du narcotique que le comte venait de lui donner.

Alors il prit le verre, le vida aux trois quarts dans la cheminée, pour que l'on pût croire que Valentine avait bu ce qu'il en manquait, le reposa sur la table de nuit ; puis, regagnant la porte de la bibliothèque, il disparut, après avoir jeté un dernier regard vers Valentine, qui s'endormait avec la confiance et la candeur[22] d'un ange couché aux pieds du Seigneur.

22. Innocence.

Questions

Ai-je bien lu ?

1 De qui Valentine est-elle la fille ? la petite-fille ?
2 Dans quel état se trouve-t-elle ?
3 Quel personnage cherche à l'empoisonner ? Pour quelle raison ?
4 Que vient faire le comte de Monte-Cristo à son chevet ?
5 Pourquoi dit-il à la jeune fille : « vous êtes sauvée » ?

Repérer et analyser

Le roman d'aventure

Le cadre spatio-temporel

6 Dans quel cadre l'action se déroule-t-elle ? Relevez les éléments du décor et les effets d'éclairage.
7 Quel est le moment de la journée ? Appuyez-vous sur une indication d'heure. En quoi le narrateur favorise-t-il le mystère ?

Les ingrédients du suspense

8 **a.** Relevez le lexique du rêve, du délire, de l'incertitude dans les lignes 1-42.
b. Montrez que l'état de Valentine entretient la confusion des perceptions.
c. Quelle atmosphère est ainsi créée ?
9 **a.** « La figure continua de s'avancer vers son lit » (l. 18) : pourquoi le narrateur ne nomme-t-il pas tout de suite Monte Cristo ? Par quels autres termes le désigne-t-il avant de dévoiler son nom ?
b. Quel point de vue le narrateur adopte-t-il dans ce passage ainsi dans la majeure partie de l'extrait ?
c. Quel est pour le lecteur l'intérêt du choix de ce point de vue ?
10 **a.** Relevez dans les lignes 195-196 les indications marquant le temps qui s'écoule. Sont-elles nombreuses ?
b. Relevez les notations auditives perçues par Valentine durant la présence de l'empoisonneuse dans la pièce.
c. Quelle hypothèse Valentine émet-elle sur son sort (l. 234-241) ?
d. Quelles émotions le lecteur ressent-il à la lecture de cette scène ?

11 **a.** À quel moment le lecteur apprend-il le nom de l'empoisonneuse ? Comment Monte-Cristo retarde-t-il la révélation de ce nom ?
b. Quels termes la décrivent ? Est-elle habile ?

Le motif de l'empoisonnement

12 **a.** Montrez que le thème du poison domine l'extrait. Appuyez-vous sur le relevé d'un champ lexical aux lignes 107-178 et 276-306.
b. Quel est l'effet produit par l'expression : « qui versait la mort » (l. 306) ?
13 **a.** Quels personnages ont déjà péri par le poison (l. 158-163) ?
b. Pourquoi Noirtier a-t-il résisté ? Pourquoi exige-t-il de sa petite fille qu'elle partage toutes ses boissons ?

Le personnage de Valentine

14 De qui Valentine est-elle amoureuse ?
15 **a.** « L'inoffensive Valentine » (l. 227) : donnez le sens de l'adjectif.
b. Valentine pense-t-elle qu'on peut lui vouloir du mal ?
16 **a.** Comment Valentine réagit-elle :
– lorsqu'elle entend et aperçoit « l'empoisonneuse » ;
– quand elle apprend de Monte-Cristo le motif des empoisonnements ;
– quand Monte-Cristo lui parle de son père ?
b. A-t-elle confiance en Monte-Cristo ?

Le parcours de Monte-Cristo

Expert, père et démiurge

17 Dans quel nouveau domaine Monte-Cristo se montre-t-il expert ?
18 **a.** Quels adjectifs qualifient l'entrée de Monte Cristo dans la chambre de Valentine ?
b. Comment a-t-il pu apparaître aussi rapidement à son chevet ?
19 **a.** Pourquoi Monte-Cristo sauve-t-il Valentine ?
b. Montrez qu'il prend à la fois la figure d'un père (l. 75-80 et 209-211) et d'un Dieu sauveur et protecteur (l. 404-405).
c. Que fait-il à la fin du chapitre ?

Villefort : la cible

20 **a.** Quelles critiques Monte-Cristo émet-il à propos de Villefort ?
b. A-t-il réglé ses comptes avec lui ?

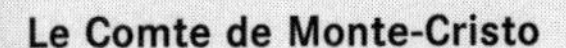

Étudier la langue

Vocabulaire : les doublets

Certains mots latins ont subi un double traitement : parallèlement à leur évolution phonétique naturelle, ils se sont trouvés transposés en français sous une forme qui n'était qu'un calque du latin.

21 *Poison* (« boisson pour mourir ») vient phonétiquement du latin *potio, potionis*, « boisson ». Quel autre mot, calqué du latin, a été créé plus tard et signifie « boisson pour guérir ».

Orthographe : les accords des participes passés

22 Expliquez les accords des participes dans les phrases suivantes. Vous énoncerez pour chaque cas la règle d'accord.

a. « Et elle attendit, convaincue qu'elle rêvait. »

b. « Cette porte donne dans la maison voisine que j'ai louée. »

c. « Pendant cette longue veille, voici les seules choses que j'ai vues. »

d. « Je substituais au poison un breuvage bienfaisant, qui, au lieu de la mort qui vous était préparée, faisait circuler la vie dans vos veines. »

Orthographe : le déterminant indéfini *quelques/quelque*

23 Quelle différence de sens y a-t-il entre le déterminant *quelque* au singulier et le déterminant *quelques* au pluriel ?

a. « Le comte tira de sa poche un flacon contenant une liqueur rouge dont il versa **quelques** gouttes dans le verre. »

b. « Pendant ce court instant, Valentine retint peut-être sa respiration, ou fit sans doute **quelque** mouvement. »

Écrire

Changer de narrateur

24 Réécrivez le passage des lignes 33-44 (« Valentine étendit donc la main... de lui arrêter le bras ») en changeant le narrateur. Le récit sera mené à la première personne : c'est Valentine qui raconte son histoire.

Texte 15 – Benedetto révèle le secret de sa naissance

« Mon père se nomme M. de Villefort »

CX. L'acte d'accusation

Tout le monde croit Valentine morte, le médecin constate même son décès. Le vieux Noirtier, père de Villefort, révèle alors à son fils le nom de l'assassin. Villefort, atterré d'apprendre qu'il s'agit de son épouse, promet à son père que vengeance sera faite. En attendant, le médecin part à la recherche d'un prêtre et rencontre l'abbé Busoni, qui veille Valentine durant toute la nuit.

L'enterrement de Valentine a lieu. Monte-Cristo sauve in extremis Maximilien Morrel sur le point de se suicider. Il fait promettre à Maximimilien de patienter un mois heure pour heure et de vivre au moins jusque là.

Villefort se décide alors à parler à son épouse qu'il accuse d'empoisonnement, la menaçant de la livrer à la justice et de l'arrêter de ses propres mains si elle ne s'empoisonne pas elle-même. En même temps, Villefort, chargé de l'accusation pour le procès meurtrier de Caderousse, travaille activement sur l'affaire. L'accusé est Benedetto, alias Andrea Cavalcanti, fils illégitime de Villefort et Mme Danglars. Mais, dans sa cellule de prison, Benedetto a reçu la visite de Bertuccio, l'homme qui l'avait recueilli lorsqu'il a été enterré vivant. Bertuccio, envoyé par Monte-Cristo, lui a révélé l'identité de son père et les circonstances de sa naissance…

Arrive le jour du procès, il se trouve que Mme Danglars est dans l'assistance.

[...]

« Gendarmes ! dit le président, amenez l'accusé. »

À ces mots, l'attention du public devint plus active, et tous les yeux se fixèrent sur la porte par laquelle Benedetto devait entrer.

Bientôt cette porte s'ouvrit et l'accusé parut.

L'impression fut la même sur tout le monde, et nul ne se trompa à l'expression de sa physionomie.

Ses traits ne portaient pas l'empreinte de cette émotion profonde qui refoule le sang au cœur et décolore le front et les joues. Ses mains, gracieusement posées, l'une sur son chapeau, l'autre dans l'ouverture de son gilet de piqué blanc, n'étaient agitées d'aucun frisson : son œil était calme et même brillant. À peine dans la salle, le regard du jeune homme se mit à parcourir tous les rangs des juges et des assistants, et s'arrêta plus longuement sur le président et surtout sur le procureur du roi.

Auprès d'Andrea se plaça son avocat, avocat nommé d'office (car Andrea n'avait point voulu s'occuper de ces détails auxquels il n'avait paru attacher aucune importance), jeune homme aux cheveux d'un blond fade, au visage rougi par une émotion cent fois plus sensible que celle du prévenu[1].

Le président demanda la lecture de l'acte d'accusation, rédigé, comme on sait, par la plume si habile et si implacable de Villefort.

Pendant cette lecture, qui fut longue, et qui pour tout autre eût été accablante, l'attention publique ne cessa de se porter sur Andrea, qui en soutint le poids avec la gaieté d'âme d'un Spartiate[2].

1. Personne citée devant un tribunal pour répondre d'un délit.

2. Habitant de l'ancienne Sparte (Grèce), réputé pour supporter les épreuves avec courage.

Jamais Villefort peut-être n'avait été si concis[3] ni si éloquent ; le crime était présenté sous les couleurs les plus vives ; les antécédents du prévenu, sa transfiguration, la filiation de ses actes depuis un âge assez tendre, étaient déduits avec le talent que la pratique de la vie et la connaissance du cœur humain pouvaient fournir à un esprit aussi élevé que celui du procureur du roi.

Avec ce seul préambule, Benedetto était à jamais perdu dans l'opinion publique, en attendant qu'il fût puni plus matériellement par la loi.

Andrea ne prêta pas la moindre attention aux charges successives qui s'élevaient et retombaient sur lui : M. de Villefort, qui l'examinait souvent et qui sans doute continuait sur lui les études psychologiques qu'il avait eu si souvent l'occasion de faire sur les accusés, M. de Villefort ne put une seule fois lui faire baisser les yeux, quelles que fussent la fixité et la profondeur de son regard.

Enfin la lecture fut terminée.

« Accusé, dit le président, vos nom et prénoms ? »

Andrea se leva.

« Pardonnez-moi, monsieur le président, dit-il d'une voix dont le timbre vibrait parfaitement pur, mais je vois que vous allez prendre un ordre de questions dans lequel je ne puis vous suivre. J'ai la prétention que c'est à moi de justifier plus tard d'être une exception aux accusés ordinaires. Veuillez donc, je vous prie, me permettre de répondre en suivant un ordre différent ; je n'en répondrai pas moins à tout. »

Le président, surpris, regarda les jurés, qui regardèrent le procureur du roi.

3. Précis.

Une grande surprise se manifesta dans toute l'assemblée. Mais Andrea ne parut aucunement s'en émouvoir.

60 « Votre âge ? dit le président ; répondrez-vous à cette question ?

– À cette question comme aux autres, je répondrai, monsieur le président, mais à son tour.

– Votre âge ? répéta le magistrat.

65 – J'ai vingt et un ans, ou plutôt je les aurai seulement dans quelques jours, étant né dans la nuit du 27 au 28 septembre 1817. »

M. de Villefort, qui était à prendre note, leva la tête à cette date.

« Où êtes-vous né ? continua le président.

– À Auteuil, près Paris », répondit Benedetto.

70 M. de Villefort leva une seconde fois la tête, regarda Benedetto comme il eût regardé la tête de Méduse[4] et devint livide.

Quant à Benedetto, il passa gracieusement sur ses lèvres le coin brodé d'un mouchoir de fine batiste[5].

« Votre profession ? demanda le président.

75 – D'abord j'étais faussaire[6], dit Andrea le plus tranquillement du monde ; ensuite je suis passé voleur, et tout récemment je me suis fait assassin. »

Un murmure ou plutôt une tempête d'indignation et de surprise éclata dans toutes les parties de la salle ; les juges 80 eux-mêmes se regardèrent stupéfaits, les jurés manifestèrent le plus grand dégoût pour le cynisme[7] qu'on attendait si peu d'un homme élégant.

M. de Villefort appuya une main sur son front qui, d'abord pâle, était devenu rouge et bouillant ; tout à coup il se leva, regar-85 dant autour de lui comme un homme égaré : l'air lui manquait.

4. Femme d'une laideur repoussante et à la chevelure de serpent, ayant le pouvoir de pétrifier ceux qu'elle regardait.
5. Toile de lin très fine.
6. Personne qui fait un faux.
7. Fait d'exprimer des opinions contraires à la morale reçue.

« Cherchez-vous quelque chose, monsieur le procureur du roi ? » demanda Benedetto avec son plus obligeant sourire.

Monsieur de Villefort ne répondit rien, et se rassit ou plutôt retomba sur son fauteuil.

90 « Est-ce maintenant, prévenu, que vous consentez à dire votre nom ? demanda le président. [...]

– Je ne puis vous dire mon nom, car je ne le sais pas ; mais je sais celui de mon père, et je peux vous le dire. »

Un éblouissement douloureux aveugla Villefort ; on vit 95 tomber de ses joues des gouttes de sueur âcres et pressées sur les papiers qu'il remuait d'une main convulsive et éperdue.

« Dites alors le nom de votre père », reprit le président.

Pas un souffle, pas une haleine ne troublaient le silence de cette immense assemblée : tout le monde attendait.

00 « Mon père est procureur du roi, répondit tranquillement Andrea.

– Procureur du roi ! » fit avec stupéfaction le président, sans remarquer le bouleversement qui se faisait sur la figure de Villefort ; « procureur du roi !

05 – Oui, et puisque vous voulez savoir son nom je vais vous le dire : il se nomme de Villefort ! »

L'explosion, si longtemps contenue par le respect qu'en séance on porte à la justice, se fit jour, comme un tonnerre, du fond de toutes les poitrines ; la cour elle-même ne songea 10 point à réprimer ce mouvement de la multitude. [...]

Dix personnes s'empressaient auprès de M. le procureur du roi, à demi écrasé sur son siège, et lui offraient des consolations, des encouragements, des protestations de zèle[8] et de sympathie.

Le calme s'était rétabli dans la salle, à l'exception cependant 5 d'un point où un groupe assez nombreux s'agitait et chuchotait.

8. Empressement.

Une femme, disait-on, venait de s'évanouir ; on lui avait fait respirer des sels, elle s'était remise.

Andrea, pendant tout ce tumulte, avait tourné sa figure souriante vers l'assemblée ; puis, s'appuyant enfin d'une main sur la rampe 120 de chêne de son banc, et cela dans l'attitude la plus gracieuse :

« Messieurs, dit-il, à Dieu ne plaise que je cherche à insulter la cour et à faire, en présence de cette honorable assemblée, un scandale inutile. On me demande quel âge j'ai, je le dis ; on me demande où je suis né, je réponds ; on me demande 125 mon nom, je ne puis le dire, puisque mes parents m'ont abandonné. Mais je puis bien, sans dire mon nom, puisque je n'en ai pas, dire celui de mon père ; or, je le répète, mon père se nomme M. de Villefort, et je suis tout prêt à le prouver. »

Il y avait dans l'accent du jeune homme une certitude, une 130 conviction, une énergie qui réduisirent le tumulte au silence. Les regards se portèrent un moment sur le procureur du roi, qui gardait sur son siège l'immobilité d'un homme que la foudre vient de changer en cadavre.

« Messieurs, continua Andrea en commandant le silence 135 du geste et de la voix, je vous dois la preuve et l'explication de mes paroles.

– Mais, s'écria le président irrité, vous avez déclaré dans l'instruction[9] vous nommer Benedetto, vous avez dit être orphelin, et vous vous êtes donné la Corse pour patrie.

140 – J'ai dit à l'instruction ce qu'il m'a convenu de dire à l'instruction, car je ne voulais pas que l'on affaiblît ou que l'on arrêtât, ce qui n'eût point manqué d'arriver, le retentissement solennel que je voulais donner à mes paroles.

Maintenant je vous répète que je suis né à Auteuil, dans la 145 nuit du 27 au 28 septembre 1817, et que je suis le fils de M. le

9. Phase préparatoire du procès pénal consistant à rechercher les preuves d'une infraction et à en découvrir l'auteur.

procureur du roi de Villefort. Maintenant, voulez-vous des détails ? je vais vous en donner.

Je naquis au premier de la maison numéro 28, rue de la Fontaine, dans une chambre tendue de damas rouge. Mon
50 père me prit dans ses bras en disant à ma mère que j'étais mort, m'enveloppa dans une serviette marquée d'un H et d'un N[10], et m'emporta dans le jardin, où il m'enterra vivant. »

Un frisson parcourut tous les assistants quand ils virent que grandissait l'assurance du prévenu avec l'épouvante de M. de
55 Villefort.

« Mais comment savez-vous tous ces détails ? demanda le président.

– Je vais vous le dire, monsieur le président. Dans le jardin où mon père venait de m'ensevelir, s'était, cette nuit-là même,
60 introduit un homme[11] qui lui en voulait mortellement, et qui le guettait depuis longtemps pour accomplir sur lui une vengeance corse. L'homme était caché dans un massif ; il vit mon père enfermer un dépôt dans la terre, et le frappa d'un coup de couteau au milieu même de cette opération ; puis,
65 croyant que ce dépôt était quelque trésor, il ouvrit la fosse et me trouva vivant encore. Cet homme me porta à l'hospice des Enfants-Trouvés, où je fus inscrit sous le numéro 57. Trois mois après, sa sœur fit le voyage de Rogliano à Paris pour me venir chercher, me réclama comme son fils et m'emmena.
70 Voilà comment, quoique né à Auteuil, je fus élevé en Corse. »

Il y eut un instant de silence, mais d'un silence si profond, que, sans l'anxiété que semblaient respirer mille poitrines, on eût cru la salle vide.

10. Initiales d'Hermine Danglars, à l'époque épouse du baron de Nargonne dont elle est devenue veuve.

11. Bertuccio, qui voulait se venger de Villefort.

175 « Continuez, dit la voix du président.

– Certes, continua Benedetto, je pouvais être heureux chez ces braves gens qui m'adoraient ; mais mon naturel pervers l'emporta sur toutes les vertus qu'essayait de verser dans mon cœur ma mère adoptive. Je grandis dans le mal et je suis arrivé 180 au crime. Enfin, un jour que je maudissais Dieu de m'avoir fait si méchant et de me donner une si hideuse destinée, mon père adoptif est venu me dire :

"Ne blasphème pas, malheureux ! car Dieu t'a donné le jour sans colère ! le crime vient de ton père et non de toi ; de 185 ton père qui t'a voué à l'enfer si tu mourais, à la misère si un miracle te rendait au jour !"

Dès lors j'ai cessé de blasphémer Dieu, mais j'ai maudit mon père ; et voilà pourquoi j'ai fait entendre ici les paroles que vous m'avez reprochées, monsieur le président ; voilà pourquoi 190 j'ai causé le scandale dont frémit encore cette assemblée. Si c'est un crime de plus, punissez-moi ; mais si je vous ai convaincu que dès le jour de ma naissance ma destinée était fatale, douloureuse, amère, lamentable, plaignez-moi !

– Mais votre mère ? demanda le président.

195 – Ma mère me croyait mort ; ma mère n'est point coupable. Je n'ai pas voulu savoir le nom de ma mère ; je ne la connais pas. »

En ce moment un cri aigu, qui se termina par un sanglot, retentit au milieu du groupe qui entourait, comme nous l'avons dit, une femme.

200 Cette femme tomba dans une violente attaque de nerfs et fut enlevée du prétoire[12] ; tandis qu'on l'emportait, le voile épais qui cachait son visage s'écarta et l'on reconnut madame Danglars.

12. Tribunal.

Malgré l'accablement de ses sens énervés, malgré le bourdonnement qui frémissait à son oreille, malgré l'espèce de folie
05 qui bouleversait son cerveau, Villefort la reconnut et se leva.

« Les preuves ! les preuves ! dit le président ; prévenu, souvenez-vous que ce tissu d'horreurs a besoin d'être soutenu par les preuves les plus éclatantes.

– Les preuves ? dit Benedetto en riant, les preuves, vous les
10 voulez ?

– Oui.

– Eh bien ! regardez M. de Villefort, et demandez-moi encore les preuves. »

Chacun se retourna vers le procureur du roi, qui, sous le
15 poids de ces mille regards rivés sur lui, s'avança dans l'enceinte du tribunal, chancelant, les cheveux en désordre et le visage couperosé[13] par la pression de ses ongles.

L'assemblée tout entière poussa un long murmure d'étonnement.

20 « On me demande les preuves, mon père, dit Benedetto, voulez-vous que je les donne ?

– Non, non, balbutia M. de Villefort d'une voix étranglée ; non, c'est inutile.

– Comment, inutile ? s'écria le président ; mais que voulez-
5 vous dire ?

– Je veux dire, s'écria le procureur du roi, que je me débattrais en vain sous l'étreinte mortelle qui m'écrase, messieurs ; je suis, je le reconnais, dans la main du Dieu vengeur. Pas de preuves ; il n'en est pas besoin ; tout ce que vient de dire ce
0 jeune homme est vrai ! »

13. Envahi d'inflammations rougeâtres.

Un silence sombre et pesant comme celui qui précède les catastrophes de la nature enveloppa dans son manteau de plomb tous les assistants, dont les cheveux se dressaient sur la tête.

« Eh quoi ! monsieur de Villefort, s'écria le président, vous 235 ne cédez pas à une hallucination ? Quoi ! vous jouissez de la plénitude de vos facultés ? On concevrait qu'une accusation si étrange, si imprévue, si terrible, ait troublé vos esprits ; voyons, remettez-vous. »

Le procureur du roi secoua la tête. Ses dents s'entrecho- 240 quaient avec violence comme celles d'un homme dévoré par la fièvre, et cependant il était d'une pâleur mortelle.

« Je jouis de toutes mes facultés, monsieur, dit-il ; le corps seulement souffre et cela se conçoit. Je me reconnais coupable de tout ce que ce jeune homme vient d'articuler contre moi, 245 et je me tiens dès à présent chez moi à la disposition de M. le procureur du roi mon successeur. »

Et en prononçant ces mots d'une voix sourde et presque étouffée, M. de Villefort se dirigea en vacillant vers la porte, que lui ouvrit d'un mouvement machinal l'huissier de service[14].

250 L'assemblée tout entière demeura muette et consternée par cette révélation et par cet aveu, qui faisaient un dénouement si terrible aux différentes péripéties qui, depuis quinze jours, avaient agité la haute société parisienne.

[...]

« La séance est levée, messieurs, dit le président, et la cause[15] 255 remise à la prochaine session. L'affaire doit être instruite de nouveau et confiée à un autre magistrat. »

Quant à Andrea, toujours aussi tranquille et beaucoup plus intéressant, il quitta la salle escorté par les gendarmes, qui involontairement lui témoignaient des égards.

14. Personne préposée pour accompagner les personnes qui entrent dans la salle d'audience ou qui en sortent.
15. Affaire, procès.

Le Comte de Monte-Cristo de Robert Vernay (1955) avec Jean Marais.

Questions

Ai-je bien lu ?

1 Qui est l'accusé ? Quelle est sa véritable identité ? Quel est son nom d'emprunt ?
2 Pour quel crime est-il jugé ?
3 Quel rôle Villefort tient-il dans le tribunal ?
4 Quelle révélation l'accusé fait-il au cours de la séance ?

Repérer et analyser

Une scène théâtrale

Mise en scène, coup de théâtre

5 **a.** Montrez que la scène se présente comme une scène de théâtre : relevez les phrases qui signalent l'entrée et la sortie de l'accusé.
b. Décrivez son costume et son allure.
6 Montrez qu'au cours de l'audience, l'accusé monopolise la scène, regarde les uns ou les autres, joue avec les sentiments du public, ménage ses effets.
7 Par quel coup de théâtre l'accusé renverse-t-il le cours du procès ?

L'importance de la gestuelle

8 **a.** Relevez le passage qui signale une « agitation » dans le public autour d'un personnage ? Quelle est la cause de cette agitation ?
b. Comment ce personnage manifeste-t-il ensuite son trouble grandissant ? À la suite de quelles paroles ?
c. Quel mouvement de son costume permet d'identifier ce personnage ?
d. « On reconnut » (l. 202) : quel point de vue le narrateur adopte-t-il ?
9 **a.** Relevez les manifestations physiques des émotions éprouvées par Villefort : en quoi y a-t-il progression ?
b. Quel déplacement effectue-t-il à la fin de la scène ? Décrivez son apparence physique.

Le public

10 Quelles expressions montrent que la salle est comble ?

11 Quelles sont les différentes réactions du public au récit de Benedetto ? Notez aussi les jeux de regard.

La stratégie de défense de Benedetto

12 Montrez que Benedetto mène le jeu dès le début de son discours.

13 **a.** Nie-t-il ses propres crimes ? Quelles circonstances atténuantes se trouve-t-il ?

b. Sur qui cherche-t-il à faire porter la faute ?

c. Qui se retrouve en position d'accusateur ? Qui se trouve en position d'accusé ?

14 Par l'énoncé de quels détails précis Benedetto rend-il son récit particulièrement convaincant ? Citez le texte.

15 Pour quelle raison Benedetto innocente-t-il sa mère ?

16 Comment conduit-il Villefort à passer aux aveux ?

17 Relisez la fin du récit de Benedetto (l. 180-193) : par quelles paroles fait-il appel à la sensibilité des membres du tribunal et du public ? Quel sentiment cherche-t-il à susciter ?

Le personnage de Villefort

18 À quel moment Villefort commence-t-il à être inquiet ? Pourquoi ?

19 **a.** Montrez que Villefort se juge et se condamne lui-même en public : quelle première sanction prend-il contre lui ?

b. Quel rôle assigne-t-il à Dieu dans sa chute ?

c. Les autres personnages présents dans cette scène comprennent-ils le sens de cet événement ?

Les scènes en écho

20 **a.** Dans quelles circonstances Villefort et Mme Danglars ont-il eu à subir le récit de leurs fautes et crimes passés ? Qui faisait ce récit ?

b. En quoi la situation est-elle plus terrible encore pour eux cette fois-ci ?

Le parcours du héros

21 De quels personnages Monte-Cristo s'est-il déjà vengé ?

22 **a.** Rappelez quelle a été la responsabilité de Villefort dans son enfermement au château d'If.

b. Quel châtiment Monte-Cristo lui inflige-t-il ?

23 Monte-Cristo a-t-il l'habitude de frapper lui-même ses ennemis ? Comment se sert-il de Benedetto pour réaliser sa vengeance ?

Étudier la langue

Vocabulaire

24 Retrouvez pour chaque mot de la liste 1 sa définition donnée dans la liste 2.

Liste 1

a. jurés. b. cour d'appel. c. cour d'assises. d. cour de cassation. e. avocat. f. salle d'audience. g. procureur de la République. h. juge d'instruction. i. plaidoirie. j. réquisitoire.

Liste 2

1. Juge qui mène les enquêtes que lui confie le procureur.
2. Cour suprême qui peut casser un jugement en dernier recours.
3. Magistrat qui décide des poursuites à engager au nom de la défense de la société et de l'ordre public.
4. Discours par lequel le procureur énumère les charges de l'accusation et les peines prévues par la loi.
5. Cour devant laquelle on peut contester un jugement rendu.
6. Salle où se déroule une séance dans un tribunal.
7. Discours prononcé par l'avocat de la défense pour défendre l'accusé.
8. Ensemble de citoyens appelés à juger une affaire criminelle.
9. Cour qui juge les crimes.
10. Personne qui assiste et représente ses clients en justice.

Grammaire : les propositions subordonnées introduites par *que*

25 Identifiez la classe (proposition subordonnée relative ou conjonctive) et la fonction (COD du verbe principal ou complément du nom antécédent) des propositions subordonnées introduites par *que* signalées entre crochets.

a. « Maintenant je vous répète [**que** je suis né à Auteuil, dans la nuit du 27 au 28 septembre 1817], et [**que** je suis le fils de M. le procureur du roi de Villefort]. »

b. « Les regards se portèrent un moment sur le procureur du roi, qui gardait sur son siège l'immobilité d'un homme [**que** la foudre vient de changer en cadavre]. »

c. « M. de Villefort se dirigea en vacillant vers la porte, [**que** lui ouvrit d'un mouvement machinal l'huissier de service]. »

d. « Si je vous ai convaincu [**que** dès le jour de ma naissance ma destinée était fatale, douloureuse, amère, lamentable], plaignez-moi ! »

Écrire

Raconter une scène d'aveu

26 Il vous est arrivé un jour d'avouer une bêtise que vous aviez commise et que vous vouliez tenir cachée. Racontez la scène.

Consignes d'écriture :

– vous mènerez le récit à la 1re personne et introduirez un dialogue ;

– vous préciserez la nature de la bêtise (vous avez cassé quelque chose, vous avez raconté un mensonge pour échapper à une punition, vous ne vous êtes pas dénoncé...) ;

– vous raconterez les circonstances dans lesquelles vous avez été amené(e) à exposer la vérité ? Qui était présent ?

– vous direz quels ont été ensuite vos sentiments.

Texte 16 – Monte-Cristo se venge de Villefort

« Il venait d'outrepasser les droits de la vengeance »

CXI. Expiation

Villefort quitte immédiatement le palais de justice et rentre en sa demeure du faubourg Saint-Honoré.

[...]

Villefort songea à sa femme...

« Oh ! » s'écria-t-il, comme si un fer rouge lui traversait le cœur.

[...] Sans doute, en ce moment, elle repassait tous ses crimes
5 dans sa mémoire, elle demandait grâce à Dieu, elle écrivait une lettre pour implorer à genoux le pardon de son vertueux époux, pardon qu'elle achetait de sa mort.

Villefort poussa un second rugissement de douleur et de rage.

« Ah ! s'écria-t-il en se roulant sur le satin de son carrosse,
10 cette femme n'est devenue criminelle que parce qu'elle m'a touché. Je sue le crime, moi ! et elle a gagné le crime comme on gagne le typhus, comme on gagne le choléra, comme on gagne la peste !... et je la punis !... J'ai osé lui dire : Repentez-vous et mourez... moi ! Oh ! non ! non ! elle vivra... elle me
15 suivra... Nous allons fuir, quitter la France, aller devant nous tant que la terre pourra nous porter. Je lui parlais d'échafaud !... Grand Dieu ! comment ai-je osé prononcer ce mot ! Mais, moi aussi, l'échafaud m'attend !... Nous fuirons... Oui, je me confesserai à elle ; oui, tous les jours je lui dirai, en
20 m'humiliant, que, moi aussi, j'ai commis un crime... Oh ! alliance du tigre et du serpent ! oh ! digne femme d'un mari

tel que moi !… Il faut qu'elle vive, il faut que mon infamie[1] fasse pâlir la sienne ! »

Et Villefort enfonça plutôt qu'il ne baissa la glace du devant 25 de son coupé.

« Vite, plus vite ! » s'écria-t-il d'une voix qui fit bondir le cocher sur son siège.

Les chevaux, emportés par la peur, volèrent jusqu'à la maison.

[…]

30 Villefort s'élança du marchepied sur le perron ; il vit les domestiques surpris de le voir revenir si vite. Il ne lut pas autre chose sur leur physionomie ; nul ne lui adressa la parole ; on s'arrêta devant lui, comme d'habitude, pour le laisser passer : voilà tout.

35 Il passa devant la chambre de Noirtier, et, par la porte entr'ouverte, il aperçut comme deux ombres ; mais il ne s'inquiéta point de la personne qui était avec son père, c'était ailleurs que son inquiétude le tirait.

« Allons », dit-il en montant le petit escalier qui conduisait 40 au palier où étaient l'appartement de sa femme et la chambre vide de Valentine ; « allons, rien n'est changé ici. »

Avant tout il ferma la porte du palier.

« Il faut que personne ne nous dérange, dit-il ; il faut que je puisse lui parler librement, m'accuser devant elle, lui tout dire… »

45 Il s'approcha de la porte, mit la main sur le bouton de cristal ; la porte céda.

« Pas fermée ! oh ! bien, très bien », murmura-t-il.

Et il entra dans le petit salon où dans la soirée on dressait un lit pour Édouard ; car, quoique en pension, Édouard rentrait 50 tous les soirs : sa mère n'avait jamais voulu se séparer de lui.

1. Déshonneur.

Il embrassa d'un coup d'œil tout le petit salon.

« Personne, dit-il ; elle est dans sa chambre à coucher sans doute. »

Il s'élança vers la porte. Là, le verrou était mis. Il s'arrêta frissonnant.

« Héloïse ! » cria-t-il.

Il lui sembla entendre remuer un meuble.

« Héloïse ! » répéta-t-il.

« Qui est là ? » demanda la voix de celle qu'il appelait.

Il lui sembla que cette voix était plus faible que de coutume.

« Ouvrez ! ouvrez ! s'écria Villefort, c'est moi ! »

Mais malgré cet ordre, malgré le ton d'angoisse avec lequel il était donné, on n'ouvrit pas.

Villefort enfonça la porte d'un coup de pied.

À l'entrée de la chambre qui donnait dans son boudoir, madame de Villefort était debout, pâle, les traits contractés, et le regardant avec des yeux d'une fixité effrayante.

« Héloïse ! Héloïse ! dit-il, qu'avez-vous ? Parlez ! »

La jeune femme étendit vers lui sa main raide et livide.

« C'est fait, monsieur, dit-elle avec un râlement qui sembla déchirer son gosier ; que voulez-vous donc encore de plus ? »

Et elle tomba de sa hauteur sur le tapis.

Villefort courut à elle, lui saisit la main. Cette main serrait convulsivement un flacon de cristal à bouchon d'or.

Madame de Villefort était morte.

Villefort, ivre d'horreur, recula jusqu'au seuil de la chambre et regarda le cadavre.

« Mon fils ! s'écria-il tout à coup ; où est mon fils ? Édouard ! Édouard ! »

Et il se précipita hors de l'appartement en criant : « Édouard ! Édouard ! »

Ce nom était prononcé avec un tel accent d'angoisse, que les domestiques accoururent.

« Mon fils ! où est mon fils ? demanda Villefort. Qu'on l'éloigne de la maison, qu'il ne voie pas…

– M. Édouard n'est point en bas, monsieur, répondit le valet de chambre.

– Il joue sans doute au jardin ; voyez ! voyez !

– Non, monsieur. Madame a appelé son fils il y a une demi-heure à peu près ; M. Édouard est entré chez Madame et n'est point descendu depuis. »

Une sueur glacée inonda le front de Villefort, ses pieds trébuchèrent sur la dalle, ses idées commencèrent à tourner dans sa tête comme les rouages désordonnés d'une montre qui se brise.

« Chez Madame ! murmura-t-il, chez Madame ! »

Et il revint lentement sur ses pas, s'essuyant le front d'une main, s'appuyant de l'autre aux parois de la muraille.

En rentrant dans la chambre il fallait revoir le corps de la malheureuse femme.

Pour appeler Édouard, il fallait réveiller l'écho de cet appartement changé en cercueil : parler, c'était violer le silence de la tombe.

Villefort sentit sa langue paralysée dans sa gorge.

« Édouard, Édouard », balbutia-t-il.

L'enfant ne répondait pas : où donc était l'enfant qui, au dire des domestiques, était entré chez sa mère et n'en était pas sorti ?

Villefort fit un pas en avant.

Le cadavre de madame de Villefort était couché en travers de la porte du boudoir dans lequel se trouvait nécessairement Édouard ; ce cadavre semblait veiller sur le seuil avec des yeux fixes et ouverts, avec une épouvantable et mystérieuse ironie sur les lèvres.

115 Derrière le cadavre, la portière relevée laissait voir une partie du boudoir, un piano et le bout d'un divan de satin bleu.

Villefort fit trois ou quatre pas en avant, et sur le canapé il aperçut son enfant couché.

L'enfant dormait sans doute.

120 Le malheureux eut un élan de joie indicible ; un rayon de pure lumière descendit dans cet enfer où il se débattait.

Il ne s'agissait donc que de passer par-dessus le cadavre, d'entrer dans le boudoir, de prendre l'enfant dans ses bras et de fuir avec lui, loin, bien loin.

125 Villefort n'était plus cet homme dont son exquise corruption faisait le type de l'homme civilisé : c'était un tigre blessé à mort qui laisse ses dents brisées dans sa dernière blessure.

Il n'avait plus peur des préjugés, mais des fantômes. Il prit son élan et bondit par-dessus le cadavre, comme s'il se fût agi 130 de franchir un brasier dévorant.

Il enleva l'enfant dans ses bras, le serrant, le secouant, l'appelant ; l'enfant ne répondit point. Il colla ses lèvres avides à ses joues, ses joues étaient livides et glacées ; il palpa ses membres raidis ; il appuya sa main sur son cœur, son cœur ne battait plus.

135 L'enfant était mort.

Un papier plié en quatre tomba de la poitrine d'Édouard.

Villefort, foudroyé, se laissa aller sur ses genoux : l'enfant s'échappa de ses bras inertes et roula du côté de sa mère.

Villefort ramassa le papier, reconnut l'écriture de sa femme 140 et le parcourut avidement.

Voici ce qu'il contenait :

Vous savez si j'étais bonne mère, puisque c'est pour mon fils que je me suis faite criminelle !

Une bonne mère ne part pas sans son fils !

145 Villefort ne pouvait en croire ses yeux ; Villefort ne pouvait en croire sa raison. Il se traîna vers le corps d'Édouard, qu'il

examina encore une fois avec cette attention minutieuse que met la lionne à regarder son lionceau mort.

Puis un cri déchirant s'échappa de sa poitrine.

150 « Dieu ! murmura-t-il, toujours Dieu ! »

Ces deux victimes l'épouvantaient, il sentait monter en lui l'horreur de cette solitude peuplée de deux cadavres.

[...]

Villefort courba sa tête sous le poids des douleurs, il se releva sur ses genoux, secoua ses cheveux humides de sueur, 155 hérissés d'effroi, et celui-là, qui n'avait jamais eu pitié de personne, s'en alla trouver le vieillard, son père, pour avoir, dans sa faiblesse, quelqu'un à qui raconter son malheur, quelqu'un près de qui pleurer.

Il descendit l'escalier que nous connaissons et entra chez 160 Noirtier.

Quand Villefort entra, Noirtier paraissait attentif à écouter, aussi affectueusement que le permettait son immobilité, l'abbé Busoni, toujours aussi calme et aussi froid que de coutume.

Villefort, en apercevant l'abbé, porta la main à son front. 165 Le passé lui revint comme une de ces vagues dont la colère soulève plus d'écume que les autres vagues.

Il se souvint de la visite qu'il avait faite à l'abbé le surlendemain du dîner d'Auteuil[2] et de la visite que lui avait faite l'abbé à lui-même le jour de la mort de Valentine.

170 « Vous ici, monsieur ! dit-il ; mais vous n'apparaissez donc jamais que pour escorter la Mort ? »

Busoni se redressa ; en voyant l'altération du visage du magistrat, l'éclat farouche de ses yeux, il comprit ou crut

2. Voir texte 11 p. 210. Villefort, troublé par le récit de Monte-Cristo évoquant l'histoire d'un enfant enterré dans le jardin, se renseigne sur le passé du comte. Il se rend chez l'abbé Busoni, dont on lui a dit qu'il était un très bon ami de Monte-Cristo, pour le questionner...

comprendre que la scène des assises[3] était accomplie ; il ignorait le reste.

« J'y suis venu pour prier sur le corps de votre fille ! répondit Busoni.

– Et aujourd'hui, qu'y venez-vous faire ?

– Je viens vous dire que vous m'avez assez payé votre dette, et qu'à partir de ce moment je vais prier Dieu qu'il se contente comme moi.

– Mon Dieu ! fit Villefort en reculant, l'épouvante sur le front, cette voix, ce n'est pas celle de l'abbé Busoni !

– Non. »

L'abbé arracha sa fausse tonsure, secoua la tête, et ses longs cheveux noirs, cessant d'être comprimés, retombèrent sur ses épaules et encadrèrent son mâle visage.

« C'est le visage de M. de Monte-Cristo ! s'écria Villefort les yeux hagards.

– Ce n'est pas encore cela, monsieur le procureur du roi, cherchez mieux et plus loin.

– Cette voix ! cette voix ! où l'ai-je entendue pour la première fois ?

– Vous l'avez entendue pour la première fois à Marseille, il y a vingt-trois ans, le jour de votre mariage avec mademoiselle de Saint-Méran[4]. Cherchez dans vos dossiers.

– Vous n'êtes pas Busoni ? vous n'êtes pas Monte-Cristo ? Mon Dieu, vous êtes cet ennemi caché, implacable, mortel ! J'ai fait quelque chose contre vous à Marseille, oh ! malheur à moi !

– Oui, tu as raison, c'est bien cela, dit le comte en croisant les bras sur sa large poitrine ; cherche, cherche !

3. Le procès de Benedetto, voir texte 15 p. 273.

4. Villefort a épousé sa première femme le jour même où il a fait emprisonner Dantès.

– Mais que t'ai-je donc fait ? » s'écria Villefort, dont l'esprit flottait déjà sur la limite où se confondent la raison et la démence, dans ce brouillard qui n'est plus le rêve et qui n'est pas encore le réveil ; « que t'ai-je fait ? dis ! parle !

– Vous m'avez condamné à une mort lente et hideuse, vous avez tué mon père, vous m'avez ôté l'amour avec la liberté, et la fortune avec l'amour !

– Qui êtes-vous ? qui êtes-vous donc ? mon Dieu !

– Je suis le spectre d'un malheureux que vous avez enseveli dans les cachots du château d'If. À ce spectre sorti enfin de sa tombe Dieu a mis le masque du comte de Monte-Cristo, et il l'a couvert de diamants et d'or pour que vous ne le reconnussiez qu'aujourd'hui.

– Ah ! je te reconnais, je te reconnais ! dit le procureur du roi ; tu es…

– Je suis Edmond Dantès !

– Tu es Edmond Dantès ! » s'écria le procureur du roi en saisissant le comte par le poignet ; « alors, viens ! »

Et il l'entraîna par l'escalier, dans lequel Monte-Cristo, étonné, le suivit, ignorant lui-même où le procureur du roi le conduisait, et pressentant quelque nouvelle catastrophe.

« Tiens ! Edmond Dantès », dit-il en montrant au comte le cadavre de sa femme et le corps de son fils, « tiens ! regarde, es-tu bien vengé ?… »

Monte-Cristo pâlit à cet effroyable spectacle ; il comprit qu'il venait d'outrepasser les droits de la vengeance ; il comprit qu'il ne pouvait plus dire :

« Dieu est pour moi et avec moi. »

Il se jeta avec un sentiment d'angoisse inexprimable sur le corps de l'enfant, rouvrit ses yeux, tâta le pouls, et s'élança avec lui dans la chambre de Valentine, qu'il referma à double tour…

235 « Mon enfant ! s'écria Villefort ; il emporte le cadavre de mon enfant ! Oh ! malédiction ! malheur ! mort sur toi ! »

Et il voulut s'élancer après Monte-Cristo ; mais, comme dans un rêve, il sentit ses pieds prendre racine, ses yeux se dilatèrent à briser leurs orbites, ses doigts recourbés sur la 240 chair de sa poitrine s'y enfoncèrent graduellement jusqu'à ce que le sang rougît ses ongles ; les veines de ses tempes se gonflèrent d'esprits bouillants qui allèrent soulever la voûte trop étroite de son crâne et noyèrent son cerveau dans un déluge de feu.

245 Cette fixité dura plusieurs minutes, jusqu'à ce que l'effroyable bouleversement de la raison fût accompli.

Alors il jeta un grand cri suivi d'un long éclat de rire et se précipita par les escaliers.

Un quart d'heure après, la chambre de Valentine se rouvrit, 250 et le comte de Monte-Cristo reparut.

Pâle, l'œil morne, la poitrine oppressée, tous les traits de cette figure ordinairement si calme et si noble étaient bouleversés par la douleur.

Il tenait dans ses bras l'enfant, auquel aucun secours n'avait 255 pu rendre la vie.

Il mit un genou en terre et le déposa religieusement près de sa mère, la tête posée sur sa poitrine.

Puis, se relevant, il sortit, et rencontrant un domestique sur l'escalier :

260 « Où est M. de Villefort ? » demanda-t-il.

Le domestique, sans lui répondre, étendit la main du côté du jardin.

Monte-Cristo, descendit le perron, s'avança vers l'endroit désigné, et vit, au milieu de ses serviteurs faisant cercle autour 265 de lui, Villefort une bêche à la main, et fouillant la terre avec une espèce de rage.

5 centimes le Numéro. N° 76. 20 Janvier 1861.

JOURNAL DU JEUDI

LITTÉRATURE — HISTOIRE — VOYAGES

ADMINISTRATION ET RÉDACTION Rue Guénégaud, 15 A PARIS

PRIX DE L'ABONNEMENT POUR UN AN Paris, 6 fr. — Six mois, 3 fr. Départements, 8 fr. — Six mois, 4 fr. Par un mandat sur la poste

SOMMAIRE

Tiens ! regarde, es-tu bien vengé ? — Page 187, col. 1.

LE COMTE DE MONTE-CRISTO

PAR ALEXANDRE DUMAS (1).

CXI

EXPIATION.

M. de Villefort avait vu s'ouvrir devant lui les rangs de la foule, si compacte qu'elle fût. Les grandes douleurs sont tellement vénérables, qu'il n'est pas d'exemple, même dans les temps les plus malheureux, que le premier mouvement de la foule réunie n'ait pas été un mouvement de sympathie pour une grande catastrophe. Beaucoup de gens haïs ont été assassinés dans une émeute ; rarement un malheureux, fût-il criminel, a été insulté par les hommes qui assistaient à son jugement à mort.

Villefort traversa donc la haie des spectateurs, des gardes, des gens du palais, et s'éloigna, reconnu coupable de son propre aveu, mais protégé par sa douleur.

Il est des situations que les hommes saisissent avec leur instinct, mais qu'ils ne peuvent commenter avec leur esprit ; le plus grand poëte, dans ce cas, est celui qui pousse le cri le plus véhément et le plus naturel. La foule prend ce cri pour un récit tout entier, et elle a raison de s'en contenter, et plus raison encore de le trouver sublime quand il est vrai.

Du reste, il serait difficile de dire l'état de stupeur dans lequel était Villefort en sortant du Palais, de peindre cette fièvre qui faisait battre chaque artère, roidissait chaque fibre, gonflait à la briser chaque veine, et disséquait chaque point du corps mortel en des millions de souffrances.

Villefort se traîna le long des corridors, guidé seulement par l'habitude ; il jeta de ses épaules la convenance, mais parce qu'elle était à ses épaules un fardeau accablant, une tunique de Nessus féconde en tortures.

Il arriva chancelant jusqu'à la cour Dauphine, aperçut sa voiture, réveilla le cocher en l'ouvrant lui-même, et se laissa tomber sur les coussins en montrant du doigt la direction du faubourg Saint-Honoré. Le cocher partit.

Tout le poids de sa fortune écroulée venait de retomber sur sa tête ; ce poids l'écrasait, il n'en savait pas les conséquences ; il ne les avait pas mesurées ; il les sentait, il ne raisonnait pas son code comme le froid meurtrier qui commente un article connu.

Il avait Dieu au fond du cœur.

— Dieu ! murmurait-il sans savoir même ce qu'il disait, Dieu ! Dieu !

Il ne voyait que Dieu derrière l'éboulement qui venait de se faire.

Illustration pour le Comte de Monte-Cristo parue dans *Le Journal du Jeudi* du 20 janvier 1861

« Ce n'est pas encore ici, disait-il, ce n'est pas encore ici. »

Et il fouillait plus loin.

Monte-Cristo s'approcha de lui, et tout bas :

270 « Monsieur, lui dit-il d'un ton presque humble, vous avez perdu un fils ; mais… »

Villefort l'interrompit ; il n'avait ni écouté ni entendu.

« Oh ! je le retrouverai, dit-il ; vous avez beau prétendre qu'il n'y est pas, je le retrouverai[5], dussé-je le chercher jusqu'au 275 jour du jugement dernier. »

Monte-Cristo recula avec terreur.

« Oh ! dit-il, il est fou ! »

Et, comme s'il eût craint que les murs de la maison maudite ne s'écroulassent sur lui, il s'élança dans la rue, doutant pour 280 la première fois qu'il eût le droit de faire ce qu'il avait fait.

« Oh ! assez, assez comme cela, dit-il, sauvons le dernier. »

[…]

5. Villefort, un an après la terrible nuit de l'accouchement, et une fois guéri de la blessure que Bertuccio lui a infligée, est retourné dans la maison d'Auteuil. Il a creusé dans le jardin pour récupérer le coffre enterré afin faire disparaître les traces de son passé mais il n'a jamais retrouvé ce coffre. Lisez le chapitre LXVII sur Internet.

Questions

Ai-je bien lu ?

1 Quel lieu Villefort vient-il de quitter ? Où se rend-il ?

2 Quels sont les différents malheurs qui l'ont successivement frappé ?

3 **a.** Pourquoi son épouse a-t-elle empoisonné ses beaux-parents et sa belle-fille Valentine ?

b. Pourquoi s'empoisonne-t-elle elle-même et entraîne-t-elle dans la mort son fils Edouard ?

4 Quelle responsabilité Monte-Cristo a-t-il dans ces malheurs ?

Repérer et analyser

La scène romanesque

Le suspense

5 Analysez la façon dont le narrateur ménage le suspense.

a. Quelles sont les craintes de Villefort lorsqu'il parcourt l'appartement jusqu'à la chambre de son épouse ? De quelles façons cherche-t-il à se rassurer ?

b. Montrez que les actions s'enchaînent de façon détaillée et sont racontées du point de vue de Villefort. Appuyez-vous sur les sujets des verbes, leur temps, la mise en espace du texte.

c. Relevez les indications de lieu. Quel est l'intérêt de leur précision ?

Les effets de dramatisation

6 En quoi les paroles prononcées par Villefort, le court dialogue avec son épouse et les questions qu'il pose à propos de son fils contribuent à la dramatisation ?

7 Relevez le lexique de la mort et les détails réalistes. Quel effet ce passage produit-il sur le lecteur ?

Le personnage de Villefort

8 Quels sont les sentiments éprouvés successivement par Villefort :
- lorsqu'il rentre chez lui (l. 1-29) ;
- lorsque l'abbé Busoni se dévoile devant lui (l. 179-220) ?

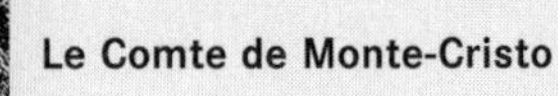

Appuyez-vous sur le vocabulaire, les figures de style (métaphores animales, comparaison de la ligne 93, etc.), les types de phrases, la ponctuation.

L'oxymore
L'oxymore est une figure de style qui consiste à rapprocher des mots de sens contraire. Par ex. : une douce souffrance.

9 **a.** À quel moment Villefort bascule-t-il dans la folie ?
b. Relevez le champ lexical de l'eau et du feu et un oxymore qui soulignent la violence du passage à la folie (l. 237-244).
c. Par quel acte et quelles paroles Villefort manifeste-t-il cette folie ?

Le parcours de Monte-Cristo

La réalisation de la vengeance

10 **a.** Sous quelle apparence Monte-Cristo apparaît-il à Villefort ?
b. « Je viens vous dire que vous m'avez payé votre dette » : de quelle façon Monte-Cristo croit-il avoir fait payer à Villefort sa dette ?
c. Que n'avait-il pas prévu ?

11 **a.** Montrez que Monte-Cristo retarde par une mise en scène la révélation de son nom comme il l'avait fait pour Caderousse et Morcef.
b. Cette révélation produit-elle sur Villefort l'effet que Monte-Cristo escomptait, comme sur les deux autres personnages ?
c. Quel changement constatez-vous dans les pronoms personnels employés par les deux interlocuteurs pour s'adresser l'un à l'autre (l. 214-220) ?
d. Où Villefort conduit-il Monte-Cristo ?

Le doute et les échecs

12 **a.** Relevez dans les lignes 179-215 les passages dans lesquels Monte-Cristo se présente auprès de Villefort comme un envoyé et un protégé de Dieu.
b. À quel moment Monte-Cristo remet-il en question sa mission divine ? Citez le texte.

13 **a.** À quelle tentative désespérée Monte-Cristo se livre-t-il (l. 231-234) ? Quel en est le résultat ? En quoi ce résultat est-il inhabituel pour lui ?
b. À partir de quel moment Monte-Cristo a-t-il perdu le contrôle des événements ?

14 Quelle question Monte-Cristo se pose-t-il pour la première fois face à son projet de vengeance (l. 227-228) ?
15 Quels sont les différents sentiments qu'il éprouve successivement dans cette scène ? Relevez des termes précis.
16 « Sauvons le dernier » (l. 282) : de quel dernier personnage Monte-Cristo a-t-il à se venger ? À quelle suite le lecteur peut-il s'attendre ?

Étudier la langue

Vocabulaire : autour du mot *démence*

Les mots *dément* et *démence* viennent du latin *mens, mentis* : « esprit », précédé du préfixe *dé-*, signifiant « privé de ».

17 « Villefort, dont l'esprit flottait déjà sur la limite où se confondent la raison et la démence ». Donnez le sens des expressions suivantes :
a. un projet démentiel. b. un état démentiel. c. sombrer dans la démence. d. un film dément. e. souffrir d'une maladie mental. e. être fort en calcul mental.

Vocabulaire : les adverbes en *-ment*

Le mot latin *mens, mentis* ayant le sens d'« esprit » mais aussi de « manière » a également servi à former les suffixes des adverbes en *–ment*.
Par ex. *fermement* : « avec un esprit ferme/d'une manière ferme » ; *affectueusement* : « d'une manière affectueuse ».

18 Dans la liste suivante, distinguez les noms des adverbes.
a. appartement. b. activement. c. affolement. d. accablement. e. humblement. f. bredouillement. g. brusquement. h. anxieusement. i. acharnement. j. rageusement. k. pressentiment. l. précipitamment.

Grammaire : les compléments circonstanciels

19 Identifiez la classe et la nature des compléments circonstanciels dans les phrases ci-dessous. Pour vous aider, voici les différentes classes et fonctions.
– Classes : groupe nominal, groupe infinitif, proposition subordonnée.
– Fonctions : complément circonstanciel de lieu, de temps, de manière, de but, de moyen, de cause, de conséquence, de comparaison.

a. « La voiture roulait **avec vitesse**. »
b. « Quoique en pension, Édouard rentrait **tous les soirs**. »
c. « On s'arrêta devant lui, comme d'habitude, **pour le laisser passer**. »
d. « Il passa **devant la chambre de Noirtier**. »
e. « Villefort enfonça la porte **d'un coup de pied**. »
f. « Ce nom était prononcé avec un tel accent d'angoisse, **que les domestiques accoururent**. »
g. « Ses idées commencèrent à tourner dans sa tête **comme les rouages désordonnés d'une montre qui se brise**. »
h. « Vous savez si j'étais bonne mère, **puisque c'est pour mon fils que je me suis faite criminelle !** »
i. « Et il revint lentement sur ses pas, s'essuyant le front **d'une main**, s'appuyant de l'autre **aux parois de la muraille**. »

Écrire

Écrire la suite d'une réplique

20 « Monsieur, lui dit-il d'un ton presque humble... » (l. 271). Écrivez la suite de la réplique de Monte-Cristo.

Consignes d'écriture :

- demandez-vous si Monte-Cristo a une révélation à faire à Villefort concernant sa fille Valentine ;
- imaginez ce qu'il pourrait lui dire d'autre.

Texte 17 – Visite à Mercédès et au château d'If

« On le conduisit dans son propre cachot »

CXII. Le départ

Dès le lendemain du drame chez les Villefort, Monte-Cristo, très éprouvé, part pour Marseille avec Maximilien Morrel qui logeait chez lui depuis sa tentative de suicide après la disparition de Valentine (voir paratexte du texte 15 p. 273).

Mercédès et Albert de Morcerf ont renoncé quant à eux à leur fortune et quitté la société parisienne à tout jamais. Ils s'en vont à Marseile ; Mercédès s'installe dans l'ancienne maison du père de Dantès, dont Monte-Cristo lui a fait don. Albert embarque pour l'Afrique : il s'est engagé dans les armées coloniales Le bateau vient de partir, Mercédès est triste ; Monte-Cristo lui rend visite…

[…] Il s'achemina vers les Allées de Meilhan, afin de retrouver la petite maison que les commencements de cette histoire ont dû rendre familière à nos lecteurs.

[…]

Cette maison, toute charmante malgré sa vétusté[1], toute
5 joyeuse malgré son apparente misère, était bien la même qu'habitait autrefois le père Dantès. Seulement le vieillard habitait la mansarde[2], et le comte avait mis la maison tout entière à la disposition de Mercédès.

1. État de ce qui est abîmé par le temps. 2. Chambre sous les toits.

Ce fut là qu'entra cette femme au long voile que Monte-Cristo avait vue s'éloigner du navire en partance[3] ; elle en fermait la porte au moment même où il apparaissait à l'angle d'une rue, de sorte qu'il la vit disparaître presque aussitôt qu'il la retrouva.

Pour lui, les marches usées étaient d'anciennes connaissances ; il savait mieux que personne ouvrir cette vieille porte, dont un clou à large tête soulevait le loquet intérieur.

Aussi entra-t-il sans frapper, sans prévenir, comme un ami, comme un hôte.

[…]

Arrivé sur le seuil, Monte-Cristo entendit un soupir qui ressemblait à un sanglot : ce soupir guida son regard, et sous un berceau de jasmin de Virginie[4] au feuillage épais et aux longues fleurs de pourpre, il aperçut Mercédès assise, inclinée et pleurant.

Elle avait relevé son voile, et seule à la face du ciel, le visage caché par ses deux mains, elle donnait librement l'essor à ses soupirs et à ses sanglots, si longtemps contenus par la présence de son fils.

Monte-Cristo fit quelques pas en avant ; le sable cria sous ses pieds.

Mercédès releva la tête et poussa un cri d'effroi en voyant un homme devant elle.

« Madame, dit le comte, il n'est plus en mon pouvoir de vous apporter le bonheur, mais je vous offre la consolation : daignerez-vous l'accepter comme vous venant d'un ami ?

– Je suis, en effet, bien malheureuse, répondit Mercédès ; seule au monde… Je n'avais que mon fils, et il m'a quittée.

3. Le navire qui emporte Albert en Afrique.

4. Plante grimpante aux fleurs en trompette, de couleur rouge ou orange.

– Il a bien fait, madame, répliqua le comte, et c'est un noble cœur. Il a compris que tout homme doit un tribut[5] à la patrie : les uns leurs talents, les autres leur industrie[6] ; ceux-ci leurs veilles[7], 40 ceux-là leur sang. En restant avec vous, il eût usé près de vous sa vie devenue inutile, il n'aurait pu s'accoutumer à vos douleurs. Il serait devenu haineux par impuissance : il deviendra grand et fort en luttant contre son adversité[8] qu'il changera en fortune[9]. Laissez-le reconstituer votre avenir à tous deux, madame ; j'ose 45 vous promettre qu'il est en de sûres mains.

– Oh ! dit la pauvre femme en secouant tristement la tête, cette fortune dont vous parlez, et que du fond de mon âme je prie Dieu de lui accorder, je n'en jouirai pas, moi. Tant de choses se sont brisées en moi et autour de moi, que je me sens 50 près de ma tombe. Vous avez bien fait, monsieur le comte, de me rapprocher de l'endroit où j'ai été si heureuse : c'est là où l'on a été heureux que l'on doit mourir.

– Hélas ! dit Monte-Cristo, toutes vos paroles, madame, tombent amères et brûlantes sur mon cœur, d'autant plus 55 amères et plus brûlantes que vous avez raison de me haïr ; c'est moi qui ai causé tous vos maux : que ne me plaignez-vous au lieu de m'accuser ? Vous me rendriez bien plus malheureux encore…

– Vous haïr, vous accuser, vous, Edmond… Haïr, accuser 60 l'homme qui a sauvé la vie de mon fils, car c'était votre intention fatale et sanglante, n'est-ce pas, de tuer à M. de Morcerf ce fils dont il était fier ? Oh ! regardez-moi, et vous verrez s'il y a en moi l'apparence d'un reproche. »

Le comte souleva son regard et l'arrêta sur Mercédès qui, 65 à moitié debout, étendait ses deux mains vers lui.

5. Contribution.
6. Habileté, art.
7. Nuits passées à veiller.
8. Situation malheureuse.
9. Bonheur.

« Oh ! regardez-moi, continua-t-elle avec un sentiment de profonde mélancolie ; on peut supporter l'éclat de mes yeux aujourd'hui, ce n'est plus le temps où je venais sourire à Edmond Dantès, qui m'attendait là-haut, à la fenêtre de cette mansarde qu'habitait son vieux père... Depuis ce temps, bien des jours douloureux se sont écoulés, qui ont creusé comme un abîme entre moi et ce temps. Vous accuser, Edmond, vous haïr, mon ami ! non, c'est moi que j'accuse et que je hais ! Oh ! misérable que je suis ! s'écria-t-elle en joignant les mains et en levant les yeux au ciel. Ai-je été punie !... J'avais la religion, l'innocence, l'amour, ces trois bonheurs qui font les anges, et, misérable que je suis, j'ai douté de Dieu ! »

Monte-Cristo fit un pas vers elle et silencieusement lui tendit la main.

« Non, dit-elle en retirant doucement la sienne, non, mon ami, ne me touchez pas. Vous m'avez épargnée, et cependant de toux ceux que vous avez frappés, j'étais la plus coupable. Tous les autres ont agi par haine, par cupidité[10], par égoïsme ; moi, j'ai agi par lâcheté. Eux désiraient, moi, j'ai eu peur. Non, ne pressez pas ma main. Edmond, vous méditez quelque parole affectueuse, je le sens, ne la dites pas : gardez-la pour une autre, je n'en suis plus digne, moi. Voyez... (elle découvrit tout à fait son visage), voyez, le malheur a fait mes cheveux gris ; mes yeux ont tant versé de larmes qu'ils sont cerclés de veines violettes ; mon front se ride. Vous, au contraire, Edmond, vous êtes toujours jeune, toujours beau, toujours fier. C'est que vous avez eu la foi, vous ; c'est que vous avez eu la force ; c'est que vous vous êtes reposé en Dieu, et que Dieu vous a soutenu. Moi, j'ai été lâche, moi, j'ai renié ; Dieu m'a abandonnée, et me voilà. »

10. Désir excessif de gagner de l'argent.

Mercédès fondit en larmes ; le cœur de la femme se brisait au choc des souvenirs.

Monte-Cristo prit sa main et la baisa respectueusement ; mais elle sentit elle-même que ce baiser était sans ardeur, comme celui que le comte eût déposé sur la main de marbre de la statue d'une sainte.

[...]

CXIII. Le passé

Le comte sortit l'âme navrée de cette maison où il laissait Mercédès pour ne plus la revoir jamais, selon toute probabilité.

Depuis la mort du petit Édouard, un grand changement s'était fait dans Monte-Cristo. Arrivé au sommet de sa vengeance par la pente lente et tortueuse qu'il avait suivie, il avait vu de l'autre côté de la montagne l'abîme du doute.

Il y avait plus : cette conversation qu'il venait d'avoir avec Mercédès avait éveillé tant de souvenirs dans son cœur, que ces souvenirs eux-mêmes avaient besoin d'être combattus.

[...] Le comte se dit que pour en être presque arrivé à se blâmer lui même, il fallait qu'une erreur se fût glissée dans ses calculs.

« Je regarde mal le passé, dit-il, et ne puis m'être trompé ainsi. [...] Allons, millionnaire invincible, reprends pour un instant cette funeste perspective de la vie misérable et affamée ; repasse par les chemins où la fatalité t'a poussé, où le malheur t'a conduit, où le désespoir t'a reçu ; [...] riche, retrouve le pauvre ; libre, retrouve le prisonnier, ressuscité ; retrouve le cadavre. »

Et, tout en se disant cela à lui même, Monte-Cristo suivait la rue de la Caisserie. C'était la même par laquelle, vingt-quatre ans auparavant, il avait été conduit par une garde

125 silencieuse et nocturne ; ces maisons, à l'aspect riant et animé, elles étaient cette nuit-là sombres, muettes et fermées.

« Ce sont cependant les mêmes, murmura Monte-Cristo ; seulement alors il faisait nuit, aujourd'hui il fait grand jour ; c'est le soleil qui éclaire tout cela et qui rend tout cela joyeux. »

130 Il descendit sur le quai par la rue Saint-Laurent, et s'avança vers la Consigne : c'était le point du port où il avait été embarqué. Un bateau de promenade passait avec son dais de coutil[11] ; Monte-Cristo appela le patron, qui nagea aussitôt vers lui avec l'empressement que mettent à cet exercice les 135 bateliers qui flairent une bonne aubaine.

Le temps était magnifique, le voyage fut une fête. À l'horizon le soleil descendait, rouge et flamboyant, dans les flots qui s'embrasaient à son approche ; la mer, unie comme un miroir, se ridait parfois sous les bonds des poissons qui, poursuivis 140 par quelque ennemi caché, s'élançaient hors de l'eau [...].

Malgré ce beau ciel, malgré ces barques aux gracieux contours, malgré cette lumière dorée qui inondait le paysage, le comte, enveloppé dans son manteau, se rappelait, un à un, tous les détails du terrible voyage : cette lumière unique et isolée, brûlant 145 aux Catalans, cette vue du château d'If qui lui apprit où on le menait, cette lutte avec les gendarmes lorsqu'il voulut se précipiter dans la mer, son désespoir quand il se sentit vaincu, et cette sensation froide du bout du canon de la carabine appuyée sur sa tempe comme un anneau de glace.

[...]

150 On arriva.

Instinctivement le comte se recula jusqu'à l'extrémité de la barque. Le patron avait beau lui dire de sa voix la plus caressante :

11. Tente en toile.

« Nous abordons, monsieur. »

155 Monte-Cristo se rappela qu'à ce même endroit, sur ce même rocher, il avait été violemment traîné par ses gardes, et qu'on l'avait forcé de monter cette rampe en lui piquant les reins avec la pointe d'une baïonnette.

La route avait autrefois semblé bien longue à Dantès. Monte-160 Cristo l'avait trouvée bien courte ; chaque coup de rame avait fait jaillir avec la poussière humide de la mer un million de pensées et de souvenirs.

Depuis la révolution de Juillet, il n'y avait plus de prisonniers au château d'If ; un poste destiné à empêcher de faire la contre-165 bande habitait seul ses corps de garde ; un concierge attendait les curieux à la porte pour leur montrer ce monument de terreur, devenu un monument de curiosité.

Et cependant, quoiqu'il fût instruit de tous ces détails, lorsqu'il entra sous la voûte, lorsqu'il descendit l'escalier noir, 170 lorsqu'il fut conduit aux cachots qu'il avait demandé à voir, une froide pâleur envahit son front, dont la sueur glacée fut refoulée jusqu'à son cœur.

Le comte s'informa s'il restait encore quelque ancien guichetier du temps de la restauration ; tous avaient été mis à la 175 retraite ou étaient passés à d'autres emplois.

Le concierge qui le conduisait était là depuis 1830 seulement.

On le conduisit dans son propre cachot.

Il revit le jour blafard filtrant par l'étroit soupirail ; il revit la place où était le lit, enlevé depuis, et, derrière le lit, quoique 180 bouchée, mais visible encore par ses pierres plus neuves, l'ouverture percée par l'abbé Faria.

Monte-Cristo sentit ses jambes faiblir ; il prit un escabeau de bois et s'assit dessus.

« Conte-t-on quelques histoires sur ce château autres que celle 185 de l'emprisonnement de Mirabeau ? demanda le comte ; y a-t-il quelque tradition sur ces lugubres demeures, où l'on hésite à croire que des hommes aient jamais enfermé un homme vivant ?

– Oui, monsieur, dit le concierge, et sur ce cachot même le guichetier Antoine m'en a transmis une. »

190 Monte-Cristo tressaillit. Ce guichetier Antoine était son guichetier. Il avait à peu près oublié son nom et son visage ; mais, à son nom prononcé, il le revit tel qu'il était, avec sa figure cerclée de barbe, sa veste brune et son trousseau de clefs, dont il lui semblait encore entendre le tintement.

195 Le comte se retourna et crut le voir dans l'ombre du corridor, rendue plus épaisse par la lumière de la torche qui brûlait aux mains du concierge.

« Monsieur veut-il que je la lui raconte ? demanda le concierge.

200 – Oui, fit Monte-Cristo, dites. »

Et il mit sa main sur sa poitrine pour comprimer un violent battement de cœur, effrayé d'entendre raconter sa propre histoire.

« Dites, répéta-t-il.

205 – Ce cachot, reprit le concierge, était habité par un prisonnier, il y a longtemps de cela, un homme fort dangereux, à ce qu'il paraît, et d'autant plus dangereux qu'il était plein d'industrie. Un autre homme habitait ce château en même temps que lui ; celui-là n'était pas méchant ; c'était un pauvre prêtre 210 qui était fou.

– Ah ! oui, fou, répéta Monte-Cristo ; et quelle était sa folie ?

– Il offrait des millions si on voulait lui rendre la liberté. »

Monte-Cristo leva les yeux au ciel, mais il ne vit pas le ciel : 215 il y avait un voile de pierre entre lui et le firmament. [...]

« Les prisonniers pouvaient-ils se voir ? demanda Monte-Cristo.

– Oh ! non, monsieur, c'était expressément défendu ; mais ils éludèrent la défense en perçant une galerie qui allait d'un
220 cachot à l'autre.

– Et lequel des deux perça cette galerie ?

– Oh ! ce fut le jeune homme, bien certainement, dit le concierge ; le jeune homme était industrieux et fort, tandis que le pauvre abbé était vieux et faible ; d'ailleurs il avait
225 l'esprit trop vacillant pour suivre une idée.

– Aveugles !... murmura Monte-Cristo.

– Tant il y a, continua le concierge, que le jeune perça donc une galerie ; avec quoi ? l'on n'en sait rien ; mais il la perça, et la preuve, c'est qu'on en voit encore la trace ; tenez, la voyez-vous ? »

230 Et il approcha sa torche de la muraille.

« Ah ! oui, vraiment, fit le comte d'une voix assourdie par l'émotion.

– Il en résulta que les deux prisonniers communiquèrent ensemble. Combien de temps dura cette communication ? on
235 n'en sait rien. Or, un jour le vieux prisonnier tomba malade et mourut. Devinez ce que fit le jeune ? fit le concierge en s'interrompant.

– Dites.

– Il emporta le défunt, qu'il coucha dans son propre lit, le
240 nez tourné à la muraille, puis il revint dans le cachot vide, boucha le trou, et se glissa dans le sac du mort. Avez-vous jamais vu une idée pareille ? »

Monte-Cristo ferma les yeux et se sentit repasser par toutes les impressions qu'il avait éprouvées lorsque cette toile gros-
245 sière, encore empreinte de ce froid que le cadavre lui avait communiqué, lui avait frotté le visage.

Le guichetier continua :

« Voyez-vous, voilà quel était son projet : il croyait qu'on enterrait les morts au château d'If, et comme il se doutait bien

250 qu'on ne faisait pas de frais de cercueil pour les prisonniers, il comptait lever la terre avec ses épaules ; mais il y avait malheureusement au château une coutume qui dérangeait son projet : on n'enterrait pas les morts ; on se contentait de leur attacher un boulet aux pieds et de les lancer à la mer : c'est ce qui fut 255 fait. Notre homme fut jeté à l'eau du haut de la galerie ; le lendemain on retrouva le vrai mort dans son lit, et l'on devina tout, car les ensevelisseurs dirent alors ce qu'ils n'avaient pas osé dire jusque-là, c'est qu'au moment où le corps avait été lancé dans le vide ils avaient entendu un cri terrible, étouffé à 260 l'instant même par l'eau dans laquelle il avait disparu. »

Le comte respira péniblement, la sueur coulait sur son front, l'angoisse serrait son cœur.

« Non ! murmura-t-il, non ! ce doute que j'ai éprouvé, c'était un commencement d'oubli ; mais ici le cœur se creuse de 265 nouveau et redevient affamé de vengeance. »

Et le prisonnier, [...] on n'a jamais su son nom ? demanda tout haut le comte.

– Ah ! bien oui, dit le gardien, comment ? il n'était connu que sous le nom du numéro 34. »

270 « Villefort, Villefort ! murmura Monte-Cristo, voilà ce que bien des fois tu as dû te dire quand mon spectre importunait tes insomnies. »

« Monsieur veut-il continuer la visite ? demanda le concierge.

275 – Oui, surtout si vous voulez me montrer la chambre du pauvre abbé.

– Ah ! du numéro 27 ?

– Oui, du numéro 27 », répéta Monte-Cristo.

Et il lui sembla encore entendre la voix de l'abbé Faria 280 lorsqu'il lui avait demandé son nom, et que celui-ci avait crié ce numéro à travers la muraille.

« Venez.

– Attendez, dit Monte-Cristo, que je jette un dernier regard sur toutes les faces de ce cachot.

285 – Cela tombe bien, dit le guide, j'ai oublié la clef de l'autre. »

[...] Il regarda tout autour de lui, alors il reconnut bien réellement son cachot.

« Oui, dit-il, voilà la pierre sur laquelle je m'asseyais ! voilà 290 la trace de mes épaules qui ont creusé leur empreinte dans la muraille ! voilà la trace du sang qui a coulé de mon front, un jour que j'ai voulu me briser le front contre la muraille... Oh ! ces chiffres... je me les rappelle... je les fis un jour que je calculais l'âge de mon père pour savoir si je le retrouverais 295 vivant, et l'âge de Mercédès pour savoir si je la retrouverais libre... J'eus un instant d'espoir après avoir achevé ce calcul... Je comptais sans la faim et sans l'infidélité ! »

Et un rire amer s'échappa de la bouche du comte. Il venait de voir, comme dans un rêve, son père conduit à la tombe... 300 Mercédès marchant à l'autel !

Sur l'autre paroi de la muraille, une inscription frappa sa vue. Elle se détachait, blanche encore, sur le mur verdâtre :

« MON DIEU ! lut Monte-Cristo, CONSERVEZ-MOI LA MEMOIRE ! »

305 « Oh ! oui, s'écria-t-il, voilà la seule prière de mes derniers temps. Je ne demandais plus la liberté, je demandais la mémoire, je craignais de devenir fou et d'oublier ; mon Dieu ! vous m'avez conservé la mémoire, et je me suis souvenu. Merci, merci, mon Dieu ! »

310 En ce moment, la lumière de la torche miroita sur les murailles ; c'était le guide qui descendait.

Monte-Cristo regarde avec émotion la chambre de l'abbé. Le concierge lui apporte un livre écrit par l'abbé Faria sur des bandes de toile. Il y lit sur la première page une phrase qui lève ses doutes sur le bien-fondé de sa vengeance.

[...] Il lut :

Tu arracheras les dents du dragon, et tu fouleras aux pieds les lions, a dit le seigneur.

315 « Ah ! s'écria-t-il, voilà la réponse ! Merci, mon père, merci ! »

En tirant de sa poche un petit portefeuille, qui contenait dix billets de banque de mille francs chacun :

« Tiens, dit-il, prends ce portefeuille.

320 – Vous me le donnez ?

– Oui, mais à la condition que tu ne regarderas dedans que lorsque je serai parti. »

Et, plaçant sur sa poitrine la relique qu'il venait de retrouver et qui pour lui avait le prix du plus riche trésor, il s'élança 325 hors du souterrain, et remontant dans la barque :

« À Marseille ! » dit-il.

Puis, en s'éloignant, les yeux fixés sur la sombre prison :

« Malheur, dit-il, à ceux qui m'ont fait enfermer dans cette sombre prison, et à ceux qui ont oublié que j'y étais 330 enfermé ! »

En repassant devant les Catalans, le comte se détourna, et, s'enveloppant la tête dans son manteau, il murmura le nom d'une femme.

[...]

Ce nom qu'il prononçait avec une expression de tendresse 335 qui était presque de l'amour, c'était le nom d'Haydée.

[...]

Questions

Ai-je bien lu ?

1 Où Mercédès habite-t-elle ? Quelles dispositions Monte-Cristo a-t-il prises pour la loger ?

2 Pourquoi Mercédès est-elle en train de pleurer au moment où arrive Monte-Cristo ?

3 **a.** Dans quel état le bilan qu'elle fait de sa vie passée la plonge-t-elle ?
b. A-t-elle quelque espoir de retrouver l'amour de Monte-Cristo ?

4 Dans quel lieu Monte-Cristo se rend-il après avoir quitté Mercédès ?

5 **a.** Quel objet appartenant à l'abbé Faria lui a-t-il été remis ?
b. Pourquoi cet objet est-il précieux pour lui ?

Repérer et analyser

Des lieux symboliques

6 **a.** Dans quels différents lieux l'action se déroule-t-elle ?
b. Relevez dans les premières lignes de l'extrait un commentaire du narrateur à propos d'un de ces lieux.
c. Depuis combien de temps les personnages n'étaient-ils pas allés dans ces lieux ?
d. En quoi chacun de ces lieux sont-ils source d'émotion pour les personnages ?

Le parcours de Mercédès

Le bilan d'une vie

7 **a.** Quel bilan Mercédès fait-elle de sa vie (l. 46-52) ?
b. Quel jugement porte-t-elle sur sa conduite passée ? Quelles fautes se reproche-t-elle ?

8 Quelle est selon elle sa part de responsabilité dans les malheurs de Dantès ?

9 Quelles sont les séquelles physiques de ses malheurs ? Montrez en citant le texte qu'elle considère que Dieu l'a punie.

La quête de l'amour passé

10 **a.** Relevez les mots par lesquels Mercédès désigne Monte-Cristo : quelle progression constatez-vous ?
b. Sent-elle qu'Edmond est perdu pour elle ? Justifiez votre réponse.

11 Montrez qu'elle a changé physiquement. A-t-elle changé au fond de son cœur ?

Un cœur brisé

12 Quels sont les différents sentiments ressentis et exprimés par Mercédès dans cet extrait ?

13 Par quels procédés exprime-t-elle ses émotions ? Appuyez-vous sur le champ lexical de la douleur, les interjections, les types de phrases, la série d'opposition qui définit son destin par rapport à celui de Dantès (l. 91-95).

Le parcours de Monte-Cristo

Le parcours amoureux

14 Comparez cette scène avec la scène des pages 232-241 (texte 13) : les sentiments de Monte-Cristo pour Mercédès ont-ils évolué ?

15 **a.** Relevez les mots par lesquels Monte-Cristo désigne Mercédès et relisez les paroles qu'il lui adresse : témoignent-ils d'une attirance amoureuse ?
b. Qui des deux a changé dans le couple ? Mercédès ou Monte-Cristo ?

16 Cette rencontre avec Mercédès est-elle la dernière ? En quoi constitue-t-elle une étape importante du parcours amoureux de Monte-Cristo ? Quel autre amour est à présent possible pour lui ?

Le retour au château d'If

17 Rappelez quel effet la mort du petit Édouard a eu sur Monte-Cristo. Pourquoi veut-il retourner au château d'If ?

18 Quels sentiments ressent-il quand il arrive au château puis quand il retourne sur les lieux de sa détention ?

19 **a.** Pourquoi demande-t-il qu'on lui raconte l'histoire du prisonnier du numéro 34 ?
b. Les événements qui lui sont racontés correspondent-ils à ce qu'il a vécu ? Y a-t-il des éléments faux ou incompris ?

20 Expliquez les mots que l'abbé Faria a inscrits sur son livre. Quel effet produisent-ils sur Monte-Cristo ?

21 **a.** En quoi cette visite au château d'If marque-t-elle la fin de l'itinéraire de Monte-Cristo ?
b. Quel est son état d'esprit quand il rentre à Marseille ? Est-il conforté dans son désir de vengeance ?

Étudier la langue

Vocabulaire : autour du mot adversité

Adversité vient du latin *adversus* : « contraire » (de *versus* : « tourné » et *ad* : « vers, contre »). De nombreux mots sont formés à partir de la racine *vers-*, liée à l'idée de « tourner » (du verbe latin *verto*).

22 « Il deviendra grand et fort en luttant contre son adversité ». Complétez les phrases avec les mots suivants, formés sur les racines *vers-/vert-* : inverse, divertir, adverse, réversible, adversaire, versatile, convertible, diversion.
a. L'équipe.............. a gagné.
b. Son arrivée a fait.............. .
c. Il a battu facilement son.............. .
d. Il s'est trompé de chemin, il est parti en sens.............. .
e. Vous devriez aller au cinéma, cela vous.............. un peu.
f. Ma veste peut se porter à l'envers comme à l'endroit, elle est.............. .
g. J'ai acheté un canapé.............. .
h. Il change facilement d'avis, il est..............

Grammaire : la phrase de forme emphatique

La forme emphatique consiste à mettre en relief un élément de la phrase, le plus souvent par l'emploi d'un présentatif associé à un pronom relatif : *c'est... qui, que...*
Ex. : *Je l'ai invité* → *C'est moi qui l'ai invité.*

23 Réécrivez les deux phrases suivantes en supprimant la mise en valeur.
– « C'est moi qui ai causé tous vos maux. »
– « C'est moi que j'accuse et que je hais. »

Grammaire : la conjugaison du verbe *causer*

24 Conjuguez à toutes les personnes du passé composé le verbe *causer* en l'introduisant dans la phrase : « C'est moi qui ai causé tous ces maux. »

Grammaire : la fonction attribut

25 **a.** Dans les phrases suivantes, relevez les adjectifs attributs du sujet. Lequel est au superlatif ?
b. Indiquez quels sont les verbes attributifs.
c. En quoi le choix des attributs traduit-il le parcours des personnages ?
– « Votre fils serait devenu haineux, il deviendra grand et fort. »
– « Vous avez bien fait de me rapprocher de l'endroit où j'ai été si heureuse. »
– « De tous ceux que vous avez frappés j'étais la plus coupable. »
– « Edmond, vous êtes toujours jeune, toujours beau, toujours fier. »
– « Moi j'ai été lâche. »

Écrire

Imaginer un autre dénouement

26 Imaginez une autre fin concernant la relation de Mercédès et Monte-Cristo.

Consignes d'écriture :
– poursuivez le dialogue autrement à partir de « Vous haïr, vous accuser, vous, Edmond… » ;
– utilisez les désignations qui vous semblent convenir ;
– jouez sur le passage du vouvoiement au tutoiement.

Texte 18 – Monte-Cristo se venge de Danglars

« Alors je vous pardonne »

CXV. La carte de Luigi Vampa

La banque de Danglars fait faillite, sous l'action secrète de Monte-Cristo. Mais Danglars est parvenu, par une dernière escroquerie, à dérober une petite fortune aux hospices (établissements de charité publique), c'est-à-dire aux plus démunis. Il s'enfuit en Italie, pourvu d'une somme de cinq millions cinquante mille francs, mais Monte-Cristo le fait enlever par son ami, le brigand Luigi Vampa. Danglars est enfermé dans un sombre cachot, c'est le gardien Peppino qui est chargé de le surveiller.

Danglars, qui n'a pas reçu de nourriture depuis vingt-quatre heures, est attiré par le fumet qui se dégage du plat que Peppino, assis devant la porte de sa cellule, s'apprête à manger…

[…]

« Pardon, monsieur, dit-il, mais est-ce que l'on ne me donnera pas à dîner, à moi aussi ?

[…]

– À l'instant même, Excellence ; que désirez-vous ? »

Et Peppino posa son écuelle à terre, de telle façon que la
5 fumée en monta directement aux narines de Danglars.

« Commandez, dit-il.

– Vous avez donc des cuisines ici ? demanda le banquier.

– Comment ! si nous avons des cuisines ? des cuisines parfaites !

10 – Et des cuisiniers ?

– Excellents !

– Eh bien, un poulet, un poisson, du gibier, n'importe quoi, pourvu que je mange.

– Comme il plaira à Votre Excellence ; nous disons un poulet, n'est-ce pas ?

– Oui, un poulet. »

Peppino, se redressant, cria de tous ses poumons :

« Un poulet pour Son Excellence ! »

La voix de Peppino vibrait encore sous les voûtes, que déjà paraissait un jeune homme, beau, svelte, et à moitié nu comme les porteurs de poissons antiques ; il apportait le poulet sur un plat d'argent, et le poulet tenait seul sur sa tête.

« On se croirait au *Café de Paris*, murmura Danglars.

– Voilà, Excellence », dit Peppino en prenant le poulet des mains du jeune bandit et en le posant sur une table vermoulue[1] – qui faisait, avec un escabeau et le lit de peaux de bouc, la totalité de l'ameublement de la cellule.

Danglars demanda un couteau et une fourchette.

« Voilà ! Excellence », dit Peppino en offrant un petit couteau à la pointe émoussée[2] et une fourchette de buis[3].

Danglars prit le couteau d'une main, la fourchette de l'autre, et se mit en devoir de découper la volaille.

« Pardon, Excellence, dit Peppino en posant une main sur l'épaule du banquier ; ici on paie avant de manger ; on pourrait n'être pas content en sortant...

[...]

– Voilà », dit-il, et il jeta un louis à Peppino.

Peppino ramassa le louis, Danglars approcha le couteau du poulet.

« Un moment, Excellence, dit Peppino en se relevant ; un moment, Votre Excellence me redoit encore quelque chose.

– Quand je disais qu'ils m'écorcheraient ! » murmura Danglars.

1. Rongée, mangée par les vers.
2. Peu tranchante.
3. Bois dur et jaunâtre.

Puis, résolu de prendre son parti de cette extorsion[4] :

« Voyons, combien vous redoit-on pour cette volaille étique[5] ? demanda-t-il.

– Votre Excellence a donné un louis d'acompte[6].

45 – Un louis d'acompte sur un poulet ?

– Sans doute, d'acompte.

– Bien… Allez ! allez !

– Ce n'est plus que quatre mille neuf cent quatre-vingt-dix-neuf louis que Votre Excellence me redoit. »

50 Danglars ouvrit des yeux énormes à l'énoncé de cette gigantesque plaisanterie.

[…]

« Comment, cent mille francs ce poulet !

– Excellence, c'est incroyable comme on a de la peine à élever la volaille dans ces maudites grottes.

55 – Allons ! allons ! dit Danglars, je trouve cela très bouffon, très divertissant, en vérité ; mais comme j'ai faim, laissez-moi manger. Tenez, voilà un autre louis pour vous, mon ami.

– Alors cela ne fera plus que quatre mille neuf cent quatre-vingt-dix-huit louis, dit Peppino conservant le même sang-

60 froid ; avec de la patience, nous y viendrons. »

[…]

Puis Danglars réclame du pain…

« Du pain ! soit, dit Peppino.

– Hola ! du pain ! » cria-t-il.

Le jeune garçon apporta un petit pain ;

« Voilà ! dit Peppino.

65 – Combien ? demanda Danglars.

– Quatre mille neuf cent quatre-vingt-dix-huit louis. Il y a deux louis payés d'avance.

4. Action d'extorquer, d'obtenir quelque chose par la force, la menace ou la ruse.

5. D'une extrême maigreur.

6. Avance effectuée sur un achat.

– Comment un pain, cent mille francs ?
– Cent mille francs, dit Peppino.
70 – Mais vous ne demandiez que cent mille francs pour un poulet !
– Nous ne servons pas à la carte, mais à prix fixe. Qu'on mange peu, qu'on mange beaucoup, qu'on demande dix plats ou un seul, c'est toujours le même chiffre.
– Encore cette plaisanterie ! Mon cher ami, je vous déclare
75 que c'est absurde, que c'est stupide ! Dites-moi tout de suite que vous voulez que je meure de faim, ce sera plus tôt fait.
– Mais non, Excellence, c'est vous qui voulez vous suicider. Payez et mangez. »
[...]

CXVI. Le pardon

Le lendemain, Danglars demande à nouveau à manger et à boire, mais la somme qu'on lui demande est à nouveau exorbitante. Danglars décide de se laisser mourir plutôt que de signer de nouveaux chèques…

[...]
Danglars songea à une évasion.
80 Mais les murs étaient le roc lui-même ; mais à la seule issue qui conduisait hors de la cellule un homme lisait, et derrière cet homme on voyait passer et repasser des ombres armées de fusils.
Sa résolution de ne pas signer dura deux jours, après quoi il demanda des aliments et offrit un million.
85 On lui servit un magnifique souper, et on prit son million.
Dès lors, la vie du malheureux prisonnier fut une divagation[7] perpétuelle. Il avait tant souffert qu'il ne voulait plus s'exposer à souffrir, et subissait toutes les exigences ; au bout de douze jours,

7. Propos délirant.

un après-midi qu'il avait dîné comme en ses beaux jours de fortune,
90 il fit ses comptes et s'aperçut qu'il avait tant donné de traites au porteur[8], qu'il ne lui restait plus que cinquante mille francs.

Alors il se fit en lui une réaction étrange : lui qui venait d'abandonner cinq millions, il essaya de sauver les cinquante mille francs qui lui restaient ; plutôt que de donner ces cinquante mille francs,
95 il se résolut de reprendre une vie de privations, il eut des lueurs d'espoir qui touchaient à la folie ; lui qui depuis si longtemps avait oublié Dieu, il y songea pour se dire que Dieu parfois avait fait des miracles : que la caverne pouvait s'abîmer[9] ; que les carabiniers pontificaux[10] pouvaient découvrir cette retraite maudite et venir
100 à son secours ; qu'alors il lui resterait cinquante mille francs ; que cinquante mille francs étaient une somme suffisante pour empêcher un homme de mourir de faim ; il pria Dieu de lui conserver ces cinquante mille francs, et en priant il pleura.

Trois jours se passèrent ainsi, pendant lesquels le nom de
105 Dieu fut constamment, sinon dans son cœur, du moins sur ses lèvres ; par intervalles il avait des instants de délire pendant lesquels il croyait, à travers les fenêtres, voir dans une pauvre chambre un vieillard agonisant sur un grabat[11].

Ce vieillard, lui aussi, mourait de faim.

110 Le quatrième jour, ce n'était plus un homme, c'était un cadavre vivant ; il avait ramassé à terre jusqu'aux dernières miettes de ses anciens repas et commencé à dévorer la natte dont le sol était couvert.

Alors il supplia Peppino, comme on supplie son ange gardien,
115 de lui donner quelque nourriture ; il lui offrit mille francs d'une bouchée de pain.

Peppino ne répondit pas.

8. Chèques signés par Danglars à ses geôliers en échange de nourriture.
9. S'endommager, se détériorer.
10. Gendarmes au service du pape.
11. Lit misérable.

Le cinquième jour, il se traîna à l'entrée de la cellule.

« Mais vous n'êtes donc pas un chrétien ? dit-il en se redres-
120 sant sur les genoux ; vous voulez assassiner un homme qui est votre frère devant Dieu ? »

« Oh ! mes amis d'autrefois, mes amis d'autrefois ! » murmura-t-il.

Et il tomba la face contre terre.

125 Puis, se relevant avec une espèce de désespoir :

« Le chef ! cria-t-il, le chef !

– Me voilà ! dit Vampa, paraissant tout à coup ; que désirez-vous encore ?

– Prenez mon dernier or, balbutia Danglars en tendant son
130 portefeuille, et laissez-moi vivre ici, dans cette caverne ; je ne demande plus la liberté, je ne demande qu'à vivre.

– Vous souffrez donc bien ? demanda Vampa.

– Oh ! oui, je souffre, et cruellement !

– Il y a cependant des hommes qui ont encore plus souffert
135 que vous.

– Je ne crois pas.

– Si fait ! ceux qui sont morts de faim. »

Danglars songea à ce vieillard que, pendant ses heures d'hallucination, il voyait, à travers les fenêtres de sa pauvre chambre,
140 gémir sur son lit.

Il frappa du front la terre en poussant un gémissement.

« Oui, c'est vrai, il y en a qui ont plus souffert encore que moi, mais au moins, ceux-là, c'étaient des martyrs.

– Vous repentez-vous, au moins ? » dit une voix sombre et
145 solennelle, qui fit dresser les cheveux sur la tête de Danglars.

Son regard affaibli essaya de distinguer les objets, et il vit derrière le bandit un homme enveloppé d'un manteau et perdu dans l'ombre d'un pilastre[12] de pierre.

12. Pilier incrusté dans un mur.

« De quoi faut-il que je me repente ? balbutia Danglars.

– Du mal que vous avez fait, dit la même voix.

– Oh ! oui, je me repens ! je me repens ! » s'écria Danglars.

Et il frappa sa poitrine de son poing amaigri.

« Alors je vous pardonne », dit l'homme en jetant son manteau et en faisant un pas pour se placer dans la lumière.

« Le comte de Monte-Cristo ! » dit Danglars, plus pâle de terreur qu'il ne l'était, un instant auparavant, de faim et de misère.

« Vous vous trompez ; je ne suis pas le comte de Monte-Cristo.

– Et qui êtes-vous donc ?

– Je suis celui que vous avez vendu, livré, déshonoré ; je suis celui dont vous avez prostitué la fiancée ; je suis celui sur lequel vous avez marché pour vous hausser jusqu'à la fortune ; je suis celui dont vous avez fait mourir le père de faim, qui vous avait condamné à mourir de faim, et qui cependant vous pardonne, parce qu'il a besoin lui-même d'être pardonné : je suis Edmond Dantès ! »

Danglars ne poussa qu'un cri, et tomba prosterné[13].

« Relevez-vous, dit le comte, vous avez la vie sauve ; pareille fortune n'est pas arrivée à vos deux autres complices : l'un est fou, l'autre est mort ! Gardez les cinquante mille francs qui vous restent, je vous en fais don ; quant à vos cinq millions volés aux hospices, ils leur sont déjà restitués par une main inconnue.

– Et maintenant, mangez et buvez ; ce soir je vous fais mon hôte.

– Vampa, quand cet homme sera rassasié, il sera libre. »

13. Incliné en avant et très bas.

Danglars demeura prosterné tandis que le comte s'éloignait ;
180 lorsqu'il releva la tête, il ne vit plus qu'une espèce d'ombre qui disparaissait dans le corridor, et devant laquelle s'inclinaient les bandits.

Comme l'avait ordonné le comte, Danglars fut servi par Vampa, qui lui fit apporter le meilleur vin et les plus beaux
185 fruits de l'Italie, et qui, l'ayant fait monter dans sa chaise de poste, l'abandonna sur la route, adossé à un arbre.

Il y resta jusqu'au jour, ignorant où il était.

Au jour il s'aperçut qu'il était près d'un ruisseau : il avait soif, il se traîna jusqu'à lui.

190 En se baissant pour y boire, il s'aperçut que ses cheveux étaient devenus blancs.

« Je suis Edmond Dantès », gravure par Riou tirée du *Comte de Monte-Cristo*, éditions Jules Rouff & Cie, XIXe siècle.

Ai-je bien lu ?

1 Dans quel lieu et dans quel pays les événements se déroulent-ils ?

2 **a.** Par qui Danglars a-t-il été capturé ? Pour quelle raison ?

b. Quel supplice lui est-il infligé ?

3 Qui libère Danglars ? Pourquoi ?

4 Dans quel lieu Danglars se retrouve-t-il ? Dans quel état est-il ?

Repérer et analyser

Le cadre

5 Relevez les éléments qui permettent au lecteur de se faire une idée de la cellule où Danglars est retenu prisonnier.

Le personnage de Danglars

6 **a.** Quel méfait Danglars a-t-il accompli envers les hospices, donc les plus démunis ?

b. Quel rapport a-t-il à l'argent ?

7 **a.** Quel est le rêve qui hante Danglars dans ses souffrances ?

b. À quel souvenir ce rêve renvoie-t-il ? Quel sentiment peut-il révéler ?

8 Relevez les transformations physiques et mentales qui s'opèrent peu à peu en Danglars (l. 86 à fin du texte).

La durée et les effets d'attente

Le narrateur peut ralentir le rythme du récit en s'attardant sur une scène ; il peut aussi l'accélérer en résumant ce qui s'est passé (sommaire).

9 Évaluez la durée de la captivité de Danglars (en nombre de jours). Prenez en compte le paratexte et relevez des indices précis.

10 **a.** Combien de lignes le narrateur consacre-t-il à chacune des périodes évoquées, à partir de la ligne 83 ?

b. Comment et dans quel passage le narrateur accélère-t-il le rythme du récit ? Pourquoi le fait-il ?

c. Quel jour particulier fait l'objet d'une scène ? Pourquoi le narrateur ralentit-il le rythme à ce moment du récit ?

Le parcours de Monte-Cristo

La réalisation de la vengeance

11 Montrez que Monte-Cristo :
– s'en prend à ce qui tient le plus à cœur à sa victime ;`
– lui inflige des souffrances qui correspondent aux méfaits qu'il a commis et aux souffrances qu'il a fait subir aux autres.

La révélation de l'identité

12 **a.** À quel moment Monte-Cristo apparaît-il à Danglars ? Montrez qu'il entre en scène de manière théâtrale.
b. Quel effet cherche-t-il à produire sur Danglars ?
c. Comment s'y prend-il pour retarder la révélation de son identité ? Relevez notamment l'anaphore des lignes 162-168.
d. Comment Danglars réagit-il ?

Le pardon

13 **a.** Pour quelle raison Monte-Cristo a-t-il décidé de sauver Danglars ?
b. À quel moment du roman le lecteur savait-il qu'il ne le châtierait pas comme les autres ?

14 Rappelez la responsabilité de Danglars dans les malheurs de Dantès : en quoi ce pardon est-il le plus grand qu'il pouvait accorder ?

15 Comment Monte-Cristo signifie-t-il à Danglars qu'il lui a pardonné ?

16 Quelle étape de son parcours Monte-Cristo vient-il de franchir ?

Étudier la langue

Orthographe : les chiffres et les nombres

Les chiffres et les nombres sont **invariables** (ex. : il a fêté ses quatre ans) **sauf *vingt* et *cent*** qui prennent un *s* quand ils sont multipliés par un nombre sans être suivis par un autre nombre (ex. : *quatre-vingts*, *deux cents*, mais : *cinq cent trois*, *quatre-vingt-dix*).
Mille est invariable mais les noms ***millier***, ***million*** et ***milliard*** s'accordent (ex. : ***deux cents millions d'habitants***).
Selon les **règles traditionnelles**, tous les nombres composés inférieurs à 100 prennent un trait d'union (dix-sept, quarante-huit...).
Selon les **nouvelles règles**, on peut écrire les numéros composés avec des traits d'union entre chaque élément et même lorsqu'il y a *et* (ex. : *trente-et-un*).

17 « Alors cela ne fera plus que quatre mille neuf cent quatre-vingt-dix-huit louis » (l. 00).

a. Écrivez en toutes lettres les nombres suivants de deux façons : en suivant les règles traditionnelles puis les nouvelles règles.

- 80
- 85
- 107
- 800
- 880
- 890
- 1 524
- 6 220

b. Ajoutez un s si nécessaire.

- trois mille… trois cent…
- trois cent… million…
- trois cent… mille…
- quatre-vingt… mille…
- quatre-vingt… brebis
- quatre-vingt…-trois chats
- trois cent… lapins
- deux cent… un chien

Grammaire : conjugaison

18 « Dites-moi tout de suite que vous voulez que je meure de faim » (l. 75-76) ;

a. Identifiez le mode et le temps des verbes *dire*, *vouloir* et *mourir*.

b. Conjuguez le verbe *mourir* à la forme correcte et aux personnes indiquées.

- Je ne veux pas que tu/qu'il/que nous/que vous/qu'ils (mourir) de faim.
- Je vous dis que je/qu'il/que nous/que vous/qu'ils (mourir) de faim.

Écrire

Transposer au discours direct

19 « Il y songea pour se dire que Dieu parfois avait fait des miracles… un homme de mourir de faim » (l. 97-102). Réécrivez les pensées de Monte-Cristo au discours direct.

Consignes d'écriture :

- commencez par *Monte-Cristo se dit : « … »*
- supprimez la conjonction *que* et faites les autres modifications qui conviennent.

Texte 19 – Retrouvailles et départ

« Attendre et espérer »

CXVII. Le 5 octobre

Monte-Cristo avait fait promettre à Maximilien Morrel, abattu par la disparition de Valentine, de repousser son désir de mettre fin à ses jours et d'attendre la date du 5 octobre…

À cette date donc, à neuf heures du soir, Morrel arrive sur l'île de Monte-Cristo où le comte lui a donné rendez-vous.

[…]

Au bout d'une trentaine de pas on avait abordé ; le jeune homme secouait ses pieds sur un terrain sec, et cherchait des yeux autour de lui le chemin probable qu'on allait lui indiquer, car il faisait tout à fait nuit.

5 Au moment où il tournait la tête, une main se posait sur son épaule, et une voix le fit tressaillir.

« Bonjour, Maximilien, disait cette voix, vous êtes exact, merci !

– C'est vous, comte », s'écria le jeune homme avec un mouve-
10 ment qui ressemblait à de la joie, et en serrant de ses deux mains la main de Monte-Cristo. […] Ami, comme disait le gladiateur entrant dans le cirque au sublime empereur, je vous dis à vous : "Celui qui va mourir te salue."

– Vous n'êtes pas consolé ? demanda Monte-Cristo avec un
15 regard étrange.

– Oh ! fit Morrel avec un regard plein d'amertume, avez-vous cru réellement que je pouvais l'être ? […] Mon ami, continua Morrel, voyant que le comte se taisait, vous m'avez désigné le 5 octobre comme le terme du sursis que vous me
20 demandiez… mon ami, c'est aujourd'hui le 5 octobre… »

Morrel tira sa montre.

« Il est neuf heures, j'ai encore trois heures à vivre.

– Soit, répondit Monte-Cristo, venez. »

Morrel suivit machinalement le comte, et ils étaient déjà 25 dans la grotte[1] que Maximilien ne s'en était pas encore aperçu.

Il trouva des tapis sous ses pieds ; une porte s'ouvrit, des parfums l'enveloppèrent, une vive lumière frappa ses yeux.

Morrel s'arrêta, hésitant à avancer ; il se défiait des éner- 30 vantes délices[2] qui l'entouraient.

Monte-Cristo l'attira doucement.

« Ne convient-il pas, dit-il, que nous employions les trois heures qui nous restent comme ces anciens Romains qui, condamnés par Néron, leur empereur et leur héritier, se 35 mettaient à table couronnés de fleurs, et aspiraient la mort avec le parfum des héliotropes[3] et des roses ? »

Morrel sourit.

« Comme vous voudrez, dit-il ; la mort est toujours la mort, c'est-à-dire l'oubli, c'est-à-dire le repos, c'est-à-dire l'absence 40 de la vie et par conséquent de la douleur. »

Il s'assit, Monte-Cristo prit place en face de lui.

[...]

« Je comprends maintenant, dit-il, pourquoi vous m'avez donné rendez-vous ici, dans cette île désolée, au milieu d'un Océan, dans ce palais souterrain, sépulcre à faire envie à un 45 Pharaon : c'est que vous m'aimez, n'est-ce pas, comte ? c'est que vous m'aimez assez pour me donner une de ces morts dont vous me parliez tout à l'heure, une mort sans agonie,

1. Monte-Cristo a aménagé dans l'île un véritable palais souterrain.
2. Le mot *délice* prend le genre féminin lorsqu'il est au pluriel.
3. Plante à fleurs odorantes des régions chaudes et tempérées.

une mort qui me permette de m'éteindre en prononçant le nom de Valentine et en vous serrant la main ?

50 – Oui, vous avez deviné juste, Morrel, dit le comte avec simplicité, et c'est ainsi que je l'entends.

– Merci ; l'idée que demain je ne souffrirai plus est suave[4] à mon pauvre cœur.

[…]

– Écoutez, Morrel, dit Monte-Cristo, je n'ai aucun parent

55 au monde, vous le savez. Je me suis habitué à vous regarder comme mon fils ; eh bien ! pour sauver mon fils, je sacrifierais ma vie, à plus forte raison ma fortune.

[…]

– Alors laissez-moi partir, dit Maximilien devenu sombre, ou je croirai que vous ne m'aimez pas pour moi, mais pour

60 vous. »

[…]

Monte-Cristo va chercher un petit coffret dans une armoire.

Il posa le coffret sur la table.

Puis, l'ouvrant, il en tira une petite boîte d'or dont le couvercle se levait par la pression d'un ressort secret.

Cette boîte contenait une substance onctueuse à demi solide,

65 dont la couleur était indéfinissable, grâce au reflet de l'or poli, des saphirs, des rubis et des émeraudes qui garnissaient la boîte.

C'était comme un chatoiement d'azur, de pourpre et d'or.

Le comte puisa une petite quantité de cette substance avec

70 une cuiller de vermeil, et l'offrit à Morrel en attachant sur lui un long regard.

On put voir alors que cette substance était verdâtre.

4. Qui a une douceur délicieuse.

« Voilà ce que vous m'avez demandé, dit-il. Voilà ce que je vous ai promis.

75 – Vivant encore, dit le jeune homme, prenant la cuiller des mains de Monte-Cristo, je vous remercie du fond de mon cœur. [...] Je sens que je meurs ; merci. »

Il fit un effort pour lui tendre une dernière fois la main, mais sa main sans force retomba près de lui.

80 Alors il lui sembla que Monte-Cristo souriait, non plus de son rire étrange et effrayant qui plusieurs fois lui avait laissé entrevoir les mystères de cette âme profonde, mais avec la bienveillante compassion[5] que les pères ont pour leurs petits enfants qui déraisonnent.

85 En même temps le comte grandissait à ses yeux ; sa taille, presque doublée, se dessinait sur les tentures rouges, il avait rejeté en arrière ses cheveux noirs, et il apparaissait debout et fier comme un de ces anges dont on menace les méchants au jour du jugement dernier.

[...]

90 Couché, énervé, haletant, Morrel ne sentait plus rien de vivant en lui que ce rêve : il lui semblait entrer à pleines voiles dans le vague délire qui précède cet autre inconnu qu'on appelle la mort.

[...]

Ses yeux chargés de langueurs[6] se fermèrent malgré lui ; cepen-
95 dant, derrière ses paupières, s'agitait une image qu'il reconnut malgré cette obscurité dont il se croyait enveloppé.

C'était le comte qui venait d'ouvrir une porte.

Aussitôt, une immense clarté rayonnant dans une chambre voisine, ou plutôt dans un palais merveilleux, inonda la salle
100 où Morrel se laissait aller à sa douce agonie.

5. Pitié.

6. Mollesse.

Alors il vit venir au seuil de cette salle, et sur la limite des deux chambres, une femme d'une merveilleuse beauté.

Pâle et doucement souriante, elle semblait l'ange de miséricorde[7] conjurant l'ange des vengeances.

105 « Est-ce déjà le ciel qui s'ouvre pour moi ? pensa le mourant ; cet ange ressemble à celui que j'ai perdu. »

Monte-Cristo montra du doigt, à la jeune femme, le sofa où reposait Morrel.

Elle s'avança vers lui les mains jointes et le sourire sur les lèvres.

110 « Valentine ! Valentine ! » cria Morrel du fond de l'âme.

Mais sa bouche ne proféra point un son ; et, comme si toutes ses forces étaient unies dans cette émotion intérieure, il poussa un soupir et ferma les yeux.

Valentine se précipita vers lui.

115 Les lèvres de Morrel firent encore un mouvement.

« Il vous appelle, dit le comte ; il vous appelle du fond de son sommeil, celui à qui vous aviez confié votre destinée, et la mort a voulu vous séparer : mais j'étais là par bonheur, et j'ai vaincu la mort ! Valentine, désormais vous ne devez plus 120 vous séparer sur la terre ; car, pour vous retrouver, il se précipitait dans la tombe. Sans moi vous mourriez tous deux ; je vous rends l'un à l'autre : puisse Dieu me tenir compte de ces deux existences que je sauve ! »

Valentine saisit la main de Monte-Cristo, et dans un élan 125 de joie irrésistible elle la porta à ses lèvres.

« Oh ! remerciez-moi bien, dit le comte, oh ! redites-moi, sans vous lasser de me le redire, redites-moi que je vous ai rendue heureuse ! Vous ne savez pas combien j'ai besoin de cette certitude.

– Oh ! oui, oui, je vous remercie de toute mon âme, dit 130 Valentine, et si vous doutez que mes remerciements soient

7. Pardon, compassion.

sincères, eh bien, demandez à Haydée, interrogez ma sœur chérie, Haydée, qui depuis notre départ de France m'a fait attendre patiemment, en me parlant de vous, l'heureux jour qui luit aujourd'hui pour moi.

135 – Vous aimez donc Haydée ? demanda Monte-Cristo avec une émotion qu'il s'efforçait en vain de dissimuler.

– Oh ! de toute mon âme.

– Eh bien, écoutez, Valentine, dit le comte, j'ai une grâce à vous demander.

140 – À moi, grand Dieu ! Suis-je assez heureuse pour cela ?...

– Oui, vous avez appelé Haydée votre sœur : qu'elle soit votre sœur en effet, Valentine ; rendez-lui, à elle, tout ce que vous croyez me devoir à moi ; protégez-la, Morrel et vous, car (la voix du comte fut prête à s'éteindre dans sa gorge), car désor-
45 mais elle sera seule au monde...

– Seule au monde ! répéta une voix derrière le comte, et pourquoi ? »

Monte-Cristo se retourna.

Haydée était là debout, pâle et glacée, regardant le comte
50 avec un geste de mortelle stupeur.

« Parce que demain, ma fille, tu seras libre, répondit le comte ; parce que tu reprendras dans le monde la place qui t'est due, parce que je ne veux pas que ma destinée obscurcisse la tienne. Fille de prince ! Je te rends les richesses et le nom
55 de ton père. »

Haydée pâlit, ouvrit ses mains diaphanes[8] comme fait la vierge qui se recommande à Dieu, et d'une voix rauque de larmes :

« Ainsi, mon seigneur, tu me quittes ? dit-elle.

– Haydée ! Haydée ! tu es jeune, tu es belle ; oublie jusqu'à
60 mon nom et sois heureuse.

8. Très pâle.

– C'est bien, dit Haydée, tes ordres seront exécutés, mon seigneur ; j'oublierai jusqu'à ton nom et je serai heureuse. »

Et elle fit un pas en arrière pour se retirer.

« Oh ! mon Dieu ! s'écria Valentine, tout en soutenant la tête engourdie de Morrel sur son épaule, ne voyez-vous donc pas comme elle est pâle, ne comprenez-vous pas ce qu'elle souffre ? »

Haydée lui dit avec une expression déchirante :

« Pourquoi veux-tu donc qu'il me comprenne, ma sœur ? Il est mon maître et je suis son esclave ; il a le droit de ne rien voir. »

Le comte frissonna aux accents de cette voix qui alla éveiller jusqu'aux fibres les plus secrètes de son cœur ; ses yeux rencontrèrent ceux de la jeune fille et ne purent en supporter l'éclat.

« Mon Dieu ! mon Dieu ! dit Monte-Cristo, ce que vous m'aviez laissé soupçonner serait donc vrai ! Haydée, vous seriez donc heureuse de ne point me quitter ?

– Je suis jeune, répondit-elle doucement, j'aime la vie que tu m'as toujours faite si douce, et je regretterais de mourir.

– Cela veut-il donc dire que si je te quittais, Haydée…

– Je mourrais, mon seigneur, oui !

– Mais tu m'aimes donc ?

– Oh ! Valentine, il demande si je l'aime ! Valentine, dis-lui donc si tu aimes Maximilien ! »

Le comte sentit sa poitrine s'élargir et son cœur se dilater ; il ouvrit ses bras, Haydée s'y élança en jetant un cri.

« Oh ! oui, je t'aime ! dit-elle, je t'aime comme on aime son père, son frère, son mari ! Je t'aime comme on aime sa vie, comme on aime son Dieu, car tu es pour moi le plus beau, le meilleur et le plus grand des êtres créés !

– Qu'il soit donc fait ainsi que tu le veux, mon ange chéri ! dit le comte ; Dieu, qui m'a suscité contre mes ennemis et qui m'a fait vainqueur, Dieu, je le vois bien, ne veut pas mettre ce repentir au bout de ma victoire ; je voulais me punir, Dieu veut me pardonner. Aime-moi donc, Haydée ! Qui sait ? Ton amour me fera peut-être oublier ce qu'il faut que j'oublie.

– Mais que dis-tu donc là, mon seigneur ? demanda la jeune fille.

– Je dis qu'un mot de toi, Haydée, m'a plus éclairé que vingt ans de ma lente sagesse ; je n'ai plus que toi au monde, Haydée ; par toi je me rattache à la vie, par toi je puis souffrir, par toi je puis être heureux.

– L'entends-tu, Valentine ? s'écria Haydée ; il dit que par moi il peut souffrir ! Par moi, qui donnerais ma vie pour lui ! »

Le comte se recueillit un instant.

« Ai-je entrevu la vérité ? dit-il, ô mon Dieu ! n'importe ! récompense ou châtiment, j'accepte cette destinée. Viens, Haydée, viens… »

Et jetant son bras autour de la taille de la jeune fille, il serra la main de Valentine et disparut.

Une heure à peu près s'écoula, pendant laquelle haletante, sans voix, les yeux fixes, Valentine demeura près de Morrel. Enfin elle sentit son cœur battre, un souffle imperceptible ouvrit ses lèvres, et ce léger frissonnement qui annonce le retour de la vie courut par tout le corps du jeune homme.

Enfin ses yeux se rouvrirent, mais fixes et comme insensés d'abord ; puis la vue lui revint, précise, réelle ; avec la vue le sentiment, avec le sentiment la douleur.

« Oh ! s'écria-t-il avec l'accent du désespoir, je vis encore ! Le comte m'a trompé ! »

Et sa main s'étendit vers la table, et saisit un couteau.

« Ami, dit Valentine avec son adorable sourire, réveille-toi donc et regarde de mon côté. »

Morrel poussa un grand cri, et délirant, plein de doute, ébloui comme par une vision céleste, il tomba sur ses deux genoux…

225 Le lendemain, aux premiers rayons du jour, Morrel et Valentine se promenaient au bras l'un de l'autre sur le rivage, Valentine racontant à Morrel comment Monte-Cristo était apparu dans sa chambre, comment il lui avait tout dévoilé, comment il lui avait fait toucher le crime du doigt, et enfin 230 comment il l'avait miraculeusement sauvée de la mort, tout en laissant croire qu'elle était morte.

Ils avaient trouvé ouverte la porte de la grotte, et ils étaient sortis ; le ciel laissait luire dans son azur matinal les dernières étoiles de la nuit.

235 Alors Morrel aperçut dans la pénombre d'un groupe de rochers un homme qui attendait un signe pour avancer ; il montra cet homme à Valentine.

« Ah ! c'est Jacopo ! dit-elle, le capitaine du yacht. »

Et d'un geste elle l'appela vers elle et vers Maximilien.

240 « Vous avez quelque chose à nous dire ? demanda Morrel.

– J'avais à vous remettre cette lettre de la part du comte.

– Du comte ! murmurèrent ensemble les deux jeunes gens.

– Oui, lisez. »

Morrel ouvrit la lettre et lut :

245 *Mon cher Maximilien,*

Il y a une felouque[9] *pour vous à l'ancre. Jacopo vous conduira à Livourne*[10]*, où monsieur Noirtier*[11] *attend sa petite-fille, qu'il veut bénir avant qu'elle vous suive à l'autel. Tout ce qui est dans cette grotte, mon ami, ma maison des Champs-Élysées et* 250 *mon petit château du Tréport*[12] *sont le présent de noces que fait Edmond Dantès au fils de son patron Morrel. Mademoiselle de Villefort voudra bien en prendre la moitié, car je la supplie*

9. Petit bateau de la Méditerranée à voiles ou à rames.
10. Ville d'Italie située en Toscane.
11. Père de Villefort, grand-père de Valentine.
12. Ville balnéaire située au bord de la Manche, en Normandie.

de donner aux pauvres de Paris toute la fortune qui lui revient du côté de son père, devenu fou, et du côté de son frère, décédé en septembre dernier avec sa belle-mère.

Dites à l'ange qui va veiller sur votre vie, Morrel, de prier quelquefois pour un homme qui, pareil à Satan[13]*, s'est cru un instant l'égal de Dieu, et qui a reconnu, avec toute l'humilité d'un chrétien, qu'aux mains de Dieu seul sont la suprême puissance et la sagesse infinie. Ces prières adouciront peut-être le remords qu'il emporte au fond de son cœur.*

Quant à vous, Morrel, voici tout le secret de ma conduite envers vous : il n'y a ni bonheur ni malheur en ce monde, il y a la comparaison d'un état à un autre, voilà tout. Celui-là seul qui a éprouvé l'extrême infortune est apte à ressentir l'extrême félicité[14]*. Il faut avoir voulu mourir, Maximilien, pour savoir combien il est bon de vivre.*

Vivez donc et soyez heureux, enfants chéris de mon cœur, et n'oubliez jamais que, jusqu'au jour où Dieu daignera dévoiler l'avenir à l'homme, toute la sagesse humaine sera dans ces deux mots :

Attendre et espérer !

Votre ami,
EDMOND DANTÈS,
Comte de Monte-Cristo.

Pendant la lecture de cette lettre, qui lui apprenait la folie de son père et la mort de son frère, mort et folie qu'elle ignorait, Valentine pâlit, un douloureux soupir s'échappa de sa poitrine, et des larmes, qui n'en étaient pas moins poignantes pour être silencieuses, roulèrent sur ses joues ; son bonheur lui coûtait bien cher.

13. Le diable (appelé aussi Lucifer) fut un ange avant de se rebeller contre Dieu.

14. Bonheur.

Morrel regarda autour de lui avec inquiétude.

« Mais, dit-il, en vérité le comte exagère sa générosité ; Valentine se contentera de ma modeste fortune. Où est le
285 comte, mon ami ? conduisez-moi vers lui. »

Jacopo étendit la main vers l'horizon.

« Quoi ! que voulez-vous dire ? demanda Valentine : Où est le comte ? où est Haydée ?

– Regardez », dit Jacopo.

290 Les yeux des deux jeunes gens se fixèrent sur la ligne indiquée par le marin, et, sur la ligne d'un bleu foncé qui séparait à l'horizon le ciel de la Méditerranée, ils aperçurent une voile blanche, grande comme l'aile d'un goéland.

« Parti ! s'écria Morrel ; parti ! Adieu, mon ami, mon
295 père !

– Partie ! murmura Valentine. Adieu, mon amie ! adieu, ma sœur !

– Qui sait si nous les
300 reverrons jamais ? fit Morrel en essuyant une larme.

– Mon ami, dit Valentine, le comte ne
305 vient-il pas de nous dire que l'humaine sagesse était tout entière dans ces deux mots :

Attendre et espérer ! »

Haydée et Monte-Cristo, illustration pour *Le Comte de Monte-Cristo*, XIXe siècle, collection particulière.

Questions

Ai-je bien lu ?

1 **a.** Rappelez qui est Valentine.
b. Qui a tenté de l'empoisonner ? Qui l'a sauvée ?
2 Dans quel lieu a-t-elle été cachée ? Quel personnage était avec elle pour lui tenir compagnie ?
3 **a.** Qui est Maximilien Morrel ? Savait-il que Valentine était toujours vivante ?
b. En quoi la date du 5 octobre est-elle importante pour lui ? Quel pacte avait-il convenu avec Monte-Cristo ?
c. Dans quel état d'esprit arrive-t-il chez Monte-Cristo ?
4 Dans quelles circonstances retrouve-t-il Valentine ?
5 Où Monte-Cristo se rend-il à la fin du roman ? De qui est-il accompagné ?

Repérer et analyser

Le parcours de Monte-Cristo

Du passé au présent

6 Rappelez quel métier exerçait le jeune Dantès : en quoi Monte-Cristo renoue-t-il symboliquement en cette fin de roman avec son passé ?
7 **a.** De quels noms Monte-Cristo signe-t-il sa lettre d'adieu ? Quel est celui qui paraît prédominant ? Est-ce surprenant ?
b. Cette signature peut-elle laisser penser que le héros s'est réconcilié avec lui-même et son passé ?
8 Qu'est-ce qui est comparable, qu'est-ce qui a changé dans la situation de Dantès entre le début et la fin de son parcours ?

Les leçons de la vie

9 **a.** Montrez que Monte-Cristo cherche à effacer tous les souvenirs de sa vengeance : quel sentiment un tel comportement révèle-t-il ? Citez le texte.
b. Quelle faute Monte-Cristo estime-t-il avoir commise ? Rappelez quels sont les événements qui ont plus particulièrement engendré ce sentiment de culpabilité chez Monte-Cristo.

10 **a.** Quelles souffrances Monte-Cristo a-t-il infligées indirectement à Valentine ?
b. Comment essaie-t-il de réparer partiellement les dégâts qu'il a commis ?
c. En quoi se comporte-t-il en père avec le jeune couple ?
11 « *Attendre et espérer !* » : selon vous, que faut-il attendre et que faut-il espérer ? En quoi cela illustre-t-il le destin de Monte-Cristo ?

Le parcours amoureux

12 **a.** Quelle relation Monte Cristo et Haydée entretiennent-ils ?
b. Quelle proposition Monte-Cristo fait-il à Haydée (l. 152) ?
c. L'accepte-t-elle ? Quels sentiments celle-ci éprouve-t-elle pour lui ?
d. Lui dit-il qu'il l'aime ? Qu'espère-t-il trouver avec elle ?

Le motif de l'Orient

13 En quoi la grotte de Monte-Cristo renvoie-t-elle aux *Mille et Une Nuits* ? Citez des indices.
14 Montrez que le motif de l'Orient, amorcé au début du roman, se retrouve en écho à la fin (personnage d'Haydée, lieu de destination).
15 Que peut signifier cet attrait de Dumas/Dantès pour le merveilleux et la magie orientale ? Le réel tel qu'il est leur convient-il ?

Le roman d'aventure

Le lieu romanesque

16 Dans quel lieu Monte-Cristo réunit-il les deux amants ? En quoi ce lieu est-il symbolique et donne-t-il sens à tout le roman ?
17 Quelle est l'importance de la mer dans le roman ?

Le goût de la mise en scène

18 Comment Monte-Cristo met-il en scène la pseudo-mort de Morrel et la réapparition de Valentine ?
19 **a.** Quel est l'effet produit sur le lecteur par la présence de la lettre au sein de la narration ?
b. Qui est l'auteur de cette lettre ? Qui la donne à lire et à qui ? À qui est-elle adressée ?
20 En quoi le départ secret de Monte-Cristo est-il conforme à sa personnalité et participe-t-il de la mise en scène romanesque ?

La fin du roman

La fin ou clôture d'un roman peut être ouverte ou fermée. Elle est fermée si elle met un terme aux aventures des personnages et qu'elle constitue un point terminal heureux ou malheureux (mort, mariage...). La fin est ouverte si elle laisse en suspens le destin des personnages et si l'intrigue peurt se poursuivre au-delà du texte.

21 Comparez le début et la fin du roman. Montrez que le narrateur joue sur l'idée de départ et de retour (notez les lieux de provenance et de destination) et que les scènes se font écho.

22 Montrez que la fin du roman est à la fois fermée et ouverte : quelle partie du parcours de Dantès est définitivement achevée ? En quoi cette fin constitue-t-elle également un nouveau départ ?

23 Quel est l'effet produit par la formule finale. Qui la prononce ? Qui en est l'auteur ?

Étudier la langue

Vocabulaire : autour du mot *miséricorde*

Le mot *miséricorde* (« qui a le cœur sensible au malheur ») vient du latin *cor*, « cœur » et *miseria*, « malheur ».

24 « Elle semblait l'ange de miséricorde » (l. 104-105).

a. Que signifient le terme « cordialement » et l'expression « sentiments cordiaux », utilisés dans les courriers ?

b. Donnez l'antonyme (contraire) de « cordialité » dans l'expression « accueillir quelqu'un avec cordialité ».

Écrire

Donner son avis

25 Vous participez à un forum Internet et exprimez votre avis sur le roman et sur le personnage d'Edmond Dantès.

Consignes d'écriture : appuyez-vous sur des exemples qui vous ont frappé et faites partager votre enthousiasme ou vos réserves.

Questions bilan

L'époque et les lieux

1 Dans quels principaux lieux l'action se déroule-t-elle ?
2 À quelle date l'action commence-t-elle ? À quelle date se termine-t-elle ?
3 Quelle influence les événements historiques ont-ils sur Dantès ?

Le parcours d'Edmond Dantès

Un début de parcours brisé

4 Quel avenir se profile pour Edmond Dantès au début du roman ?
5 **a.** Qui sont Caderousse ? Fernand Mondego ? Danglars ? Villefort ?
b. Lesquels en veulent à Dantès ? Pourquoi ? Quel rôle chacun a-t-il dans sa chute ?
6 **a.** Dans quelle prison Dantès est-il conduit ?
b. Pendant combien d'années y reste-t-il ? Comment s'en évade-t-il ?
7 Quel est le rôle de l'abbé Faria dans le parcours de Dantès ?

La vengeance

8 Quels sont les pseudonymes de Dantès ? Quel est le principal ?
9 Quelle ascension sociale les ennemis de Dantès ont-ils réalisée pendant qu'il était en prison ? Quels différents méfaits ont-ils chacun à se reprocher ? De quelle façon Dantès exerce-t-il sa vengeance sur chacun d'eux ?

Le parcours amoureux

10 **a.** De quelle jeune fille Dantès est-il amoureux au début du roman ?
b. Qui épouse-t-elle ? Pourquoi ? Peut-elle reconquérir Edmond ?
c. Avec qui Dantès part-il à la fin du roman ? Qui est ce personnage ?

Vengeur ou justicier ?

11 **a.** Montrez que, dès sa rencontre avec l'abbé Faria, Monte-Cristo se sent investi d'une mission divine pour accomplir sa vengeance.
b. Faites la liste des victimes volontaires ou involontaires de sa vengeance.
c. Quel événement dramatique interprète-t-il comme un châtiment divin ?
d. Comment tente-t-il de se racheter auprès de Danglars et Valentine ?

Un roman romantique, multiforme

12 À quel genre (roman d'aventure, roman sentimental, roman noir) les scènes de retrouvailles (Edmond/Mercédès), de l'évasion, de la pluie de sang appartiennent-elles ?

13 Quel tableau Dumas dresse-t-il de la haute société française sous la monarchie de Juillet : à travers quels personnages le pouvoir judiciaire, le pouvoir financier et le pouvoir militaire sont-ils dévalorisés ?

14 **a.** Comment le thème de l'Orient parcourt-il le roman ? Citez des noms de lieu, de personnages, des thèmes qui renvoient à l'Orient.

b. Où Monte-Cristo se rend-il à la fin du roman ?

c. En quoi le roman est-il aussi un roman de la mer ?

Atelier jeu

Qui suis-je ?

15 Remplissez la grille à l'aide des définitions. Vous découvrirez alors dans la colonne grisée un nom qui joue un rôle central dans le roman.

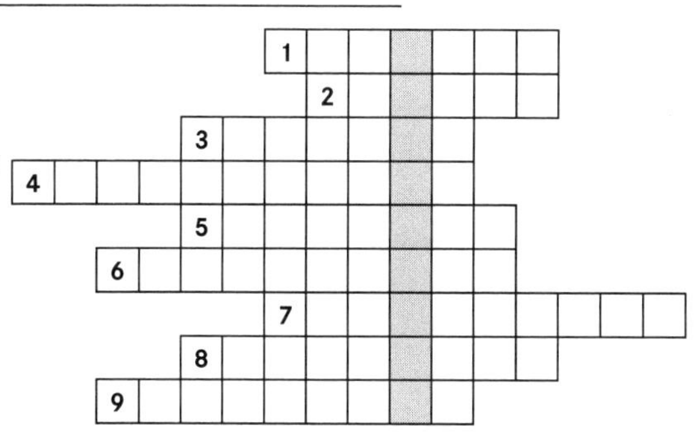

1. C'est mon véritable prénom. Je suis...

2. J'ai rencontré Dantès au château d'If. Je suis...

3. Je suis le fils de Mercédès et du comte de Morcef. Mon prénom est...

4. J'ai tué ma femme et un malheureux bijoutier. Je suis...

5. J'étais pêcheur, j'ai réussi à prendre la place d'Edmond Dantès. Je suis...

6. Monte-Cristo m'a sauvée du poison. Je suis...

7. C'est moi qui ai fait transférer sans jugement le jeune Edmond Dantès au château d'If. Je suis...

8. J'ai fait un faux en écriture. Je suis...

9. J'aurais pu être si heureuse avec Edmond. Je suis...

Le Comte de Monte-Cristo et les arts

Le Comte de Monte-Cristo a inspiré de nombreuses images illustratives ou encore des adaptations filmiques. Certaines œuvres picturales comme le tableau d'Eugène Delacroix, *Odalisque*, par son inspiration orientaliste, entretiennent des liens étroits avec le roman.

L'affiche de film

Affiche du film de Robert Vernay (1943)

Le roman *Le Comte de Monte-Cristo* a donné lieu à une trentaine d'adaptations filmiques et télévisuelles. Parmi les films les plus connus, citons les deux réalisations de Robert Vernay, l'une de 1943 en noir et blanc ; l'autre, en couleur, de 1953, avec Jean Marais dans le rôle d'Edmond Dantès. Les adaptations télévisées sont particulièrement réussies, notamment celle de David Grun (1975) et celle de Josée Dayan (1998) avec Gérard Depardieu dans le rôle d'Edmond Dantès, Ornella Muti dans celui de Mercédès, Pierre Arditi, Jean Rochefort.
L'affiche de film est un document **promotionnel** qui accompagne la production d'un film. Le visuel doit être fort et convaincant : l'affichiste joue sur la **composition**, le **graphisme,** les **couleurs,** il doit susciter l'envie d'aller voir le film.

> *Le questionnaire associé à cette image se trouve p. 348.*

La peinture et l'inspiration orientale

Au XIXe siècle l'Orient a nourri l'imaginaire des artistes et écrivains romantiques, donnant lieu à des représentations parfois fantaisistes, proches de l'univers des *Mille et Une Nuits.* La femme de harem, l'**odalisque**, représentée au bain turc ou allongée sur un lit, inspire des peintres comme **Delacroix** (*Odalisque*, 1848-1849) ou **Ingres** (*La Grande Odalisque*, 1814).

Eugène Delacroix, *Odalisque* (1848-1849)

Eugène Delacroix (1798-1863), chef de file de la **peinture romantique**, s'attache à travailler les couleurs et les contrastes d'ombre et de lumière pour donner relief et volume aux personnages. Il s'engage aux côtés des Grecs attaqués par les Turcs en peignant *Les Massacres de Scio* en 1824 puis, en 1831, il représente une journée révolutionnaire avec *La Liberté guidant le peuple.*

Fasciné par l'Orient, il effectue en 1832 un voyage au Maroc et en Algérie et réalisera par la suite des peintures emblématiques de l'orientalisme dont *Femmes d'Alger dans leur appartement* (1834).

> *Le questionnaire associé à cette image se trouve p. 349.*

L'art de la gravure

Le frontispice et la vignette illustrative

« Gravure » est un terme générique qui désigne des images produites en nombreux exemplaires à partir d´une matrice commune en bois, en métal ou encore en pierre.

Le frontispice est une illustration placée avant la page de titre ou face à celle-ci. Le frontispice représente souvent une scène importante du roman ; il peut aussi se présenter comme une composition d'images visant à rendre compte des moments forts de l'œuvre. Il peut être accompagné d'une citation du texte.

Le terme **« vignette »** s'applique à toute illustration d'un livre, dessinée ou gravée. Elle est caractérisée par la finesse et la précision du dessin. L'illustration fournit une représentation imagée de l'histoire, elle aère le texte et constitue une aide à la lecture.

> *Le questionnaire associé à ces images se trouve p. 350.*

Étudier une image : l'affiche du film

Vous trouverez la reproduction de l'affiche du film de Robert Vernay en 2e de couverture de cet ouvrage.

La composition de l'affiche

1 Repérez les lignes verticales et horizontales qui structurent l'affiche.
a. Tracez-les sur un rectangle figurant l'affiche.
b. Indiquez les répartitions de l'espace : espace réservé à l'image, lui-même divisé en parties ; espace réservé au texte.

Les éléments textuels

2 Faites la liste des différentes informations données par le texte.
3 **a.** Quelles sont les couleurs utilisées pour le texte ?
b. Par quelle couleur et quelle typographie du film est-il mis en valeur ?

L'analyse de l'image

4 Décrivez ce que vous voyez dans la partie gauche et dans la partie droite de l'image.
5 Quel contraste de couleurs et d'éclairage notez-vous entre les deux parties ? Comment l'expliquez-vous ?
6 Quelle place est réservée à la mer ? Pourquoi y a-t-il un bateau ? Sa présence est-elle seulement décorative ?

La fonction de l'affiche

7 Quelle est la fonction d'une affiche de cinéma ?
8 **a.** Celle-ci donne-t-elle envie d'aller voir le film ? Justifiez.
b. À quel genre d'histoire peut-on s'attendre si on n'a pas lu le roman ?
9 Est-il difficile selon vous d'adapter un roman à l'écran ?

Débattre

10 Préférez-vous lire un livre avant de voir le film ou l'inverse ?

Étudier une peinture : la peinture *Odalisque*

Vous trouverez la reproduction du tableau d'Eugène Delacroix en 3e de couverture de cet ouvrage.

Recherche documentaire

1 Faites une rapide recherche sur Delacroix. À quel mouvement artistique appartient-il ?
2 Cherchez ce qu'est une odalisque.

La nature de l'image

3 Identifiez la nature de l'image, sa date, ses dimensions, la technique utilisée, le lieu d'exposition.

Le personnage dans son décor

4 Décrivez la jeune femme.
a. Dans quelle position se trouve-t-elle ?
b. Quelle est sa tenue ?
c. Caractérisez son regard. Regarde-t-elle le spectateur ?
5 Décrivez le décor.
6 Quels éléments suggèrent le luxe ?

Une image de l'Orient

7 Comment l'artiste traduit-il la sensualité mystérieuse que les occidentaux attribuent aux femmes du harem ? Pour répondre :
– observez les contours, les traits du visage (sont-ils nets ou flous ?) ainsi que la répartition de l'ombre et de la lumière ;
– caractérisez les lignes dominantes (droites, courbes...) ;
– repérez les couleurs utilisées ; sont-elles chaudes ou froides ?
8 Quelle image Delacroix donne-t-il de l'Orient ?
9 En quoi ce tableau fait-il partiellement écho à la description d'Haydée ?

Étudier des gravures

Le frontispice du roman (p. 11)

La nature de l'image

1 Cherchez ce qu'est un frontispice. Dans quelle partie du livre le trouve-t-on ?

2 De quand celui-ci date-t-il ? Quelle est la technique utilisée ?

La composition et la fonction

3 Comment l'image est-elle composée ? Identifiez les scènes.

4 Quelle scène le dessinateur a-t-il mis en valeur ?

5 En quoi ce frontispice annonce-t-il un roman d'aventure ?

Une vignette illustrative (p. 49)

La nature et la composition de l'image

1 **a.** Identifiez la nature de l'image, l'époque, la technique utilisée (dessins, peinture...), la scène représentée.

2 Qui sont les personnages présents ? Dans quels différents plans sont-ils situés ? De quoi l'arrière-plan est-il constitué ?

3 Quel est le rôle de la porte par rapport à la composition ?

Le décor et les personnages

4 Quels sont les éléments qui composent le décor ?

5 Décrivez les personnages (vêtements, attitude, regard).

6 **a.** Quels sentiments chacun d'eux laisse-t-il transparaître ?

b. Citez les passages du texte qui ont pu inspirer le dessinateur pour traduire les expressions et sentiments des personnages.

Le travail de l'artiste et la fonction de l'image

7 Quelle remarque faites-vous sur le dessin ? Donnez des exemples.

8 L'illustration constitue-t-elle une aide à la lecture ?

Créer et partager sa lecture

9 **a.** Choisissez un passage du roman qui vous a plu et illustrez-le par un dessin ou une peinture.

b. Recopiez sous l'image un court extrait du texte.

c. Exposez tous les dessins de la classe.

Index des rubriques

Repérer et analyser

Étudier la langue

Écrire

Débattre

Se documenter

S'exprimer à l'oral

Table des illustrations

Iconographie : Hatier Illustration

Graphisme : Mecano-Laurent Batard

Mise en page : Atelier Michel Ganne

Édition : Raphaële Patout

Achevé d'imprimer par BlackPrint CPI Ibérica S.L.U.-Espagne

Dépôt légal: 97158-7/05 - septembre 2019